C0-AUL-812

TRAITÉ DES PRINCIPES

SOURCES CHRÉTIENNES
Fondateurs : H. de Lubac, s. j., et † J. Daniélou, s. j.
Directeur : C. Mondésert, s. j.

N° 269

ORIGÈNE

TRAITÉ DES PRINCIPES

TOME IV

(Livres III et IV)

COMMENTAIRE ET FRAGMENTS

PAR

Henri CROUZEL et Manlio SIMONETTI

Cet ouvrage est publié avec le concours du Centre National de la Recherche Scientifique

LES ÉDITIONS DU CERF, 29, BD DE LATOUR-MAUBOURG, PARIS
1980

La publication de cet ouvrage a été préparée avec le concours de l'Institut des Sources Chrétiennes (E.R.A. 645 du Centre National de la Recherche Scientifique)

ISBN 2-204-01539-3

COMMENTAIRE ET FRAGMENTS

Préface de Rufin au Livre III

Cette préface nous renseigne sur les débuts de la nouvelle controverse origéniste que la traduction des deux premiers livres du *Peri Archon* a suscitée, quelque temps après la réconciliation solennelle de Jérôme et de Rufin à Jérusalem, scellée par l'Eucharistie qu'ils avaient reçue ensemble au Saint Sépulcre, peu avant le retour de Rufin en Occident : voir F. Cavallera, *Saint Jérôme* I/1, Louvain-Paris 1922, p. 237 s. Nous apprenons que les deux derniers livres furent traduits plus lentement et peut-être avec plus de soin que les deux premiers, que ceux-ci avaient été connus avant que soit achevé l'ensemble de la traduction et qu'ils avaient déjà suscité une campagne de dénigrement contre Origène et contre Rufin. Aussi, pour éviter des compréhensions malheureuses, Rufin avertit le lecteur de ne pas lire cette œuvre sans se la faire expliquer.

1. Le style des deux derniers livres est peut-être plus soigné : c'est là que l'on trouve la plupart des réminiscences virgiliennes. Rufin y manifeste, semble-t-il, un plus grand souci de clarté, pour couper court aux mauvaises interprétations.

2. La querelle avec Jérôme n'a pas encore repris, car le larcin d'Eusèbe de Crémone qui la provoqua, par l'entremise de Pammachius et des autres amis romains du moine de Bethléem, ne s'est produit qu'après l'achèvement de l'ouvrage : voir F. Cavallera, *Saint Jérôme* I/1, p. 234 s.

3. Allusion au second traité qui compose le livre III, septième de la seconde série, *PArch* III, 2-4, sur les luttes des démons contre les hommes.

4. Rufin précise donc qu'il n'a rien omis d'essentiel en ce qui concerne les créatures raisonnables, sauf pour raison de brièveté, quand il s'agissait de choses déjà dites. On n'avait encore aucune opinion commune sur la question de l'origine des âmes : *PArch.* I, préf. 5 ; RUFIN, *Apol. ad Anast.* 6 ; PAMPHILE, *Apol.* VIII-IX. Cependant la solution origénienne avait déjà soulevé des contradictions. En ce qui concerne l'incorporéité ou la corporéité finale, on peut repérer certaines des coupures faites par Rufin en le confrontant avec la tradition indirecte, Jérôme et Justinien, en III, 6, 1 et en IV, 4, 8. Mais l'hypothèse de l'incorporéité finale a été discutée dans Rufin auparavant. Voir J. RIUS-CAMPS, « La suerte final... ».

5. Didyme l'Aveugle avait déjà rédigé des scolies pour expliquer quelques passages du *PArch.* : JÉRÔME, *Apol. adv. lib. Ruf.* I, 6 ; II, 16 ; III, 28 ; SOCRATE, *Hist. Eccl.* IV, 25. Les commentaires étaient rendus d'autant plus nécessaires par les interprétations tendancieuses des anti-origénistes. C'est pourquoi, comme le montre la comparaison de son texte avec *Philoc.*, Rufin paraphrase plus longuement pour être mieux compris du lecteur latin, ajoute des explications, résumés, conclusions, transitions. Il est possible, étant donné cette remarque, qu'il n'ait pas agi tout à fait de même dans les deux premiers livres.

6. Les grammairiens sont les professeurs de littérature. Ou plutôt, en s'appuyant sur PHILON (*Congr.* 148, cf. 74 ; *Somn.* I, 205 ; *Agric.* 18), on peut distinguer deux degrés dans l'enseignement de la grammaire : la grammaire élémentaire (ἀτελέστερα) ou enfantine (παιδική), enseignée par le γραμματιστής et appelée parfois γραμματιστική, concerne l'apprentissage de la lecture et de l'écriture ; la grammaire « plus parfaite » (τελειοτέρα) du γραμματικός explique les œuvres des poètes, des prosateurs et des historiens.

Second cycle de traités (suite)

Sixième traité (III, 1)

(Les appels de notes ont été placés dans la traduction française. Les notes se rapportant au texte grec sont indiquées par un chiffre, les notes se rapportant au texte latin par un chiffre suivi d'une lettre.)

Ce traité ne forme qu'un chapitre dans les éditions latines, de beaucoup le plus long du *Peri Archon* : il n'a pas été divisé à cause de l'unité que présente son sujet et son plan. Le problème examiné était brûlant aussi bien pour les philosophes que pour les chrétiens. Les stoïciens avaient soumis le monde au gouvernement infaillible du destin (εἱμαρμένη) et de la nécessité (ἀνάγκη), mais ils avaient subi une critique sévère du néo-académicien Carnéade à cause des dommages que leur conception causait à la vie morale : D. Amand, *Fatalisme et liberté dans l'Antiquité grecque : Recherches sur la survivance de l'argumentation morale antifataliste de Carnéade chez les philosophes grecs et les théologiens chrétiens des quatre premiers siècles*, Louvain 1945 : sur Origène, p. 276-324. Mais les croyances astrologiques et la religion astrale renforçaient le fatalisme. Les chrétiens devaient faire face au déterminisme et au prédestinatianisme des gnostiques, et le libre arbitre était pour eux inséparable de la vie morale et de la rétribution finale : Méliton, *Peri Pascha* 48 ; Irénée, *Adv. Haer.* IV, 4, 3 : IV, 37, 1-7 ; IV, 39, 1-4 ; Clément, *Strom.* II, 14, 60 ; II, 15, 62 ; IV, 24, 153.

La question était plus fondamentale encore pour Origène,

le libre arbitre étant la base de toute sa conception cosmologique et anthropologique dirigée contre le déterminisme gnostique. Dans le présent traité, on constate l'influence des discussions philosophiques et la réfutation des interprétations dont les gnostiques se servaient pour soutenir leur prédestinatianisme. Le traité d'Origène sur le libre arbitre est l'exposé le plus complet que l'Antiquité nous ait laissé sur ce sujet. JÉRÔME, déjà antiorigéniste, n'hésite pas à y renvoyer Paulin de Nole à propos d'*Ex.* 4, 21, *Lettre 85*, 3. Il n'est donc pas étonnant que Basile et Grégoire de Nazianze l'aient cité entièrement, à part quelques prudentes omissions, dans la *Philocalie.* La comparaison de ce texte et de la version rufinienne, pour juger cette dernière, a été faite par J. A. ROBINSON dans l'introduction de la *Philocalie* (Cambridge 1893, p. XXXI-XXXIX), par P. KOETSCHAU dans celle de son édition du *PArch.* (p. CXXVIII-CXXXVII) pour aboutir à des conclusions assez défavorables au traducteur, par G. BARDY, *Recherches...*, qui réhabilite ce dernier dans une assez large mesure, par G. RIST (dans *Origeniana*, Bari 1975, p. 97-111) pour préciser les différences des mentalités et des milieux entre auteur et traducteur, par H. CROUZEL (dans *Origeniana*, p. 113-121) qui examine dans les deux chapitres de *Philoc.* empruntés à *PArch.* les contresens commis par Rufin et l'origine des lacunes que présente son texte.

Le traité peut se diviser en trois parties qui s'articulent logiquement. La première est philosophique : elle utilise des termes stoïciens que Rufin a traduits d'une manière plus générale et plus floue. Ce sont des expressions courantes dans les écoles du temps et il n'est pas possible de trouver une source précise qu'Origène aurait particulièrement suivie : H. KOCH, p. 280-291. Parmi les êtres qui se meuvent, les uns sont mus seulement du dehors, d'autres ont en eux-mêmes la cause de leur mouvement, qu'ils soient mus d'eux-mêmes (les inanimés ou « sans âme »), ou qu'ils soient mus par eux-mêmes (les animaux), une représentation provoquant l'impulsion (1-2). Mais l'animal raisonnable possède la raison capable de juger les impulsions, de les accepter ou refuser, donc de choisir le bien ou le mal et d'être susceptible de louange ou de blâme. L'activité de certains animaux se rapproche d'une certaine façon de celle des êtres raisonnables. Nous ne sommes pas libres de ne pas éprouver les représentations qui s'imposent à nous, mais nous pouvons les juger et ainsi les accepter ou les rejeter (3). Lorsque nous cédons aux stimulants extérieurs qui nous entraînent au mal, il y a là une capitulation de la volonté (4). Nous n'avons donc pas à accuser les incitations du dehors, mais nous-mêmes. Mais l'enseignement et l'éducation peuvent fortifier la résistance de la volonté, tandis que le laisser-aller moral l'affaiblit. Les événements extérieurs ne dépendent pas de notre libre arbitre, mais il nous appartient de nous en servir selon le jugement de la raison (5). Plusieurs textes scripturaires montrent que bien vivre est notre affaire : les préceptes donnés dans la Bible, les châtiments et récompenses qu'elle promet, supposent l'existence du libre arbitre (6).

Mais les gnostiques objectent d'autres textes (7). Le plus important est *Ex.* 4, 21 - 7, 3 sur l'endurcissement par Dieu du cœur de Pharaon et *Rom.* 9, 18, qui y renvoie. Les hérétiques appuient sur eux leur doctrine des natures : Pharaon est le type de l'hylique (matériel) ou choïque (terrestre), perdu d'avance. Origène développe les raisons de leur interprétation (8). Que signifie « endurcir » ? Cet endurcissement peut-il être l'œuvre d'un Dieu prétendu juste qui endurcit, puis punit l'endurci ? Dieu n'est-il pas montré par là au contraire méchant ? Comment comprendre ces paroles en sauvant la justice de Dieu (9) ? La pluie permet à la terre de porter soit des récoltes, soit des épines ou des chardons (*Hébr.* 6, 7-8) : ainsi les bienfaits divins auront un effet différent selon les dispositions de l'âme comparée à la terre (10). Pareillement le soleil dessèche la boue et liquéfie la cire : l'endurcissement n'est pas voulu par Dieu, mais il est l'effet que les prodiges divins font sur le vouloir de Pharaon (11). En ce sens, des prophètes reprochent à Dieu d'avoir trop épargné son peuple et de ne pas l'avoir puni : Dieu est comparé à un médecin qui diffère le moment de la guérison pour pouvoir guérir plus sûrement (12-13) ou à l'agriculteur qui ne se presse pas de jeter la semence sur la terre pierreuse (14).

Une seconde objection vient d'*Éz.* 11, 19-20 : si c'est Dieu qui enlève les cœurs de pierre et met les cœurs de chair, nous n'avons pas de libre arbitre. Mais Dieu n'ôte le cœur de pierre que de celui qui en a conscience et désire un cœur de chair (15). Autre objection à partir de *Matth.* 13, 10-11 : le Seigneur parle en paraboles pour que ses auditeurs ne comprennent pas, de peur qu'ils ne se convertissent et ne soient sauvés. Ce texte montre d'abord que les hérétiques pourraient adresser au Dieu du Nouveau Testament les mêmes accusations de cruauté qu'ils réservent à celui de l'Ancien (16). L'objection est résolue elle aussi par l'image du médecin. Ceux du dehors à qui Jésus parlait en paraboles auraient été soumis, si Jésus leur avait parlé autrement, aux aléas et aux rechutes d'une guérison trop rapide. Mais plus éloignés que ceux du dehors sont les « Tyriens », les païens, qui se seraient convertis si le Sauveur s'était rapproché de leurs frontières, mais qui ne se sont pas convertis car il n'est pas venu à eux ; ils sont bien moins favorisés que ceux du dehors, mais ils entendront un jour et opéreront une conversion plus solide. Mais pourquoi le Sauveur est-il allé prêcher aux villes du Lac, provoquant ainsi leur refus, résultat de leur manque de préparation ? Pour les libérer de leur présomption (17). *Rom.* 9, 16 semble aussi nier toute participation à l'œuvre de notre salut dont Dieu seul serait l'agent ; mais l'Apôtre parle de « celui qui veut » et de « celui qui court » : or désirer le bien, c'est déjà le bien (18). C'est le Seigneur, selon le *Ps.* 126, qui bâtit la maison et garde la ville : il ne faut pas conclure de là que l'activité des maçons ou des soldats serait inutile. Le vouloir humain ne suffit pas au salut, mais il a son rôle, bien que la part de Dieu soit infiniment plus considérable. S'il n'en était pas ainsi, on ne comprendrait pas que Paul puisse formuler des préceptes moraux (19). *Phil.* 2, 13 ne dit-il pas cependant que le vouloir et l'agir viennent de Dieu ? Il s'agit du vouloir et de l'agir en général : Paul n'attribue pas à Dieu le vouloir et l'agir mauvais. Nous tenons de Dieu les facultés de vouloir et d'agir, mais c'est nous qui les spécifions (20). Dernière objection venant de *Rom.* 9, 18-21 : le potier (Dieu) fait à sa volonté des vases à usage noble et d'autres à usage sans honneur : il n'y a donc pas de libre arbitre. Mais l'Apôtre se contredit alors quand il blâme les uns et loue les autres, en tant que responsables de leurs actes, et lorsqu'il parle du jugement de Dieu, si la conduite de chacun dépendait seulement de la nature reçue à la naissance. L'image employée par *Rom.* 9, 18-21 se retrouve en *II Tim.* 2, 20-21 où elle sert au contraire à affirmer le libre arbitre : celui qui se purifie, de vase sans honneur devient un vase noble. Il n'est donc pas possible d'appuyer sur cette image la doctrine hérétique des natures (21). Certains sont faits vases d'honneur et d'autres vases de déshonneur à cause de mérites ou démérites antécédents à la naissance, acquis dans la préexistence, comme le montre l'exemple de Jacob et d'Ésaü. Si l'Apôtre réprimande celui qui s'adresse à Dieu pour le contester, cet avertissement ne tombe pas sur un juste comme Moïse qui parlait à Dieu et à qui Dieu répondait (22). Si on refuse la doctrine des natures et celle de la dualité des créateurs, celui qui est actuellement vase d'honneur peut devenir vase de déshonneur s'il se relâche et inversement (23). L'Apôtre insiste donc tantôt sur l'action de Dieu, tantôt sur l'activité propre, mais il ne se contredit pas, car il faut affirmer les deux (24).

Origène est revenu souvent sur le libre arbitre et sur l'endurcissement du cœur de Pharaon. Il faut citer, outre

ComRom. VIII, 11, la troisième partie de *Philoc.*, 21-27 (éd. É. Junod, *SC* 226). Le chapitre 21 est le texte du *PArch.* qui nous occupe. Le chapitre 22 est formé de morceaux du *CCels.* V, 25-32, avec V, 35 qui y est intercalé. Le chapitre 23 est un long passage du *ComGen.* III, avec *CCels.* II, 20 intercalé au milieu, §§ 12-13 : il combat le déterminisme astral en montrant que les astres ne sont pas les agents, mais seulement les signes des événements humains, des signes que seuls les anges, non les hommes, peuvent lire ; l'astrologie est donc une science fallacieuse. Le chapitre 24 est un passage de Méthode d'Olympe dans son dialogue sur le libre arbitre, attribué par les Philocalistes à Origène parce qu'il est cité par le dialogue pseudo-origénien *De Recta in Deum fide*, dit d'Adamantios. Le chapitre 25, venant du *ComRom.* dont nous avons la traduction rufinienne, résout le problème que la prescience divine pose à l'existence de la liberté. Le chapitre 26, pris au *ComPs.* 4, essaie de définir quels sont les biens qui s'offrent comme buts à la liberté humaine. Le chapitre 27 contient des fragments divers, consacrés en grande partie à l'endurcissement du cœur de Pharaon. L'introduction d'É. Junod à *SC* 226 étudie ces morceaux en détail et donne une bibliographie abondante. Voir aussi la bibliographie indiquée par W. Gessel, *Die Theologie des Gebetes nach « De Oratione » von Origenes*, Munich 1975, p. 156, note 41. Il nous faut signaler quelques livres et articles sur le libre arbitre chez Origène :

J. F. Bonnefoy (*Mélanges Cavallera*, 1948), p. 141-142, étudie le plan de ce chapitre.

Harald Holz, « Über den Begriff des Willens und der Freiheit bei Origenes », *Neue Zeitschrift für systematische Theologie und Religionsphilosophie*, 12, 1970, p. 63-84. Cette étude méritoire et profonde souffre cependant du même manque que bien des exposés trop purement philosophiques sur Origène : la prise en considération des seuls éléments philosophiques entraîne une certaine déformation de l'ensemble et l'impossibilité de concilier ce qui y est dit avec d'autres textes du même auteur.

B. D. Jackson, « Sources of Origen's Doctrine of Freedom », *Church History* 35, 1966, p. 13-23. Sources platoniciennes (et mésoplatoniciennes), ainsi que stoïciennes, le tout dans une perspective déterminée par l'Écriture.

Hal Koch (1932), p. 280-291 : sur les sources philosophiques.

G. Teichtweier (1958), p. 77-85 : parmi les présupposés anthropologiques de la conception origénienne du péché.

G. Vinard, *Étude historique de la doctrine de la liberté humaine chez Origène*, Angers 1911. Il étudie en détail notre texte, ainsi que le fragment du *ComGen.* III (*Philoc.* 23) et *PEuch.* VI. Il remarque (p. 47) qu'Origène n'utilise jamais dans ces textes le mot ἐλευθερία qui est paulinien, mais τὸ αὐτεξούσιον et τὸ ἐφ' ἡμῖν : il lui reproche, à la suite de Pressensé, de ne pas être parvenu à une notion complète de la liberté. Ces reproches ne sont pas fondés et proviennent d'une étude trop orientée sur un point : dans les textes qu'examine Vinard, il ne s'agit que de libre arbitre et non de liberté proprement dite, mais bien d'autres textes reproduisent la notion d'une liberté qui s'achève dans l'adhésion à Dieu au sens paulinien. Pour juger de la liberté et de la grâce, il faut étudier la spiritualité d'Origène. Sur la liberté acquise par le don de soi-même à Dieu voir H. Crouzel, *Virginité*, p. 127-128, 160-168, et ici-même la note 31 de *PArch.* II, 6.

Peri Archon III, 1

1. C'est l'argument mis en tête du chapitre par les Philocalistes.

1a. Ce passage ne se trouve pas dans *Philoc.* Koetschau pense à une interpolation rufinienne et Bardy, *Recherches..*, p. 42, ne sait que penser. Les formules de passage d'un livre ou d'un traité à l'autre sont fréquentes et il n'est pas nécessaire de les imputer au traducteur (I, 7, 1 ; II, 1, 1 ; II, 4, 1 ; etc.). Il est tout à fait compréhensible que les Philocalistes aient laissé de côté une phrase qui faisait la liaison avec un chapitre précédent qu'ils n'avaient pas reproduit.

2. Sur *κήρυγμα/praedicatio*, voir *PArch.* I, préf. (à plusieurs reprises) ; *CCels.* I, 7 ; V, 18. Le libre arbitre est enseigné par la prédication ecclésiastique (*PArch.* I, préf. 5) et ceux qui le nient sont qualifiés d'hérétiques (*Fragm. ComTite* dans *PG* 14, 1305 A).

3. Le libre arbitre est un fondement nécessaire de la vie morale : *CCels.* IV, 3 (*SC* 136 p. 193, mais plutôt traduire τὸ ἐφ' ἡμῖν par libre arbitre que par liberté, car les deux notions ne se recouvrent pas entièrement) ; *Fragm. ComTite* dans *PG* 14, 1305 A.

4. F. Prat (1907), p. 79 note 2, écrit à propos de *PArch.* III, 1, 2-3 : « La terminologie de ce paragraphe est assez remarquable. Les êtres se divisent en quatre catégories : 1° Les substances inertes (φορητά) composées de matière et de forme (ἡ ὑπὸ ἕξεως μόνης συνεχομένη ὕλη) qui reçoivent le mouvement du dehors (ἔξωθεν). 2° Les végétaux (φυτά) qui ont un principe vital (φύσις de φύω), quoique inanimés (ἄψυχα) et qui se meuvent spontanément (αὐτοκίνητα) ou d'eux-mêmes (ἐξ ἑαυτῶν). 3° Les animaux (ἔμψυχα) qui ont une âme (ψυχή) comme leur nom l'indique, et se meuvent d'eux-mêmes (ἀφ' ἑαυτῶν) en vertu de l'imaginative (φαντασία) qui détermine leur mouvement (ὁρμή) et produit quelquefois des séries d'actions instinctives coordonnées (τῆς φανταστικῆς φύσεως τεταγμένως ἐπὶ τοῦτο προκαλουμένης). 4° Au sommet de la hiérarchie est l'animal raisonnable (τὸ λογικὸν ζῷον) qui possède la raison, en plus de l'imagination et de l'instinct. » Il faut rapprocher de cela la doctrine stoïcienne des aspects variés que prend dans les êtres le *pneuma* immanent à l'univers : dans les pierres un εἶδος ἑκτικόν (une ἕξις), dans les plantes un εἶδος φυσικόν (une φύσις), dans les animaux un εἶδος ψυχικόν (une ψυχή). Voir *SVF* II, p. 205. La traduction rufinienne est moins claire, mais il n'était peut-être pas très possible à Rufin de rendre ces termes de façon plus nette avec les ressources de la langue latine. H. Koch, p. 234 note 1, voit dans ce passage une des rares réminiscences de Poseidonios que l'on pourrait trouver avec quelque sécurité chez Origène. Un autre passage est très proche de celui-ci : *PEuch.* VI, 1 : F. Prat, p. 79-80 note 2, y trouve la preuve du libre arbitre « répétée avec plus de précision et de concision ». Même vocabulaire chez Philon, *Leg.* II, 22-23 ; *Her.* 137-138 ; et dans Clément, *Strom.* II, 20, 110-111.

4a. Rufin restreint le sens du grec. L'expression τὴν ῥύσιν τῶν σωμάτων n'est pas limitée aux phénomènes de corruption. Dans le passage de *ComPs.* 1 sur *Ps.* 1, 5, cité par Méthode (*De Resurrectione* I, 22) et par Épiphane (*Panarion* 64, 15), il est dit que l'âme ne s'écoule pas (οὐ ῥεῖ), tandis que la nature du corps est fluente (ῥευστή), car ses éléments matériels se renouvellent constamment dans l'organisme, le corps étant comparable à un fleuve. Même usage de ce mot à propos de l'οὐσία matérielle opposée à la spirituelle dans la distinction des deux οὐσίαι de *PEuch.* XVII, 8. Mais en *PEuch.* VI, 1, le fait que les corps soient ῥευστά est rapporté seulement aux phénomènes de corruption.

5-5a. συνέχεται : pour les stoïciens, l'action du *pneuma* donne cohésion aux êtres ; Rufin n'a pas vu cela.

6-6a. Clément, *Strom.* VI, 12, 96 ; ici aussi Rufin n'a pas vu le mot technique.

7-7a. Si on traduit μέταλλον par veine ou mine métalique avec Rufin, il s'agirait d'une opinion de Poseidonios qui leur prête une certaine force vitale : W. THEILER, *Die Vorbereitung des Neuplatonismus*, Berlin 1930, p. 74. Si on traduit par métal, on pourrait penser aux phénomènes d'aimantation. *PEuch.* VI, 1 parle de même.

8. Les deux prépositions ἐκ et ἀπὸ : ἐκ s'applique au mouvement qui découle de la nature de l'être, comme une plante qui croît, un couteau qui coupe ; ἀπὸ au mouvement dont l'origine est l'impulsion venue de l'animal lui-même : *SVF* II, p. 161. *PEuch.* VI, 1 oppose le mouvement des animaux qui est ἀφ' αὑτῶν et celui des êtres raisonnables δι' αὑτῶν. Voir A. ORBE, *En los albores...*, p. 209 s.

9-9a. La représentation, φαντασία, est une impression que l'animal reçoit du dehors ; l'impulsion, ὁρμή, la réaction immédiate de l'être animé aux sollicitations externes ou internes : *SVF* III, p. 40 ; PHILON, *Leg.* I, 30 ; *Deus* 41-44 ; CLÉMENT, *Strom.* II, 20, 110-111. Rufin développe.

10-10a. *SVF* II, p. 208. Il s'agit d'une φαντασία, représentation, provenant du dedans. CHRYSIPPE avait défini le φανταστικόν comme διάκενος ἑλκυσμός, une traction vide, une impression subie par l'âme sans être provoquée par un agent extérieur : *SVF* II, p. 21 s., 25. Rufin est exact, mais il ne comprend pas bien les termes techniques.

10b. Rufin développe.

10c. Réminiscence virgilienne, *Géorgiques* IV, 1 : *Protinus aerii mellis dona exsequar.*

11. Lorsque dans ce chapitre, à la numérotation des paragraphes qui est celle de Delarue, une seconde est ajoutée entre parenthèses, elle correspond à celle de Robinson pour *Philoc.*, un peu différente. Lorsqu'un troisième chiffre est ajouté et repris plus loin à l'intérieur du texte, c'est la division des paragraphes qui est différente dans *Philoc.*

12. La raison qui est en même temps parole, λόγος, et participation au Fils de Dieu, Parole et Raison divine : tous ces sens sont plus ou moins présents, avec l'un qui domine, quand Origène emploie λόγος dans cette acception.

13. ἀφορμή ne signifie pas ici le contraire de ὁρμή, c'est-à-dire l'aversion (*SVF* III, p. 40, 42), mais l'inclination (*SVF* I, p. 129 ; II, p. 64), la capacité, les moyens.

14. Le rapprochement de l'activité des chiens de chasse et des chevaux de combat avec celle de l'homme raisonnable dérive du stoïcisme, qui voyait l'action d'un même *pneuma* sous divers aspects à travers tout l'univers, substantiellement identique même dans ses manifestations disparates. L'exemple donné est traditionnel : *SVF* II, p. 207 ; DIELS, *Doxogr. Graeci*, p. 432.

14a. « *Sed id... credendum est* » (64-66) : Rufin ajoute pour mettre les choses au point et éviter de mauvaises interprétations. De même « *Verum... contrarios motus* » (67-71) développe ce qu'Origène dit beaucoup plus rapidement. Les explications données par Rufin dans le premier passage sont fidèles à l'opinion d'Origène, comme nous en assure le grand débat avec Celse (*CCels.* IV, 81-99) sur la différence entre hommes et animaux : l'animal ne participe pas au caractère raisonnable que l'homme possède en tant qu'il a été créé selon l'image de Dieu. A cause de cette discussion, M. J. DENIS, p. 205-210, voit dans Origène, avec bien de l'exagération, un précurseur de la conception cartésienne des animaux-machines.

15. Origène désigne habituellement le libre arbitre des termes τὸ ἐφ' ἡμῖν et τὸ αὐτεξούσιον : le premier est stoïcien, opposé à τὰ ἐκτός (H. KOCH, p. 209). Voir la même problématique dans ARISTOTE, *Éthique à Nicomaque* III, 1, 1110 et dans le *De Fato* d'Alexandre d'Aphrodise.

16. τὸ καθῆκον, catégorie fondamentale de la morale

stoïcienne, consistant à vivre selon la raison : *SVF* I, p. 55 ; III, p. 134 s.

17. εὐδόκησις, συγκατάθεσις, ῥοπή, ἡγεμονικόν : on trouve des expressions quasi identiques chez PLUTARQUE, dans les *SVF* III, p. 111. Les trois premiers termes sont presque synonymes. Appartiennent au vocabulaire stoïcien : συγκατάθεσις et ἡγεμονικόν (voir l'index de *SVF* IV). Le dernier mot est très employé par Origène, chez qui il est synonyme de νοῦς d'origine platonicienne et du biblique καρδία, pour désigner l'intelligence, partie supérieure de l'âme ; dans les versions rufiniennes et hiéronymiennes, il est traduit par *principale cordis*, ou *mentis* ou *animae*, expression qui passera chez les auteurs médiévaux.

18. Sur πιθανότης, *SVF* III, p. 53, 55 : la force de persuasion des impressions externes qui détournent l'âme de vivre selon la raison.

18a. Rufin, qui a un peu développé ce qui précède, ajoute « *ita ut... proferatur* » (87-91) : les πιθανότητες lui suggèrent l'image d'un tribunal. Plusieurs fois en effet il orne son discours en développant des images à peine suggérées.

19. πρόθεσις, c'est l'objectif de l'action à faire : *SVF* III, p. 41.

20. αὐτοτελής, la cause qui suffit à réaliser le but : *SVF* II, p. 120.

20a. Rufin développe et surtout inverse, pour parvenir au même but : Origène envisage le cas de celui qui a failli, Rufin de celui qui peut résister.

20b. La fin de la phrase rufinienne rappelle à G. BARDY, *Recherches...*, p. 130, une expression liturgique : voir la fin de la postcommunion de la 3e férie *in albis* dans le *Sacramentarium Gregorianum* 90, 3, éd. Lietzmann, p. 57 :

ut paschalis perceptio sacramenti continua in nostris mentibus perseueret.

21. Sur l'importance de l'exercice et de l'éducation : *PArch.* I, 4, 1 ; I, 6, 2-3.

22. μελέτη : exercice, méditation, étude ; il est difficile de choisir entre ces sens : *HomJér.* V, 13 ; *FragmLc* 157 (Rauer[2]).

22a. Rufin ne traduit pas ἢ ἐγγύς γε τοῦ βεβαιωθῆναι γεγενημένος.

23. *PArch.* III, 1, 2-3 ; enlever à l'homme la capacité du libre arbitre, c'est l'assimiler aux êtres qui n'ont qu'une φύσις, même pas une ψυχή.

24. Origène réfute en *PEuch.* VI, 2 l'adversaire du libre arbitre.

24a. Rufin explique plus longuement.

25. En fait, les stoïciens ne laissaient à l'homme d'autre possibilité d'autodétermination que de s'adapter aux impressions reçues du dehors : *SVF* II, p. 285.

26. κατασκευή, constitution naturelle : *SVF* III, p. 89, 104.

27. προτροπή : *SVF* III, p. 3 ; 170 s.

28. μεταβολή, terme employé ici en bien, ailleurs en mal : *SVF* I, p. 50 ; III, p. 111.

29. L'ἀγροικία, forme de sottise : *SVF* III, p. 169.

29a. Dans ce qui précède Rufin est plus court que l'original : il ne rend pas l'idée que les convertis font paraître intempérants et sauvages ceux qui n'ont pas eu besoin d'être convertis.

30. διαστροφή exprime pour les stoïciens le fait de se détourner de la vie selon la nature : *SVF* III, p. 53 s. ; *CCels.* III, 69.

30a. Réminiscence chez Rufin, mais non chez Origène, de *I Cor.* 15, 33, citant la *Thaïs* de Ménandre, fragment 75.

31. La jeunesse est pour les stoïciens l'âge le moins capable de sagesse : *SVF* III, p. 181.

32-32a. Cette affirmation, omise prudemment par Rufin à cause de son apparence pélagienne, n'est pas à entendre dans un sens pélagien, comme si l'œuvre bonne dépendait seulement des capacités de l'homme et non de Dieu : il veut dire que le choix du bien ou du mal est laissé à l'homme. Origène affirme clairement que l'homme a besoin de la grâce pour obtenir le salut, et cela dans de nombreux textes : voir *PArch.* III, 1, 19.

33. Sont visés les stoïciens, les tenants de l'astrologie, les gnostiques.

34-34a. La fin de la citation du *Ps.* 80, 14-15 manque chez Rufin et dans un manuscrit de *Philoc.* Ou bien elle a été ajoutée dans les autres manuscrits de *Philoc.* Ou bien elle se serait trouvée chez Origène et aurait été supprimée par étourderie, soit par Rufin, soit par le copiste du *Lucullanus*, l'ancêtre de tous les témoins actuels de la version rufinienne (Koetschau, p. CIII).

35. Même citation dans un contexte analogue : CLÉMENT, *Strom.* II, 15, 66. Les punitions dont les pécheurs sont menacés ne sont compatibles avec la justice de Dieu que si on admet la responsabilité personnelle : le libre arbitre est supposé par la doctrine morale et par celle de la rétribution finale. *ComJn* XX, 24 (20), 202 : si le diable n'avait pas été capable de faire le bien au début, sa condition aurait été une injustice de la part de Dieu.

35a. *Alioquin... non est* (193-195) : explication de Rufin qui n'ajoute rien.

35b. *Verum... intellegi* (196-198) : le latin est plus court et explique moins.

35c. L'allusion de Rufin à la « règle de piété » ne se trouve pas dans le grec ; de même *PArch.* III, 1, 23. En III, 5, 3, elle est chez Rufin et non chez Jérôme.

35d. Rufin développe un peu.

36-36a. *Gal.* 5, 8 n'est pas cité par Rufin : c'est vraisemblablement une interpolation dans le grec, qui coupe absurdement en deux *Rom.* 9, 18-21. De même le καὶ πάλιν de la ligne 186, que Koetschau avait transporté à la ligne 185 après *Gal.* 5, 8. Mais puisque cette citation est à supprimer, καὶ πάλιν l'est aussi à un endroit comme à l'autre.

37. τοὺς πολλούς, c'est-à-dire les « plus simples », incapables de compréhension spirituelle : même sens en *ComJn* XIII, 6, 33 et en *CCels.* VI, 6, citant PLATON, *Lettre* 7, 341 c.

38. Sur l'exégèse de l'endurcissement par Dieu du cœur de Pharaon, voir : les différents passages de *Philoc.* 27 ; *SelEx.* dans *PG* 12, 281 C ; *HomEx.* III, 3 ; IV, 1-7 ; VI, 3-4.9 ; *PEuch.* XXIX, 16 ; *ComRom.* VII, 16. Cette exégèse a été étudiée par W. J. P. BOYD, « Origen on Pharaoh's hardened heart : A study of Justification and Election in St Paul and Origen », dans *Studia Patristica* VII (*Texte und Untersuchungen* 92), Berlin 1966, p. 434-442 ; M. HARL, « La mort salutaire du Pharaon selon Origène » dans *Studi in onore di Alberto Pincherle, Studi e materiali di storia delle religioni*, 38, I, Rome 1967, p. 260-268.

38a. Dans tout ce paragraphe, à plusieurs reprises, Rufin développe davantage dans un but explicatif.

39. Même ensemble de citations en *HomEx.* IV, 2, qui se borne à constater un mystère que seul l'Apôtre aurait pu éclairer. Dans *Philoc.* 27 se retrouvent plus ou moins les mêmes arguments qu'ici.

40. Origène reproduit le vocabulaire valentinien : les choïques, de χοῦς, terre, sont aussi appelés les hyliques, de ὕλη, matière.

41. Comme dans *Philoc.* 27, Origène, pour combattre les valentiniens, prend les textes, à son habitude, avec un littéralisme strict : M. Simonetti, « Eracleone e Origene », *Vetera Christianorum* 3, 1966, p. 111 s. ; 4, 1967, p. 23 s. Si Pharaon était pervers par nature, Dieu n'aurait pas eu à lui endurcir le cœur ; si Dieu l'a fait, c'est que Pharaon aurait pu se comporter autrement, donc qu'il n'était pas absolument déterminé au mal par sa nature. Le même raisonnement se retrouve, à propos de Caïn, parmi les fragments origéniens cités par Victor de Capoue d'après la Chaîne de Jean Diacre (A. Hamman, *Patrologiae cursus completus, Supplementum: Series latina* IV, Paris 1969, col. 1192). Il s'agit d'un commentaire de *Gen.* 4, 7, ainsi libellé d'après la Septante : « *Si recte auferas* (fautif pour *offeras*), *recte autem non diuidis* » — [οὐκ] ἐὰν ὀρθῶς προσενέγκες, ὀρθῶς δὲ μὴ διέλῃς [ἥμαρτες]. Il est présenté comme tiré du livre III du Περὶ Φύσεων, écrit par ailleurs inconnu : « *Si naturae fuerat periturae, nihil habere poterat ex bona natura. Vnde ergo ei inerat, quod deo munera nouerat offerenda? Quod enim recte obtulerit deo, Scriptura testatur. Sed in hoc culpabilis demonstratur, quod non recte discreuerit quemadmodum debuisset offerre.* — S'il avait été d'une nature destinée à périr, il ne pouvait rien avoir qui vienne d'une nature bonne. D'où avait-il donc la capacité de savoir qu'il fallait offrir des présents à Dieu ? Qu'il ait en effet offert correctement à Dieu, l'Écriture l'atteste. Mais il est montré coupable en ce qu'il n'a pas discerné correctement de quelle façon il aurait dû offrir. » En dépit de l'incertitude du titre *Peri Physeôn*, le fragment est très origénien d'aspect, avec sa polémique contre les natures valentiniennes et l'idée de discernement (H. Crouzel, *Connaissance*, p. 486-493) ; le raisonnement est parallèle à celui qui est fait ici à propos de Pharaon.

41a. Phrase explicative ajoutée par Rufin, mais dans l'esprit d'Origène.

42. A la base du raisonnement se trouve la conception grecque selon laquelle le mal a lui aussi sa place dans l'harmonie de l'univers : *SVF* III, p. 335 s. ; PLATON, *Lois* X, 903 b - 905 d. Origène s'en sert ici provisoirement, à cause de sa polémique contre la doctrine des natures, et aussitôt après avance d'autres explications. Sur ce que pense Origène de la fonction du mal : *ComRom.* VIII, 11 ; *CCels.* IV, 10 ; VI, 55-56 ; *HomNombr.* XIV, 2 ; *HomJér.* XII, 5. Voir CLÉMENT, *Strom.* I, 17, 82-84.

43. Ils n'appartiennent pas davantage à une nature destinée par elle-même et immanquablement au salut. Le gnostique se sent étranger en ce monde et participant, quoique de façon dégradée, au monde supérieur. Pour Origène, la nature divine est soustraite à tout changement et à toute dégradation, et être doué d'une nature divine comme le tiennent les gnostiques signifierait l'impeccabilité : on n'aurait aucun besoin de la miséricorde de Dieu ; voir *ComJn* XIII, 11, 67-74, à propos de la Samaritaine qu'Héracléon présente comme pneumatique. Origène professe une certaine participation des natures raisonnables à la nature divine, par suite de la création selon l'image ; mais c'est une parenté, non une identité, une participation non substantielle, mais accidentelle, c'est-à-dire capable de croître et de décroître. C'est là la différence essentielle entre la participation des créatures raisonnables à la nature divine et celle du Fils de Dieu à son Père. Voir *PArch.* IV, 4, 9-10 et note correspondante 70.

43a. Encore un ajout explicatif de Rufin, « *Et haec quidem... uel pereat* » (279-282) pour résumer ce qui a été dit et conclure. Selon lui la réponse s'adresse aux valentiniens, alors qu'en III, 1, 9 il souligne que la réponse qui suit est destinée aux marcionites, qui distinguent le Dieu juste du Dieu bon ; par souci de clarté il précise ce que le texte d'Origène suppose.

44. Concession provisoire, bien entendu, mais pour montrer aux marcionites que si on prend ce passage à la lettre, Dieu n'est même pas juste : *PArch.* II, 5, 2.

44a. « *quoniam... fatentur* » (302-304) ; ajout explicatif de Rufin.

45-45a. γυμνῇ τῇ κεφαλῇ. Platon, *Phèdre* 243 b : « Je vais en effet, sans attendre quelque disgrâce pour avoir médit d'Amour, m'efforcer de lui payer ma palinodie, avec la tête découverte et non pas en m'encapuchonnant, comme de honte je le faisais tout à l'heure » (trad. L. Robin, *CUF*, Paris 1961, p. 29). L'expression, passée en proverbe, est employée par Jean Chrysostome et Grégoire de Nazianze. Rufin n'a pas saisi la référence platonicienne et n'a pas rendu l'expression.

46. La seconde hypothèse doit viser les marcionites, ainsi représentés parfois par Origène et Tertullien. Telle est en effet la conclusion à laquelle l'interprétation littérale de *Ex.* 4, 21 et des passages examinés en *PArch.* II, 5, 2 mène Origène. Mais ni les gnostiques ni les marcionites n'osaient tirer cette conclusion. Les carpocratiens cependant attribuaient au diable la création du monde : Irénée, *Adv. Haer.* I, 25, 4. Seuls les manichéens feront du Créateur un Dieu mauvais ; mais Mani, né vers 216, était un enfant quand Origène composait le *PArch.*, et sa doctrine ne sera prêchée dans l'empire romain que bien après la mort de l'Alexandrin.

46a. Origène n'identifie cependant pas au diable le Créateur des marcionites, mais Rufin le lui fait dire par une interprétation gratuite. Pour Marcion, le Dieu de l'Ancien Testament n'est pas le diable et le diable subsiste à côté de lui : A. von Harnack, *Marcion*, *Texte und*

Untersuchungen 45, Leipzig 1924, p. 97. Le valentinien Ptolémée, dans la *Lettre à Flora* (ÉPIPHANE, *Panarion*, 33, 3, 2), s'élève contre ceux qui disent que le Créateur est le diable : commentaire par G. QUISPEL, *SC* 24 *bis*, p. 76. Malgré ce qu'il a écrit en 1924, en 1902 Harnack pensait que Ptolémée polémiquait dans ce passage contre les marcionites (« Der Brief des Ptolemäus an die Flora », *Sitzungsberichte der Akademie des Wissenschaften von Berlin*, 1902, p. 531). L'interprétation de Rufin vient peut-être de ce qu'il pense qu'Origène a pu connaître le manichéisme, ou du fait que les marcionites tardifs s'alignèrent sur les manichéens dont ils avaient été une première esquisse.

47. Sur *PArch.* III, 1, 10-11, voir F. PRAT, p. 146-152.

48. Ici Origène va donner son explication principale de *Ex.* 4, 21, sauvegardant à la fois le libre arbitre et la bonté et justice de Dieu. Dieu cherche seulement le bien de l'homme, mais l'homme doué de libre arbitre peut réagir favorablement ou non à l'initiative divine et en tirer le bien ou le mal. Origène cite toujours l'*Épître aux Hébreux* comme de Paul ; cependant, dans un fragment cité par EUSÈBE, *Hist. Eccl.* VI, 25, 11-14, il reconnaît que, si les idées sont de lui, le style ne l'est pas et il pense que la lettre fut écrite par un familier de l'Apôtre, Luc ou Clément de Rome.

49-49a. A propos de l'ὑποκείμενον = substrat. On pourrait entendre ce mot par analogie avec le substrat matériel amorphe, sans qualité, qui peut recevoir toutes les qualités, ποιότητες, qui le déterminent, donc en faire un équivalent de ὕλη comme dans *PArch.* II, 1, 4, « *materia quae subiecta est* (= ὑποκειμένη) *corporibus* », et dans *SVF* II, p. 113, 125. Dans ce cas il faudrait conclure que la présence du mal en nous a un fondement ontologique, dont seule l'âme du Christ est indemne (*HomLc* XIX, 1 ; *PArch.* IV, 4, 4) et qui assujettit chacun de nous (*PArch.* IV, 4, 4 ; *ComJn*

XX, 36 (29), 328 ; *HomNombr.* X, 1 ; *HomLc* XIX, 1 ; PHILON, *Fug.* 157 ; CLÉMENT, *Quis diues* 21 ; TERTULLIEN, *Ad Mart.* 2, 2). Ce fondement ontologique dériverait du péché de la préexistence et de l'« ensomatose » qui l'a suivi : *PArch.* I, 6, 2 ; II, 8, 3 ; *HomLév.* VIII, 3 ; *HomLc* XIV, 4. Il pourrait empêcher la pratique du bien, s'il n'y avait pas l'aide divine (*PArch.* III, 1, 19), mais non au point de supprimer le libre arbitre. Mais cette interprétation d'ὑποκείμενον ici ne s'impose absolument pas. Origène s'astreint rarement — il le fait cependant quelquefois — à un vocabulaire technique fixe, comme on peut s'en rendre compte, en ce qui concerne ὑποκείμενον, par sa doctrine du corps ressuscité ; si dans le *PArch.* et ailleurs à plusieurs reprises, l'ὑποκείμενον s'applique à la substance matérielle qui fait l'unité du corps et est distinguée des qualités qui en font la diversité (*PArch.* II, 1, 4 : voir H. CROUZEL, « La doctrine origénienne du corps ressuscité »), dans le fragment du *ComPs.* 1 cité par MÉTHODE (*De Resur.* I, 22) et ÉPIPHANE (*Panarion* 64, 14), l'ὑποκείμενον change de côté : il désigne les éléments matériels qui se renouvellent constamment dans le corps — il est donc du côté des qualités —, en opposition avec l'εἶδος qui assure son identité et est du domaine de la substance. On peut donc douter que le mot ὑποκείμενον donne au mal un fondement dans notre substance et le mettre aussi bien parmi les qualités. Rufin, par prudence, ne traduit pas cette expression.

49b. « *sed dum... Paulus dicens* » (315-323) : développement périphrastique de Rufin expliquant d'avance ce qui va être montré dans la suite par Origène.

50-50a. πολλάκις, oublié par le grec entre ἐρχόμενον et ὑετόν (*Hébr.* 6, 7-8), se trouve en revanche dans le latin (*frequenter* 323).

50b. Rufin préfère ne pas faire intervenir Dieu, mais il personnifie la pluie, et il atténue δύσφημον (262) en *dure* (334).

51-51a. Rufin ne traduit pas « ἐκφέρουσα ... ἐγγύς » (267-269) et le remplace par un long passage « *Sed quamuis.. metent* » (337-346) : il y décrit les travaux des champs dans un style marqué de réminiscences virgiliennes (*Énéide* VII, 725-727 ; *Églogue* I, 70 ; *Géorgiques* I, 94-95). Ce développement n'ajoute rien, mais manifeste chez le traducteur une certaine connaissance des travaux de la campagne (Bardy, *Recherches...*, p. 117).

52. Sur ὑποκείμενον, voir note 49. Ici le sens de substrat amorphe est plus clair, qu'il s'agisse de la terre ou de l'âme qu'elle figure : *PArch.* III, 1, 22 ; III, 6, 7.

52a. « *ita ergo fit... germinet* » (346-352) : Rufin allonge.

53. προαίρεσις : selon les stoïciens, un des concepts désignant l'impulsion à agir : *SVF* III, p. 41. Chez Origène, il est employé assez fréquemment pour désigner la volonté en tant qu'elle se donne un but : voir l'index du *CCels.* (*SC* 227), p. 473.

53a. « *Ex quo fit... excultum* » (357-361) : Robinson y voit un ajout de Rufin (p. xxxiii), pareillement G. Bardy, *Recherches*, p. 42 et 117, mais non Koetschau pour qui il s'agit d'une lacune de *Philoc.* : il pense que cette récapitulation s'impose, donc qu'elle est originaire. Mais on ne voit pas pourquoi les Philocalistes l'auraient omise, alors qu'elle ne contient aucune idée suspecte, ce qui est la raison des coupes faites par eux. C'est bien une récapitulation à la manière de Rufin.

53b. « *Verum... similitudine* » (362-363) : introduction par Rufin de ce qui suit.

53c. « *non quo... de terra est* » (367-370) : dans Rufin seul. La technicité de cette phrase rend difficile l'attribution à Rufin seul : cire et boue sont de même nature quant au substrat matériel amorphe et ils se diversifient par la qualité qui informe le substrat. Mais pourquoi les Philocalistes auraient-ils supprimé ce passage ?

53d. La mention des enfants et des troupeaux manque dans la citation d'*Ex.* 10, 9 selon *Philoc.*, alors qu'elle se trouve chez Rufin : il est difficile de dire pourquoi. Ni dans le grec ni dans le latin le texte n'est une citation littérale de la Septante, mais un conglomérat de plusieurs versets : voir G. Bardy, *Citations*, p. 119.

54. Dans ce cas en effet Pharaon n'aurait pas laissé partir les Hébreux. Dans *Philoc.* 27, 1, Origène dit que ce passage présente de grandes difficultés. Certains taxent Dieu d'arbitraire, parce qu'il a miséricorde des uns et qu'il endurcit les autres ; certains renoncent à pénétrer ce mystère ; les gnostiques l'expliquent par leur doctrine des deux Dieux. Pour Origène, Dieu en bon médecin travaille au salut de tous, mais utilise parfois des remèdes pénibles.

55. Même argument, avec à peu près les mêmes citations et références pauliniennes, dans *Philoc.* 27, 10. Le littéralisme strict auquel s'astreint souvent Origène pour faire jaillir l'allégorie, l'empêche fréquemment de réaliser le contexte psychologique des textes scripturaires : ici il fait appel à un contexte psychologique dont on ne peut guère assurer qu'il soit le vrai.

56. On peut comprendre « cette parole » ou « la Parole », c'est-à-dire le Verbe. La parole de l'Écriture, c'est le Verbe s'exprimant dans l'Écriture : le Verbe et l'Écriture sont tous deux Parole de Dieu, non deux Paroles différentes, mais une seule ; l'Écriture est déjà comme une incarnation du Verbe dans la lettre, analogue à la chair. Voir J. Crehan, « The analogy between Verbum Dei Incarnatum and Verbum Dei scriptum in the Fathers », *Journal of theological studies* 6, 1955, p. 87-90. Plus spécialement pour Origène : H. de Lubac, *Histoire et Esprit*, p. 336-355. Dans Origène : *HomÉz.* I, 9 ; *ComJn* V, 5-6 (*Philoc.* V) ; *HomLév.* I, 1 ; *HomIs.* VII, 3 ; etc. D'après Schnitzer, p. 178, συκοφαντεῖν, très employé par Aristophane, consiste à chercher partout des infractions à la loi et pour cela à fausser le sens des paroles d'autrui.

56a. « *et apostolicae... assertio* » (413-414) : Rufin seul.

56b. « *cum quibus... ait* » (418-419) : introduction par Rufin de ce qui suit.

57. Origène n'explique guère ici ce « mensonge » de Dieu : il le fait dans *HomJér.* XIX (XVIII), 15, où il reprend le thème platonicien du mensonge utile en l'appliquant à l'exégèse scripturaire : PLATON, *Rep.* III, 389 b ; V, 459 c ; MAXIME DE TYR, *Or.* 19, 3 ; ORIGÈNE, *CCels.* IV, 19 ; *Fragm. Strom.* dans *PG* 11, 101, conservé par JÉRÔME, *Apol. adv. lib. Ruf.* (*PL* 23, 412 A). Voir H. DE LUBAC, « Tu m'as trompé, Seigneur ! Le Commentaire d'Origène sur Jérémie XX, 7 », dans *Mémorial J. Chaîne*, Lyon 1950, p. 255-280. Réédité *Recherches sur la foi*, Paris (Beauchesne) 1979.

58. PHILON, *Deter.* 144-149 ; ORIGÈNE, *HomJér.* latine II, 5 ; *HomJér.* grecque III, 1-2 ; *HomÉz.* I, 2.

58a. « *Sic equus... indignos* » (431-436), dans Rufin seul. Il y a dans l'image du cheval une réminiscence virgilienne : *Énéide* XI, 714 : « *Quadrupedemque citum ferrata calce fatigat* ». C'est un lieu commun et certainement un ajout de Rufin, comme un « morceau de bravoure ». Tel n'est pas l'avis de SCHNITZER, p. 179 en note, qui n'a pas vu la réminiscence virgilienne et pense que les Philocalistes ont omis le passage ; sous *sessoris* il croit deviner ἐπιβάτου. Koetschau et BARDY (*Recherches*, p. 43) y voient une addition de Rufin.

58b. Les citations du passage « *eos quos correptione... gladius* » (436-444) ne se trouvent pas dans le grec. Koetschau et BARDY (*Recherches*, p. 43) pensent encore à un ajout de Rufin, mais Bardy avec hésitation, car l'accumulation des citations lui semble très origénienne. SCHNITZER (p. 179 en note) croit à une lacune de *Philoc.* et voit dans la distinction entre ceux qui sont éprouvés et ceux qui ne le sont pas une réminiscence d'*Hébr.* 12, 6. Mais dans son Introduction, p. cxxxiv, Koetschau se demande si ce ne serait pas un passage authentique d'Origène pris par Rufin à un autre livre. Rufin atténue la force de la première phrase, celle qui précède la première citation et a son équivalent chez Origène.

59. Sur l'omniscience divine : *ComJn* XIII, 42, 280 ; *ComGen.* III dans *Philoc.* 23, 3 et 15 ; *PArch.* IV, 4, 10. Sur le sens qu'Origène donne aux quelques passages scripturaires disant que Dieu ou le Christ ne connaissent pas le pécheur ou le péché, voir H. Crouzel, *Connaissance*, p. 514-518.

60-60a. Rufin traduisant « *rationalibus caelestibusque uirtutibus* » (447), Koetschau (p. cxxxiv) s'est demandé si, à la place de ἑαυτούς, Rufin n'avait pas lu ἐπουρανίους, en fonction de la conception de l'ange gardien. Rufin prolonge cela de son cru : *quae utique... sortitae sunt* (447-449).

60b. « *Hi uero... dilata* » (449-455) : glose de Rufin (Koetschau, Bardy, *Recherches*, p. 43).

61-61a. Sur la bienfaisance divine : *PEuch.* XIII, 3 ; *CCels.* I, 61 ; *ComJn* VI, 57 (37), 294-295. La correspondance du texte de Rufin : « *Qui utique... intellegat* » (455-459) avec ὕστερον ... τοῦ θεοῦ (331-335) n'est pas très étroite.

61b. « *Qui enim... agnouit* » (459-463). L'image du médecin est fréquente chez Origène : voir *PArch.* II, 7, 3 et note 12 correspondante ; II, 10, 6 ; III, 1, 13 et 15. Mais c'est ici vraisemblablement une addition de Rufin.

62. La présomption et l'orgueil, le refus de reconnaître l'œuvre de la grâce, constituent le péché le plus grave, celui de Satan : *PArch.* I, 5, 5 ; III, 1, 19 ; *HomGen.* V, 6 ; *HomNombr.* XII, 4 ; *HomJug.* III, 1 ; *HomÉz.* IX, 2.4.5 ; *HomLc* XXXI, 5 ; *ComPs.* 4 selon *Philoc.* 26, 7.

62a. A la différence du grec, Rufin ne cite *Lc* 18, 14 qu'à moitié.

63. Origène donne ici aux « petits », entendus évidemment au sens spirituel, une valeur positive, pourvu qu'ils progressent. Ailleurs il les identifie avec les « plus simples » : *PArch.* II, 10, 7 et note 10 correspondante.

64-64a. SCHNITZER, p. 180, reproche à Rufin un léger contresens pour n'avoir pas traduit τοῦ (μὴ ταχὺ) (353-354). En fait sa traduction, si elle rend à peu près le sens, n'est pas littérale et il est difficile de dire s'il a vu dans τοῦ le sujet de συνοίσοντος (352).

64b. « *Nam et fortassis... infecti sunt* » (490-492), explication de Rufin.

65. Voir note 61b. La référence au médecin s'impose quand il est question de peine médicinale : voir *PArch.* I, 1, 3 ; I, 4, 1 ; I, 8, 3 sur l'art médical. Pareillement note 12 de *PArch.* II, 7 : l'image est fréquemment employée dans la tradition philosophique et la Seconde Sophistique.

66. *PEuch.* XXIX, 13 ; *Philoc.* 27, 5 et 9 (toute l'argumentation présente s'y retrouve) ; PHILON, *Quaest. Ex.* II, 25.

67. *HomJér.* XVIII, 6 ; *ComGen.* III dans *Philoc.* 23, 4.

68. Notre traduction est un peu approximative car la construction est difficile. H. GÖRGEMANNS et H. KARPP (en note, p. 842-843) proposent de remplacer ἐπιτρέπει par ἐπιτρέφει et traduisent : « *er lasst das verborgene Uebel heranwachsen (gross werden), ja, er zieht es sogar durch aussere Einflüsse hervor* — il fait grossir le mal caché, le tirant au dehors par des influences extérieures. »

68a. « *ut etiamsi... reparari* » (510-514). On peut se demander si Rufin n'a pas conservé ici le vrai texte, supprimé par les Philocalistes par raison de prudence à cause de l'allusion au retour à l'état initial et au dégoût (*satietatem* 513 = κόρον) des maux incitant à la guérison, comme le dégoût du bien a été le principe de la chute (*PArch.* I, 3, 8). Ainsi : *Parch.* III, 1, 17 ; III, 4, 3 ; *CCels.* V, 32 ; *PEuch.* XXIX, 13. Une pareille omission de *Philoc.* se trouve en III, 1, 23.

69-69a. Là où Origène écrit cinquante ans, Rufin traduit soixante ans : appréciations diverses de l'« espérance de vie », qui ne devait cependant pas tellement différer dans l'Alexandrie du début du IIIe siècle et dans la Rome des dernières années du IVe.

70. νοερός se distingue de νοητός comme l'intelligent, sujet de la connaissance, de l'intelligible, objet de la connaissance ; la distinction est habituelle chez Origène et il n'y a pas à confondre le κόσμος νοητός, monde intelligible des idées, raisons et mystères contenu dans le Verbe-Sagesse et éternel comme lui, et le κόσμος νοερός, c'est-à-dire celui des intelligences créées ensemble dans la préexistence, mais qui ont commencé à être, c'est-à-dire de l'Église de la préexistence, unie, comme l'épouse à l'époux, à l'intelligence humaine jointe au Verbe.

71-71a. Sur la parenté de l'homme avec Dieu, que Rufin traduit équivalemment par la création à l'image et à la ressemblance qui est sa source : *PArch.* I, 1, 7 ; III, 6, 1; IV, 2, 7 ; IV, 4, 10 ; *CCels.* III, 40 ; *ComMatth.* XVII, 27 ; *ExhMart.* 47. Le péché peut obscurcir l'image, non la supprimer : *CCels.* IV, 83 ; *HomGen.* XIII, 4 ; cf. H. Crouzel, *Image*, p. 206-211. La créature raisonnable reste donc incorruptible, malgré le caractère accidentel de sa participation : *PArch.* I, 5, 5 ; I, 6, 2 ; I, 8, 3 ; II, 9, 2 ; *ComJn* II, 18 (12), 129. Cette doctrine a des sources à la fois platonico-stoïciennes et chrétiennes.

72. Cette phrase semble à entendre du fait que Dieu paraît parfois abandonner les pécheurs à leurs péchés.

73. *PArch.* I, 3, 8 ; I, 4, 1 ; II, 9, 2.

73a. Dans tout ce passage, Rufin développe et fait un peu de littérature.

74. Même image, avec celle du médecin, en *CCels.* IV, 69 : sans forcer la liberté Dieu agit en chaque âme d'une manière individualisée pour en tirer tout le bien possible.

75. L'objection est suggérée directement par la parabole, et la réponse reprend un thème déjà développé en III, 1, 12 : la nécessité de procurer au pécheur la conscience de sa faiblesse et du besoin qu'il a de Dieu.

76. Le mot ἄπειρος, non dans le sens strict d'infini, sans limite, comme en *PArch.* II, 9, 1 selon le fragment de Justinien (voir note 2 de II, 9), qui correspond à Rufin — ce dernier passage montre au contraire que les essences intelligentes (νοερῶν) ont été créées en nombre fini —, mais au sens large de très nombreux.

76a. « *quarum uarietatem... potest* » (562-563) : explication de Rufin.

77. La capacité d'adaptation de la Providence est souvent soulignée : *HomJér.* XVIII, 6 ; *CCels.* VII, 41 ; *HomLév.* IX, 8 ; *PArch.* III, 2, 3. Le Christ est souvent représenté de même, par exemple à propos du thème des nourritures : il se fait toute sorte de nourriture spirituelle suivant le degré de perfection de celui qu'il nourrit ; herbe pour l'âme animale, lait pour l'enfantine, légume pour la malade, nourriture solide pour l'âme adulte et forte, afin de s'adapter au besoin de chacun et de faire parvenir jusqu'à lui la seule nourriture qui convienne à la créature raisonnable, la nature de Dieu (H. Crouzel, *Connaissance*, p. 166-184). La même idée d'adaptation est aussi souvent développée à propos des raisons de l'Incarnation.

78. *PArch.* I, 1, 6 ; II, 1, 2 ; IV, 2, 2 ; etc.

79. Sur la valeur médicinale des peines infligées à Pharaon : *Philoc.* 27, 6 ; *HomÉz.* III, 3 ; *PEuch.* XXIX, 16. Sur la mort comme expiation : *ComMatth.* XV, 15 (à propos d'*Act.* 5, 1-11, Ananie et Saphire) ; *HomLév.* XIV, 4.

79a. La citation de *Rom.* 9, 17 reprenant *Ex.* 9, 16 a été probablement ajoutée par Rufin qui a un peu développé ce que dit le grec.

80-80a. L'οἰκονομία, habituellement traduit en latin par *dispensatio*, désigne souvent la manière dont la Providence dirige le monde et les êtres : plus spécialement le dessein de la Providence qui s'accomplit par l'Incarnation et la vie terrestre du Christ. Mais ce n'est pas ici le cas. Ce mot est un terme technique du langage patristique ; Rufin l'a bien compris et le rend ici par *prouidentia* d'une manière intelligible par le lecteur latin.

81. ἀντίτυπος, qui a en *Hébr.* 9, 24 et en *I Pierre* 3, 21 le sens d'image ou symbole, a parfois chez Origène celui de résistant, soit en tant que solide (*CCels.* II, 61 : le corps du Christ ressuscité qui apparaît aux apôtres n'est pas fantomatique), soit en tant qu'opposé, désobéissant (*HomJér.* VI, 3 à propos du cœur endurci de Pharaon).

82. Expression stoïcienne : *SVF* I, p. 46-47 ; III, p. 13 et 34.

83-83a. Rufin semble ne pas avoir compris que τὰ ψιλὰ ῥητά désigne le sens littéral dans sa matérialité brute, antérieurement à tout effort d'interprétation si c'est possible, sans essayer de pénétrer la pensée de l'auteur inspiré. Origène ne définit pas le sens littéral comme nos contemporains, y voyant la signification voulue par l'hagiographe, et cela est la cause de multiples malentendus. On comprend que, suivant le sens d'Origène, la compréhension purement littérale puisse engendrer des hérésies : *PArch.* IV, 2, 1.

84. *PArch.* III, 1, 5.

84a. Les précisions plus nombreuses apportées par Rufin dénotent une plus grande sensibilité au problème de la grâce et du libre arbitre, peu avant que ne commence la polémique contre Pélage ; mais elles ne sont pas infidèles à la pensée d'Origène, comme nous le montrons à propos de *PArch.* III, 1, 19.

84b. Rufin supprime l'image du médecin.

85. πιστεύειν exprime ici la confiance plus que la croyance.

86. Le problème de la grâce et de l'action humaine est surtout traité en *PArch.* III, 1, 19.

87. ἐπιστήμη compris à la manière grecque comme une vertu fondamentale et le but de la vie humaine : *SVF* I, p. 49, 85, 92 ; III, p. 60. Chez les chrétiens : Ps.-Barnabé 2, 3 ; 21, 5 ; Hermas, *Le Pasteur*, vision 3, 8 ; Origène, *HomJér.* XVI, 1 ; *PArch.* III, 1, 24.

88. Sans cette addition en effet, on aurait pu expliquer cela par la prescience du Christ, qui ne voulait pas révéler les mystères à ceux qu'il savait ne pas vouloir croire en lui. Mais l'addition semble montrer que cette exclusion vient d'une volonté nette du Christ, qui ne veut pas la conversion de ceux à qui il parle. Origène a plus de difficulté à expliquer cela de façon orthodoxe que l'endurcissement du cœur de Pharaon.

89. Avant de proposer sa solution, Origène montre que, pris littéralement, ce passage évangélique s'oppose à la distinction du Dieu juste et du Dieu bon, car il montre le Dieu du Nouveau Testament aussi injuste et cruel que celui de l'Ancien ; une démonstration semblable a été déjà lue en *PArch.* II, 5, 2.

89a. Rufin ne traduit pas καὶ κατὰ μὲν τὴν καινὴν ... κατηγοροῦντες (489-492).

90. *PArch.* III, 1, 13-14.

90a. Rufin, « *Dicebamus... inclusus* » (672-674) est ici beaucoup plus court que Ἐφάσκομεν ... ἐν αὐτῷ ἔσονται, qu'il ne traduit pas entièrement, probablement pour ne pas répéter les mêmes choses, comme il le dit dans la préface du livre III.

91. Schnitzer, p. 186, voit dans τοὺς ἔξω et plus bas οἱ ἔσω un sens gnostique : en tout cas cela est très origénien et on le retrouve partout où l'Alexandrin oppose ceux à qui Jésus parle en parabole et ceux à qui il explique les paraboles dans la maison : voir note 94.

91a. Seul Rufin fait allusion au *Ps.* 7, 10 : voir *PEuch.* VIII, 2.

92-92a. Τάχα δὲ ... ἀκούουσιν (513-524), « *Quod utique... referuntur* » (687-705) : Rufin brode, tout en rendant à peu près ce que dit Origène. Il fait de la littérature (*uirtutis aula*, 690), ajoute une allusion aux perles jetées aux porcs de *Matth.* 7, 6. On a l'impression qu'il a un peu « perdu les pédales », n'a pas très bien compris et traduit à sa manière. Origène semble dire que ceux du dehors restent étrangers à la révélation parce qu'ils n'ont pas encore réparé le mal de leurs fautes précédentes — probablement de la préexistence —, mais lorsque, suivant l'image déjà employée, ils auront liquidé le mal qui est en eux, ils seront appelés à une pénitence plus solide. Alors que le texte grec envisage une autre perspective que celle de ce qui précède notre passage, laissant entrevoir la pénitence et la conversion, Rufin continue sur la lancée du texte précédent, le reprenant d'une manière plus large et plus rhétorique. *Matth.* 7, 6, cité ici par Rufin seul, l'est constamment ailleurs par Origène : *CCels.* V, 29 ; *ComCant.* III (*GCS* VIII, 218) ; *HomGen.* X, 1 ; *HomJos.* XXI, 2 ; *HomÉz.* I, 11 ; XII, 1 ; *ComMatth.* X, 8 ; *SérMatth.* 71 ; *DialHér.* 15 ; Clément, *Strom.* I, 12, 55.

93. Voir *PArch.* III, 1, 13 et note 68a.

94. Ceux qui entendent en paraboles et ceux qui en reçoivent l'explication : *DialHér.* 15 ; *CCels.* II, 64 ; III, 21 ; III, 46 ; VI, 6 ; *ComMatth.* X, 1 et 4 ; XI, 4 ; *Fragm. Prov.* (*PG* 13, 21). Comme c'est constamment précisé, c'est au dehors, à ceux du dehors, que Jésus parle en paraboles, et dans la maison, à ceux du dedans, qu'il les explique. Cette distinction du dehors et du dedans se retrouve souvent. Ainsi *ComJn* II, 36 (29), 219-220 : les disciples, d'après *Jn* 1, 37-39, trouvent Jésus au dehors et il les invite à venir dans la maison. De même *Fragm. Jn* LXXX (*GCS* IV, 457) selon *Jn* 11, 20 : Marthe, moins parfaite, sort pour aller à la rencontre de Jésus, Marie, plus parfaite, l'attend dans la maison.

95. L'interprétation de *Matth.* 13, 10 est jointe à celle de *Matth.* 11, 21 : Tyr et Sidon se seraient converties si elles avaient vu les miracles faits à Chorazin et à Bethsaïde. Mais le Christ n'est pas allé dans ces cités païennes : comment concilier cela avec la bonté de Dieu ? (voir *PArch.* II, 5, 2). Origène explique toujours par la volonté divine de ne pas provoquer des repentirs trop rapides et éphémères. Il y a donc quatre catégories : ceux du dedans à qui les paraboles sont expliquées ; ceux du dehors, à qui le Christ parle en paraboles ; les Tyriens, qui ne sont pas encore mûrs pour que le Christ leur parle, même en paraboles ; les habitants des villes du Lac, qui n'ont pas accueilli la Parole.

95a. Rufin complète la citation de *Matth.* 11, 21 en donnant les deux éléments en ordre inversé, alors qu'Origène n'en donne qu'un.

95b. Nous corrigeons la ponctuation de Koetschau qui, ne mettant pas de virgule après *intus sunt* (716), prête à Rufin une confusion : les paraboles sont pour ceux du dehors, à ceux du dedans elles sont expliquées. Rufin a allongé tout le passage et aussi la citation de *Matth.* 11, 22 qui suit.

96. τὸ εὐσεβές, la piété qui découle de la foi et qui doit inspirer la recherche théologique. Rufin adapte en mentionnant la *regula pietatis* (726-727) dans une mentalité plus juridique : cf. *PArch.* I, 5, 4 ; III, 1, 7 s.

96a. « *hoc... eloqui ei* » (725-726) : seulement dans Rufin avec allusion à *I Cor.* 12, 7 et 11. La réminiscence scripturaire et la formule de modestie sont cependant dans la manière d'Origène.

97. *PArch.* II, 1, 2.

98. Sur les divers sens d'immortalité corrélatifs aux divers sens de mort, voir II, 3, 2 et note correspondante 11.

98a. « *dum non intra... adducitur* » (730-735) : dans Rufin seul. Mais on ne voit pas comment Rufin aurait interpolé un passage qui fait allusion à la préexistence, et il est tout à fait explicable au contraire qu'à cause de cela les Philocalistes l'aient omis par prudence.

99. Il est question de la quatrième catégorie, des habitants des villes du Lac selon *Matth.* 11, 21 : la réponse n'est plus celle du bienfait différé pour guérir plus sûrement ; au contraire le bienfait est donné pour qu'ils sentent eux-mêmes leur impiété. Voir *PArch.* III, 1, 12.

100-100a. Depuis λεκτέον πρὸς αὐτὸν (542-543) jusqu'à la fin du paragraphe, le grec est moins développé que Rufin, « *hoc modo respondendum* » (741) jusqu'à la fin du paragraphe. Rufin a d'abord recours à une prosopopée, donnant la parole à ceux dont le texte grec parle ; il présente une réminiscence paulinienne, *Rom.* 3, 19, et revient plus harmonieusement au thème du bienfait différé que le grec qui le fait brusquement.

101. Deux raisons sont données à la position déterministe : la doctrine des natures et la conception d'un Dieu-Destin qui dispose de l'homme indépendamment de sa volonté. La première est celle des gnostiques, en particulier des valentiniens, la seconde de tous les partisans du destin, stoïciens, tenants de l'astrologie, etc.

102. Avant d'interpréter le passage paulinien, Origène le montre contraire à la doctrine de ses opposants. Les gnostiques pensent que si des hommes font effort pour obtenir le salut, leurs efforts restent vains, si leur nature est vouée à la perdition, car ils ne peuvent obtenir de Dieu miséricorde (*Évangile de Philippe*, 111 et 114). Il y a donc contradiction à penser qu'une nature destinée à la perdition pourrait désirer le salut. L'argumentation utilise la distinction stoïcienne du bon, du mauvais et de l'indifférent, τὸ μέσον ou τὸ ἀδιάφορον, ce qui n'est moralement ni bien ni mal.

103. Sur *Matth.* 7, 18, très utilisé par les gnostiques, voir *PArch.* I, 8, 2 et II, 5, 4.

104. Sur *PArch.* III, 1, 19, voir F. PRAT, p. 159-163 ; tout à fait parallèle est le fragment du *ComPs.* 4 dans *Philoc.* 26, 7.

105. Le *Ps.* 126 (127) est attribué à Salomon par l'hébreu et certains manuscrits de la Septante. *Is.* 30, 29 fait allusion aux cantiques des montées (psaumes) que chantaient les pèlerins montant à Jérusalem pour les fêtes.

105a. « *Vt uerbi causa... uigilias designamus* » (803-815) : Rufin a développé avec rhétorique le passage plus simple et bref d'Origène, ὥσπερ ... ἀναφερομένου (593-600). Il supprime l'allusion à *Rom.* 9, 5, τοῦ ἐπὶ πάντων θεοῦ (596) en ne rendant pas ἐπὶ πάντων.

106. Origène parle constamment des créatures raisonnables comme décidant de leur salut ou de leur perdition :

PArch. I, 3, 6 ; I, 5, 2 ; I, 8, 3 ; II, 1, 2 ; II, 9, 2 ; II, 9, 6 ; III, 2, 3 ; *ComRom.* I, 18 ; III, 6 ; etc. Cependant dans l'*HomNombr.* XX, 3, le Christ « fait violence » *(uim facit)* pour mener au salut, il ne fait pas qu'inviter, il tire à lui les hésitants. Le passage que nous lisons fait disparaître la contradiction. Au salut de l'homme sont indispensables la grâce divine et le libre choix de la volonté : *PArch.* III, 1, 24; *ComPs.* 4 dans *Philoc.* 26, 7 ; *CCels.* VII, 42 : d'après ce dernier passage l'homme ne peut chercher ni trouver Dieu sans l'aide de celui qu'il cherche. La plus grande part, c'est Dieu qui la fait : *ComPs.* 4 dans *Philoc.* 26, 7 ; *HomNombr.* VII, 6 ; *PArch.* III, 2, 4. L'accusation de semipélagianisme faite à Origène est injustifiée et procède d'une méthode discutable, consistant à le juger sur des textes isolés sans voir sa doctrine dans son ensemble : antérieur à cette hérésie et aux discussions qu'elle a entraînées, il n'a pas l'attention attirée sur l'imperfection de certaines formulations, et c'est pourquoi des textes peuvent être interprétés dans un sens semipélagien, alors que d'autres montrent qu'il ne l'est pas. Il n'est pas conforme à une saine méthode historique de juger un auteur à partir d'une problématique postérieure. Il est aussi inadéquat de parler du « synergisme » d'Origène, expression qui suppose qu'il se représentait d'une façon purement extérieure la coopération de la grâce et du libre arbitre, les mettant sur le même plan, comme deux collaborateurs accomplissant au même titre une œuvre commune. L'apport de la grâce divine au salut de l'homme n'est pas une contribution qui reste extérieure à ce dernier, car elle se fait par la participation de l'homme à la vie du Verbe, à des niveaux divers, par le don de l'Esprit qui est la grâce et, par là, par une participation toujours croissante à la réalité même du Père (*PArch.* I, 3). La Puissance de Dieu, son Verbe, est dans le monde ce que l'âme est au corps ; c'est pourquoi « en lui nous vivons, nous nous mouvons et nous sommes » (*Act.* 17, 28). Cette idée, que développe *PArch.* II, 1, 3, implique la présence continuelle et active du Verbe en nous qui portons son image d'une manière indestructible : *HomGen.* XIII, 4. Toute notre activité dérive de Dieu : *PArch.* III, 1, 20. Notre libre arbitre consiste à le laisser agir pour le bien, à l'empêcher d'agir ou même à détourner vers le mal la capacité d'action qu'il nous donne.

107-107a. L'image de la navigation se retrouve chez les philosophes (Platon, *Gorgias* 511 d) et les rhéteurs. Rufin développe encore ce que dit Origène, et cela de façon rhétorique.

108-108a. Rufin ne traduit pas la citation de *Rom.* 9, 16, qu'Origène ici répète deux fois à la suite : probablement pour abréger, selon la préface du livre III.

109. Ce point est repris en *PArch.* III, 1, 21 ; argument classique contre le déterminisme stoïcien depuis Carnéade : s'il n'y a pas de libre arbitre tout l'effort moral de l'homme est supprimé. Les gnostiques s'appuient pour refuser le libre arbitre sur certains textes de Paul ; or Paul exhorte ses correspondants à observer les préceptes moraux ; cela montre que les textes invoqués par les gnostiques n'avaient pas pour lui ce sens. L'argumentation d'Origène porte contre toute sorte de prédestinatianisme qui exclurait l'action de l'homme.

110-110a. Rufin ne traduit pas πάλιν τε αὖ κρείττονα ... αὐτεξούσιοι (642-646).

111-111a. Rufin ne traduit pas les termes techniques, εἰδικόν (655), spécifique, et γενικόν (657), générique.

112. Cette formulation est, à notre jugement, insuffisante, car elle pourrait représenter Dieu, après nous avoir créés capables de choisir bien ou mal, assistant indifférent à notre choix. Mais Origène se préoccupe avant tout d'interpréter les versets scripturaires pour sauvegarder le libre arbitre de l'homme : il considère *Phil.* 2, 13. Nous n'avons pas reçu de Dieu à notre création un agir indifférencié, mais un agir déjà dirigé vers le bien, c'est-à-dire vers Dieu : tel est le sens de notre création selon l'image de Dieu qui, chez Origène, a un sens dynamique, car l'image tend à rejoindre son modèle : H. Crouzel, *Image*, p. 165-166 ; cf. *PArch.* II, 11, 4 ; *ExhMart.* 47. Le libre arbitre est le pouvoir donné à l'homme d'assumer personnellement cet agir, ce qui suppose aussi la contrepartie, le refus.

113. Origène appelle fréquemment δημιουργός le Dieu des deux Testaments (*CCels.* II, 3 ; II, 44 ; III, 40 ; IV, 75) ; les gnostiques réservaient ce terme au Dieu inférieur de l'Ancien.

113a. La référence à la parole de l'Apôtre ne se trouve que chez Rufin.

114. Le début de *Rom.* 9, 18-21 a déjà été cité par Origène à propos d'*Ex.* 4, 21 dans *PArch.* III, 1, 8 s. Ici, il va en interpréter surtout la fin concernant le potier et ses vases, un des textes pauliniens qu'on peut le plus facilement tirer dans un sens déterministe. D'abord Origène reprend le sujet de *PArch.* III, 1, 20 et le développe avec abondance de références pour en conclure que si l'Apôtre loue les bons et blâme les pécheurs, il faut prendre ce passage dans un sens non déterministe, autrement l'Apôtre se contredit. Ensuite Origène s'appuie sur la préexistence des âmes : l'actuelle condition humaine ne dérive pas d'une volonté arbitraire de Dieu, mais est la conséquence des mérites et démérites antérieurs à la mise dans le corps terrestre ; dans *ComRom.* VII, 17 l'allusion à la préexistence est moins claire.

115. La distinction des deux espèces de vases se prêtait bien à la doctrine valentinienne des natures, désignant respectivement les pneumatiques ou spirituels et les hyliques ou matériels, les psychiques se trouvant dans une position intermédiaire où la vie morale jouait un certain rôle.

115a. « *Tum deinde... alibi dicit* » (916-917) : Rufin raccourcit : ἔτι δε πῶς ... λεγόμενον (699-702).

116. Le rapprochement de *Rom.* 9, 18-21 avec *II Tim.* 20-21 s'impose, car la même image est employée et dans les mêmes termes : il y a des σκεύη εἰς τιμήν et des σκεύη εἰς ἀτιμίαν. Or, alors que le premier texte ne mentionne pour les faire ainsi que la volonté du potier, Dieu, le second ne parle pas du potier ni de sa volonté, mais de la possibilité qu'a le « vase », par son propre effort de purification, de passer du second état au premier. Les deux passages se complètent admirablement. Le rapprochement est fait de même en *ComRom.* VII, 17, et la différence de perspective des deux textes est expliquée finement par leurs contextes : en *Rom.* 9, 21, le contexte est polémique et Paul souligne seulement le pouvoir absolu de Dieu sur sa création ; en *II Tim.*, le contexte ne l'est pas autant et Paul indique ce qu'il a tu auparavant, le pouvoir qu'a chacun de passer d'un état à l'autre. De même *HomNombr.* XIV, 2 pour montrer que Dieu tire parti même du mal.

117. εἰ γὰρ ... Ῥεβέκκας γενέσθαι (706-723) : voir F. Prat, p. 154-155.

118. D'après *PArch.* I, 6, 2 et II, 8, 3, cela est à interpréter en ce sens que la différence entre les vases à usage noble et les vases à usage vil est la conséquence de la gravité des péchés commis ou des mérites acquis. Origène affirme cela avec assez de souplesse suivant les contextes ; il ne faut pas trop forcer dans un sens exclusif une seule de ses affirmations multiples et pas toujours cohérentes entre elles, comme on l'a fait souvent, par exemple pour *PArch.* II, 9, 2.

118a. « *Vnumquodque... conditori* » (933-935) : Rufin conclut en résumant ce qui a été dit.

119-119a. Εἰ δ' ἅπαξ ... Ῥεβέκκας γενέσθαι (717-723), « *Quodsi iusta... haberetur* » (936-944) : Jérôme, *Lettre* 124, 8. Le fragment est ainsi présenté : « *In libro quoque tertio haec uitia continentur* — Dans le livre troisième sont contenues ces erreurs. » Le voici : « *Sin autem semel recepimus quod ex praecedentibus causis aliud uas in honorem, aliud in contumeliam sit creatum, cur non recurramus ad animae arcanum et intellegamus eam egisse antiquitus, propter quod in altero dilecta, in altero odio habita sit antequam in Iacob corpore subplantaret et in Esau planta teneretur a fratre.* — Mais si nous admettons une bonne fois que, à partir de causes précédentes, un vase est créé pour l'honneur, un autre pour le déshonneur, pourquoi ne recourrions-nous pas au mystère de l'âme et ne comprendrions-nous pas qu'elle a accompli autrefois ce pour quoi en l'un elle a été aimée, en l'autre haïe, avant que en Jacob elle supplantât l'autre corporellement et en Ésaü son pied fût tenu par son frère » (*Mal.* 1, 2 s. ; *Gen.* 25, 25 s.). *Supplantare* signifie donner un croc-en-jambe, d'où renverser, abattre, supprimer.

Nous avons donc ici trois textes : *Philocalie*, Rufin et Jérôme. Malgré la prétention de Jérôme à avoir fait une traduction littérale (par exemple *Lettre 85 à Paulin*, 3), affirmation constamment répétée comme vraie par les critiques, on peut se rendre compte que, dans ce fragment du moins, Jérôme n'est pas plus littéral que Rufin et est même moins exact. Rufin ajoute une allusion à la piété, c'est-à-dire à la règle de foi, mais reste substantiellement fidèle au grec. Jérôme explicite davantage que le grec la doctrine de la préexistence et l'histoire de Jacob et d'Ésaü : il ne résiste guère à la tentation d'accuser les traits pour faire mieux ressortir le caractère hérétique. Rufin atténue ce qui concerne Ésaü : les démérites de ce dernier viennent selon *Philoc.* du temps précédant celui où il était dans le sein de sa mère, la préexistence ; selon Rufin il a été objet de haine quand il était dans le sein de Rébecca, la préexistence est estompée.

120. Le cas de Jacob et d'Ésaü est constamment évoqué par Origène comme support scripturaire de la doctrine des mérites ou démérites précédant la naissance corporelle : *PArch.* I, 7, 4 ; II, 8, 3 ; II, 9, 7 ; *ComRom.* VII, 17.

121-121a. La conception stoïcienne de la nature matérielle exposée en *PArch.* II, 1, 4 se retrouve ici symétriquement appliquée aux substance intellectuelles sur un point, l'égalité primitive des natures raisonnables, dans l'intention de refuser la doctrine valentinienne des natures. Le substrat de la nature intellectuelle est représenté ici aussi comme indéterminé, capable de prendre les différentes formes des divers ordres de créatures selon les qualités venant des impulsions du libre arbitre. Origène a, de la substance intellectuelle, une conception platonicienne, et pour la substance matérielle il suit les stoïciens : voir les deux natures générales de *PArch.* III, 6, 7 et les deux οὐσίαι de *PEuch.* XXVII, 8. Rufin ne rend pas le terme technique ὑποκειμένης, mais seulement l'idée.

122-122a. πρεσβύτερά τινα ... ἀτιμίαν (729-730), « *secundum... contumeliam* » (950-952) : JÉRÔME, *Lettre* 124, 8. Introduit par : « *Et iterum* — Et de nouveau ». Texte : « *Vt autem aliae animae fierent in honorem, aliae in contumeliam anteriorum* (correxi ex *materiarum*) *causarum merita praecesserunt.* — Que parmi les âmes, les unes soient faites pour l'honneur, les autres pour le déshonneur, cela vient des mérites de causes antérieures. » Là aussi nous avons les trois textes : les deux traductions latines sont un peu libres, mais rendent le texte ; Jérôme n'est pas plus près du texte que Rufin. Le mot *materiarum* qui se trouve dans les manuscrits avec *materiorum* (voir l'apparat critique de l'édition Labourt) semble une corruption de *anteriorum* qui correspond au grec et à Rufin.

123. Le reproche fait par Paul à l'homme qui veut répondre à Dieu est comparé à *Ex.* 19, 19. Moïse pouvait dialoguer avec Dieu : ce n'est donc pas répréhensible en soi. Mais l'homme que Paul réprimande s'arroge ce droit comme une prérogative, et son état moral, qui n'est pas celui de Moïse, ne lui permet pas d'en jouir. La réprimande paulinienne s'adresse au pécheur qui interpelle Dieu pour le contester et non pour le progrès de son âme. Le même développement se trouve en *ComRom.* VII, 17 au sujet de Daniel, « l'homme des désirs ».

124. La vision de Moïse sur le Sinaï est le symbole de l'ascension mystique vers Dieu, au plus haut degré que puisse atteindre un homme en cette vie : *HomNombr.* XXII, 3 (il s'agit de Moïse sur le mont Nébo, avant sa mort) ; *CCels.* I, 19 ; *HomPs.* 36, IV, 1.

125. Plusieurs fois dans le *ComMatth.*, ainsi XVII, 2 ; XVII, 28, Origène remarque que Jésus ne répond pas aux pharisiens parce que ces derniers ne l'interrogent pas pour savoir la vérité, mais pour le prendre en faute : leur manque de sympathie leur ôte toute vraie possibilité de compréhension. De même *ComJn* XXVIII, 11 (10), 85 : les Juifs qui ont assisté à la résurrection de Lazare mais sont allés dénoncer Jésus ont bien vu matériellement cette scène, mais spirituellement ils étaient incapables de la voir.

125a. « *Est ergo... impios* » (969-970), conclusion ajoutée par Rufin.

126-126a. Le passage qui suit (« *Si constat... extorquet* », 974-984) est beaucoup plus long dans Rufin que dans le grec (εἰ σῴζουσι ... ἕπεται, 745-749). Dans les deux la citation paulinienne est retournée contre les gnostiques pour leur montrer l'unité du Dieu créateur et celle de la nature humaine. On peut se demander, de la *Philocalie* ou de Rufin, quel est le texte authentique. D'une part le grec est trop court et prend pour démontré ce qu'il fallait démontrer contre les gnostiques : tout cela n'est guère dans la manière d'Origène, qui procède en suivant les étapes nécessaires. Au contraire chez Rufin le raisonnement est bien articulé et mené avec une logique sans faille : il semble alors peu vraisemblable que ce soit un développement de Rufin qui se contente d'ordinaire de résumer, d'expliquer, de développer avec un peu de rhétorique et de préciser d'une manière assez banale. É. JUNOD dans *Origeniana* pense que « les Philocalistes ne résument jamais la pensée d'Origène » (p. 195), mais il reconnaît cependant qu'il peut y avoir des omissions « vraisemblablement dans le but d'éviter une lourdeur inutile » *(ibid.)*, sans parler des coupures faites dans le *PArch.* pour raison de prudence doctrinale (p. 196). Il nous paraît vraisemblable que Rufin restitue ici plus fidèlement le texte originaire que *Philoc.*, qui semble avoir abrégé. Ce n'est pas pour des raisons de prudence doctrinale, car la préexistence n'apparaît chez Rufin que dans la phrase suivante : « *Secundum nostram... coartatur* » (984-987), dont nous allons parler. Si les Philocalistes ont voulu alléger le style en résumant, ils ont escamoté des étapes nécessaires du raisonnement.

126b. « *Secundum nostram... coartatur* » (984-987) : ajout de Rufin ou lacune de *Philoc.* ? Schnitzer fait valoir en faveur de l'authenticité le μέντοι γε du texte grec (749-750), dont il ne voit pas le sens dans le grec que nous possédons : μέντοι, assurément, certainement, en tout cas, exprime l'acquiescement à ce qui vient d'être dit ; or ce qui suit dans le grec ne dérive pas de ce qui précède, mais est compréhensible à partir du latin. A ce μέντοι γε correspondrait le « *Iuxta nos* » du fragment de Jérôme qui suit. Cependant Schnitzer n'exclut pas que quelque chose ait été sous-entendu ou passé sous silence dans le grec (*eine*

Aposiopese, dit-il, de ἀποσιώπησις) et que Rufin l'ait explicité. A notre avis, il est compréhensible que les Philocalistes aient sauté cette phrase, ne voulant pas insister outre mesure sur les « causes antécédentes » qui renvoient à la préexistence.

127-127a. δυνατὸν μέντοι γε ... ἡτοιμασμένον (749-756), « *Possibile... paratum* » (987-996) : Jérôme, *Lettre* 124, 8. Introduit par : « *Et in eodem loco* — Et dans le même passage ». Voici le texte : « *Iuxta nos autem ex praecedentibus meritis, uas quod in honorem fuerit fabricatum, si non dignum uocabulo suo opus fecerit, in alio saeculo fiet uas contumeliae, et rursum uas aliud, quod ex anteriori culpa contumeliae nomen acceperat, si in praesenti uita corrigi uoluerit, in noua creatione* (*Gal.* 6, 15) *fiet uas sanctificatum et utile domino in omne opus bonum paratum* (*II Tim.* 2, 21). — D'après nous en effet, un vase qui aura été fabriqué pour l'honneur à partir des mérites antécédents, s'il n'a pas accompli une œuvre digne de ce mot, deviendra dans un autre siècle un vase de déshonneur, et au contraire un autre vase qui, par suite d'une faute antérieure, avait reçu un nom de déshonneur, si dans la vie présente il a voulu se corriger, deviendra dans une création nouvelle un vase sanctifié et utile au Seigneur, préparé pour toute œuvre bonne. »

Les trois textes, *Philoc.*, Rufin, Jérôme, se correspondent largement. Le début de Jérôme, « *Iuxta nos* », pourrait reproduire la phrase précédente de Rufin, « *Secundum nostram adsertionem* » (984-985), et confirmer par le fait même que quelque chose manque dans le grec ; est-ce alors Rufin qui a allongé ou Jérôme résumé ? il est difficile de le dire. En outre, rien ne correspond chez Jérôme au δυνατόν (749) du grec et au *possibile namque est* (987-988) de Rufin, à moins que ce ne soit encore le *Iuxta nos.*

128. Il ne s'agit pas des Juifs du temps d'Origène qui n'ont pas accepté le Christ — Origène dirait οἱ Ἑβραῖοι ou οἱ Ἰουδαῖοι —, mais des Israélites spirituels, les chrétiens, dont ceux de l'Ancien Testament sont la figure ; de même les Égyptiens et les Iduméens symbolisent les païens. Tout cela est à comprendre d'après *PArch.* IV, 3, 6-9.

129. La liaison Égyptiens-Iduméens vient de *Deut.* 23, 8.

129a. Réminiscences de *Rom.* 8, 19 et 9, 18-21 dans Rufin seul.

129b. Rufin ajoute la référence à la règle de piété et deux membres de phrase qui n'apportent rien : « *usquequo... gradum* » (1010-1011) et « *usque... demergi* » (1013-1014).

130-130a. Rufin, « *Vnde... reparetur* » (1015-1027), n'a aucune correspondance dans *Philoc.*, mais il en a une dans Jérôme. Il y a donc de toute évidence une lacune dans *Philoc.* JÉRÔME, *Lettre* 124, 8, complète le texte en l'introduisant par : « *Statimque subiungit* — Et il ajoute aussitôt » : « *Ego arbitror posse quosdam homines, a paruis uitiis incipientes, ad tantam nequitiam peruenire, si tamen noluerint ad meliora conuerti, et per poenitentiam emendare peccata, ut et contrariae fortitudines fiant; et rursum ex inimicis contrariisque uirtutibus, in tantum quosdam per multa tempora uulneribus suis adhibere medicinam, et fluentia prius delicta constringere, ut ad locum transeant optimorum. Saepius diximus, in infinitis perpetuisque saeculis, in quibus anima subsistit et uiuit, sic nonnullas earum ad peiora corruere, ut ultimum malitiae locum teneant, et sic quasdam proficere, ut de ultimo malitiae gradu, ad perfectam uenient consummatamque uirtutem.* — Quant à moi je pense que certains hommes, commençant par de petits défauts, peuvent parvenir à une telle malice, si cependant ils n'ont pas voulu se convertir au meilleur et corriger leurs péchés par la pénitence, qu'ils deviennent même des puissances contraires ; et en revanche, que certains peuvent, à partir de (l'état de) puissances ennemies et contraires, appliquer à travers des temps multiples des remèdes à leurs blessures et endiguer le torrent antérieur de leurs fautes, tellement qu'ils passent au rang des meilleurs. Nous avons dit souvent que, au cours des siècles infinis et perpétuels dans lesquels l'âme subsiste et vit, de la même manière quelques-unes se précipitent vers le pire jusqu'à tenir le dernier rang dans la malice, et de la même manière certaines progressent jusqu'à venir du dernier degré de la malice à une vertu parfaite et consommée ».

Jérôme commente : « *Quibus dictis conatur ostendere, et homines, id est animas, fieri posse daemones, et rursum daemones in angelicam redigi dignitatem.* — Par ces paroles il s'efforce de montrer que les hommes, c'est-à-dire les âmes, peuvent devenir des démons, et en revanche les démons être ramenés à la dignité angélique. »

La *Philocalie* a donc omis ce passage pour raison de prudence : il y est question en effet selon Rufin de siècles innombrables après celui-ci, selon Jérôme de la transformation des hommes en démons et des démons en anges. Rufin et Jérôme concordent pour le fond ; cependant, là où pour Rufin la chute des âmes aboutit à les faire rivaliser avec les puissances mauvaises et leur remontée à les rétablir dans le bien, pour Jérôme il ne s'agit plus de devenir semblable, mais d'être transformé ; la chute des âmes les transforment en démons et la remontée des démons les fait repasser au rang des meilleurs. Il n'est pas question cependant de transformation des démons en anges dans la citation que fait Jérôme, mais dans le commentaire qu'il en donne : cela doit être remarqué. Il est possible que Rufin ait édulcoré le passage ; on comprend cependant que, même s'il était traduit chez lui fidèlement, *Philoc.* l'ait omis. Que Jérôme ait forcé les traits, non seulement dans son interprétation, mais dans la citation, en remplaçant une assimilation par une transformation, c'est aussi vraisemblable, car cela est assez dans ses habitudes. On peut voir par exemple *PArch.* I, 8 note 28, où l'assimilation morale du pécheur à l'animal, fréquente dans l'œuvre d'Origène, est devenue la métensomatose.

130b. Sur le progrès dans le mal : *SérMatth.* 30.

130c. Cette expression peut faire penser à l'instabilité perpétuelle de la nature raisonnable qu'Origène envisage comme une hypothèse : *PArch.* II, 3, 3 ; III, 6, 3 ; IV, 4, 8 ; voir la note 25 de I, 6 et la note 31 de II, 6. Dans *ComMatth.* XIII, 1, Origène, discutant de la métensomatose qu'il rejette, refuse d'accepter que l'âme puisse revêtir deux fois un corps à cause de ses fautes, car il n'y aurait pas dans ce cas de fin du monde, comme le dit l'Écriture. Il s'exprime à plusieurs reprises sur le caractère définitif de la béatitude : *HomÉz.* IV, 8 ; *ComJn* X, 42 (26), 289 (il trouve absurde un renversement de la situation eschatologique) ; *PArch.* III, 6, 6 ; *ComRom.* V, 10 ; d'après ce dernier texte, le libre arbitre ne pourra nous séparer de la charité du Christ, ce qui exclut de nouvelles chutes. Toute créature raisonnable peut adhérer au Logos jusqu'à imiter l'immutabilité de l'âme du Christ : *PArch.* II, 6, 6-7.

131. Origène revient sur la comparaison de *II Tim.* 2, 21 et de *Rom.* 9, 21 pour présenter encore sa doctrine sur la part de Dieu et la part de l'homme dans l'œuvre du salut (*PArch.* III, 1, 19). Sur ce texte, F. Prat, p. 152-154.

131a. « *Scilicet quo... contumeliam* » (1041-1053) est plus développé que οὔτε τοῦ ἐφ' ἡμῖν ... ἐπὶ τὰ χείρονα (779-787). La référence plus explicite au passage paulinien et au sujet traité en III, 1, 20 pourrait faire penser que ce développement n'est pas seulement dû à la propension de son auteur pour la paraphrase. Mais les termes techniques de philosophie stoïcienne qui sont dans le grec, προαίρεσις, διαφορά, n'ont pas dans le latin d'équivalent aussi précis.

132-132a. τῆς ἐπιστήμης τοῦ θεοῦ : que signifie cette expression? Puisque Origène fait intervenir ici la grâce et le libre arbitre, elle est certainement une expression de la grâce. Rufin traduit comme s'il s'agissait de la connaissance que nous avons du fait que notre vouloir et notre agir viennent de Dieu : pour lui c'est donc l'homme qui est le sujet de l'ἐπιστήμη et Dieu, ainsi que son action, l'objet. Au contraire F. Prat, p. 153, explique : « Cette science n'est pas une simple prévision, mais une science approbative et efficace, une prédestination. » Dans ce cas, le génitif τοῦ θεοῦ désignerait le sujet de l'ἐπιστήμη, Dieu. Nous penchons davantage vers cette signification, puisque l'ἐπιστήμη τοῦ θεοῦ, représentant la grâce, doit exprimer l'action de Dieu. Mais l'expression reste tout de même bien étrange.

133. L'orientation de la volonté (προαίρεσις) constitue une certaine matière (ὕλην τινα) de cette diversité. Cette expression a-t-elle ici un sens technique ? Et lequel ? Peut-être simplement celui de fondement.

Septième traité (III, 2-4)

Le titre indiqué par Photius englobe les chapitres 2, 3 et 4 du livre III dans les éditions Delarue et Koetschau ; ils forment donc un seul ensemble qui traite des combats que les hommes doivent soutenir de la part des démons ou de leur propre propension au mal. Les trois chapitres distingués par les éditions latines correspondent cependant à des divisions internes, comme nous en assurent les transitions que l'on trouve au moins dans le texte latin. Ce sont donc trois sections de la même question, les deux premières s'occupant des tentations venant des démons, la troisième de celles qui viennent de notre propre nature. Sur cet ensemble voir : Steph. T. BETTENCOURT, R. TREVIJANO, et Fr. MARTY, « Le discernement des esprits dans le *Peri Archon* d'Origène », *Revue d'Ascétique et de Mystique* 34, 1958, p. 147-164, 253-274.

Première section (III, 2)

Il y a des puissances démoniaques, dont Origène avait déjà parlé en *PArch.* I, 5 : le problème est important dans la pensée religieuse et philosophique de l'époque, qu'elle soit païenne ou chrétienne. Ici, ces puissances sont envisagées du point de vue de l'homme qu'elles essaient d'entraîner dans le péché.

De nombreux témoignages des Écritures, anciennes et nouvelles, montrent que des anges font la guerre aux hommes : les « plus simples » ont tendance à penser qu'ils sont causes de leurs péchés et que, s'ils n'existaient pas, les hommes ne pécheraient pas (1). Cette opinion n'est pas vraie, car il y a en nous des impulsions naturelles qui ne sont pas mauvaises en elles-mêmes, mais sont à l'origine des péchés quand on les suit en dépassant la mesure. C'est alors que les puissances adverses interviennent et augmentent la force de ces impulsions en prenant de plus en plus possession des âmes qui leur ont fait place en elles par leur intempérance (2). Paul affirme que la chair et le sang sont causes de tentations. Mais Dieu ne permet pas que nous soyons tentés au delà de nos forces, il proportionne donc les tentations à l'énergie spirituelle de celui qui les subit. Il donne à chacun la possibilité de vaincre les tentations qui se présentent : cela ne veut pas dire qu'il lui donne ainsi d'arriver sans effort à la victoire, car nous devons exploiter cette possibilité avec diligence (3). Nous sommes aussi tentés par nos propres pensées qui viennent, soit de nous, soit des puissances contraires, soit de Dieu et de ses anges, comme le montrent des textes scripturaires. Selon certains témoignages deux anges nous accompagnent, un bon et un mauvais, mais leurs suggestions ne nous ôtent pas le libre arbitre : nous pouvons les suivre ou ne pas les suivre. C'est par suite de la négligence que le démon prend possession de l'âme, plus ou moins gravement. Celui qui progresse n'a plus à lutter, comme le débutant, contre la chair et le sang, mais contre les puissances adverses (4). La nature humaine ne pourrait certes pas soutenir l'assaut de toutes ces forces démoniaques, mais Dieu veille à ce que la tentation ne dépasse pas nos possibilités soutenues par sa grâce, sans laquelle nous serions complètement désarmés (5). Ce sont des luttes spirituelles, d'esprit à esprit ; si les démons excitent contre nous toutes sortes d'épreuves, c'est pour nous faire perdre notre espérance en Dieu et dans sa providence. Mais ces épreuves sont permises par Dieu (6). Elles ne viennent pas de Dieu, mais elles ne se produisent pas non plus sans Dieu, qui les permet pour les utiliser en vue de notre bien selon les plans de sa providence : il faut donc considérer comme venant d'une certaine façon de Dieu même ce qui nous survient de fâcheux.

Peri Archon III, 2

1. Apocryphe perdu : voir Clément, *Strom.* I, 23, 153 ; VI, 15, 132. Il ne faut pas le confondre avec l'*Assomption de Moïse* qui nous est parvenue et est en réalité un *Testament* : cf. Charles, *The Apocrypha and Pseudepigraphia of the Old Testament*, II, 1963, p. 407-412 ; ou E. M. Laperrousaz, *Le Testament de Moïse*, *Semitica* IX, Paris 1970. On trouve peut-être une autre allusion à l'*Ascension de Moïse* en *HomJos.* II, 1, car ce dont parle Origène ne se trouve pas dans l'*Assomption de Moïse.* Origène attachait de l'importance à la littérature apocryphe, sans cependant la considérer comme l'inspirée : R. P. C. Hanson, *Tradition*, p. 134-136 ; J. Ruwet, « Les apocryphes dans l'œuvre d'Origène », *Biblica* 25, 1944, p. 143-166, 311-334.

2. Dans *HomGen.* VIII, 8, Origène explique que c'est le Logos qui apparaît à Abraham sous forme d'ange et que, s'il a pris la forme d'homme parmi les hommes, il a pris celle d'ange parmi les anges. Cela concorde avec une conception générale dans l'antiquité chrétienne : toutes les théophanies de l'Ancien Testament sont l'œuvre du Logos, intermédiaire entre Dieu et les créatures et agent des opérations *ad extra* de la Trinité : voir G. Aeby, p. 6 s. et 146 s. (pour Origène) ; *PArch* II, 4, 3. Qu'il apparaisse sous forme d'ange ou d'homme comme à Abraham au chêne de Mambré (*Gen.* 18 : *HomGen.* IV), ou au moment du sacrifice d'Isaac (cf. *supra*), à Jacob quand il combat contre lui (*Gen.* 32, 23-33 : *SelGen.* dans *PG* 12, 128), à Moïse dans le buisson ardent (*Ex.* 3-4), cela doit s'expliquer par le fait qu'il apparaît dans son âme préexistante, restée, parce qu'elle n'a pas péché, sous la forme indistincte, humano-angélique, de la préexistence : c'est ainsi que le Verbe se fait ange parmi les anges, homme parmi les hommes selon *HomGen.* VIII, 8 et *ComJn* I, 31 (34), 216-218 ; nous reviendrons à ce sujet dans la note 80 de *PArch.* IV, 3, 13, à propos de Jérôme et Justinien. Cette théophanie du sacrifice d'Abraham — ce que dit l'ange montre bien que c'est Dieu — n'est guère commentée, à la différence des trois autres, par les auteurs antérieurs à Origène, peut-être parce que dans cette scène l'intérêt était concentré sur Isaac figure du Christ : voir J. Daniélou, *Sacramentum Futuri*, Paris 1950, p. 97-111.

3. Origène ne conclut pas : ces paroles semblent montrer néanmoins que cet ange est Dieu, ou du moins l'agent de la Trinité *ad extra*, le Fils. Un raisonnement semblable est fait par Origène à propos d'autres théophanies (voir note 2) : pareillement Justin, *DialTryph.* 56 ; Novatien, *De Trin.* 18.

4. *Ex.* 4, 24 : la Septante porte ἄγγελος κυρίου, mais l'hébreu Iahvé. Cf. *CCels.* V, 48 : l'ange ne menace plus Moïse quand sa femme a circoncis l'enfant, il est hostile aux Hébreux qui sont incirconcis.

5. Cet ange est considéré habituellement comme une puissance bonne et une figure du Christ (*HomJug.* III, 6 ; *HomNombr.* III, 4) ; mais en *CCels.* VI, 43, il est identifié à Satan. Dans le premier cas, Origène mettait l'accent sur la libération d'Israël, faisait des Égyptiens le symbole des puissances adverses et pouvait voir ainsi dans l'exterminateur le symbole du Christ triomphant d'elles sur la Croix (*Col.* 2, 14-15). Dans le second cas, il voyait les Égyptiens détruits par celui-là même en qui ils avaient mis leur foi, dans un contexte traitant de Satan et de son activité.

6. Il s'agit du démon Azazel symbolisé par le bouc chassé dans le désert (le bouc émissaire), chargé des péchés et des souillures du peuple : *Lév.* 16, 8. Origène en fait le prince des démons : *CCels* VI, 43 ; *HomLév.* IX, 4.

7. Ce passage ne se trouve que dans certains manuscrits de la Septante : *I Rois (I Sam.)* 18, 10. Le mot que traduit *offocare* est ἔπεσεν ἐπὶ.

8. *ComJn* XX, 29 (23), 256-267, spécialement 258-261 où la réponse de ce Michée est reproduite selon *III (I) Rois* 22, 15 et *II Chron.* 18, 18-21 : Tout méchant est menteur en tant que fils du diable qui est le mensonge en personne.

9. Le texte des Septante est : Καὶ ἔστη διάβολος ἐν τῷ Ἰσραήλ, *I Chron.* 21, 1 : « Un diable (= un calomniateur) se leva en Israël », pour pousser David à recenser le peuple ; aucune variante n'est indiquée. En revanche dans *III (I) Rois* 11, 14 à propos d'Hadad l'Iduméen : Καὶ ἤγειρεν κύριος σατὰν τῷ Σαλωμὼν τὸν Ἀδὲρ τὸν Ἰδουμαῖον ; « Et le Seigneur suscita un Satan (= adversaire) à Salomon, Hadad l'Iduméen. » *CCels.* IV, 72 confronte *I Chron.* 21, 1 avec son parallèle *II Rois (II Sam.)* 24, 1, où l'initiateur du recensement est appelé « la colère de Dieu » : dans ce passage Origène lit διάβολος en *I Chron.* 21, 1 et il identifie le diable à la colère de Dieu.

10. *Eccl.* 10, 4 est en hébreu : « Si l'humeur *(ruah)* du roi se monte contre toi, ne quitte pas ta place, car le calme évite bien des fautes » (traduction Bible de Jérusalem). Dans la Septante : ἐὰν πνεῦμα τοῦ ἐξουσιάζοντος ἀναβῇ ἐπὶ σέ, τόπον σου μὴ ἀφῇς, ὅτι ἴαμα καταπαύσει ἁμαρτίας μεγάλας. Ce passage est cité, sans le dernier membre de phrase, dans *HomNombr.* XXVII, 12, à propos d'une des stations des Hébreux dans le désert, Mesoroth, et il est rapproché d'*Éphés.* 4, 27 : « Ne donnez pas de place au diable. » Celui qui a le pouvoir représente donc ici le diable :

voir les anges ou démons des nations (notes 14-15 de *PArch.* III, 3) et le thème de l'image de César (H. Crouzel, *Image*, p. 193-197). *Eccl.* 10, 4 est cité de même en *PArch.* III, 2, 4 et en *ComCant.* III (*GCS* VIII, p. 211).

11. Le grand-prêtre Josué ou Jésus (Ἰησοῦς dans la Septante), fils de Josédec.

12. *PArch.* II, 8, 3 et note 21 correspondante.

13. *PArch.* I, 5, 4.

14. Même citation en *PArch.* I, 5, 2, pour y trouver les noms des puissances adverses, ici pour montrer leur action contre les hommes.

15. La croyance que les démons forçaient les hommes au péché, jointe aux superstitions astrologiques, était générale à l'époque, et les chrétiens les moins instruits n'y échappaient pas facilement : de là le fatalisme et la conviction, moralement trop commode, que l'homme est trop faible pour résister au démon et que seul ce dernier a la responsabilité de nos péchés. Origène s'efforce de supprimer cette conviction ; de même Clément, *Strom.* VI, 12, 96-98. Méthode, *De Resur.* II, 6, 2 (Épiphane, *Panarion* 64, 60, 2) voit le diable à la source des convoitises matérielles.

16. Origène incline davantage vers la métriopathie aristotélicienne que vers l'apathie stoïcienne : il professe plutôt la maîtrise à imposer aux inclinations, dont l'origine est naturelle et qui ne deviennent mauvaises que si on dépasse la mesure, que leur éradication. L'extrême rareté du vocabulaire de l'apathie dans son œuvre — les emplois origéniens se comptent sur les doigts d'une main — contraste avec l'usage continuel qu'en faisait son maître Clément et qu'en fera son disciple du ɪᴠᵉ siècle, Évagre le Pontique. On peut voir dans *Fragm. I Cor.* XXXIII (*JTS* IX, p. 500), à propos de *I Cor.* 7, une déclaration très aristotélicienne qui peut se résumer dans l'adage classique : « *in medio stat uirtus* » : cf. H. Crouzel, *Virginité*, p. 172-176. Dans *HomGen.* I, 17 ; II, 6, Origène dit explicitement que l'irascible et le concupiscible (le θυμός et l'ἐπιθυμία) sont naturels et bons en eux-mêmes : c'est la partie inférieure de l'âme qui n'est pas supprimée chez le saint, ni même chez le Christ, mais est spiritualisée comme sa partie supérieure, entraînée avec elle dans le rayonnement de l'« esprit qui est dans l'homme ».

17. *PArch.* III, 1, 19 et notes correspondantes.

18. Les inclinations naturelles, commençant à dépasser la mesure, ouvrent la porte aux puissances adverses qui vont augmenter les dégâts. La leçon de ce passage est l'adage classique : « *Principiis obsta* ». Voir Justin, *I Apol.* 14 ; Athénagore, *Legatio* 27. Il arrive cependant à Origène de présenter le diable comme le père de tout désir mauvais et inclination perverse : *HomJér.* XVII, 2 ; *ComMatth.* XII, 40 ; XIII, 23 ; *FragmÉphés.* 33 (*JTS* 3, p. 571) ; *ComJn* XX, 22 (20), 176-184 ; XX, 40 (32), 378-380. La conception stoïcienne, qui fait dériver le péché d'un jugement erroné, est donc jointe à celle de l'Écriture qui l'attribue à l'instigation des puissances adverses. Tout péché a pour Origène un aspect psychologique et un aspect démoniaque, selon la conception hébraïque du *yeser hā-ra*, du πονηρὸς διαλογισμός qui désigne à la fois l'inclination perverse et le démon qui l'inspire : *ComCant.* III (*GCS* VIII, p. 211) ; *ComMatth.* XI, 15. Origène met en relief l'un ou l'autre aspect selon les circonstances ; ici, il veut surtout souligner l'importance de notre libre arbitre pour réfuter ceux qui rejetaient la responsabilité sur les puissances adverses seules. Mais en *PArch.* III, 2, 4, il parle des démons qui nous poussent au mal : voir Bettencourt, p. 70 s.

19. *HomNombr.* XX, 3. Un exemple stoïcien à partir de

l'avarice est donné dans Cicéron, *Tusculanes* IV, 10, 23 (*SVF* III, p. 103).

20. Rapprochement entre folie et péché en *HomNombr.* VIII, 1, entre ivresse et péché en *HomJér.* latine II, 8. La philosophie stoïcienne identifiait les ignorants aux fous : *SVF* III, p. 164 s. Le stoïcisme exerce aussi son influence sur Origène à travers Paul dans les énumérations de péchés : *HomLév.* VII, 1 ; *HomJos.* XII, 3 ; *HomPs. 38*, II, 2.

21. Dans *FragmÉphés.* 33 (*JTS* 3, p. 571) en commentant *Éphés.* 6, 12, Origène semble disposé à attribuer aux puissances adverses même les tentations qui viennent de la chair et du sang.

22. Origène donne ici une interprétation de *I Cor.* 10, 13 de caractère général : Dieu ne permet pas que nous soyons tentés au delà de nos forces, par des tentations plus qu'humaines. Cependant il admet aussi, d'après *Éphés.* 6, 12 et *Rom.* 8, 38-39, la possibilité d'être tenté de tentation plus qu'humaine, mais en étant soutenu par l'aide divine. Voir note 39.

23. Les images prises aux jeux du cirque sont fréquentes dans la seconde sophistique et les chrétiens les utilisent largement, à commencer par Paul : *I Cor.* 9, 24-26 ; *Gal.* 2, 2 ; *Phil.* 2, 16 ; *II Tim.* 4, 7-8 ; de même *Hébr.* 12, 1. Voir *PEuch.* XXIX, 2.

24. La chair ou « pensée de la chair » (*Rom.* 8, 6), c'est la partie inférieure de l'âme dans la mesure où elle correspond à la concupiscence de la théologie postérieure.

25. De la lutte contre chair et sang, c'est-à-dire contre les tentations seulement humaines, Origène passe à la lutte contre les démons, les tentations plus qu'humaines : *ComMatth.* XIII, 23 et *PArch.* III, 2, 4 et note 39.

26. Sur la confiance à avoir en la Providence dans cette lutte : *HomLév.* XVI, 6 ; *HomJos.* IV, 1 ; *CCels.* VIII, 27.

27. Si on isolait ce passage, on se représenterait Dieu comme un arbitre qui après avoir donné les moyens de lutter jugerait, impassible, le combat. Mais l'assistance de Dieu est continuelle tout le long de la lutte : *PArch.* III, 1, 19. Origène veut seulement avertir le chrétien que sa confiance en l'aide de Dieu ne doit pas l'illusionner sur l'issue de la lutte et l'amener à relâcher son effort, qui reste indispensable ainsi qu'un usage correct du libre arbitre. L'action du démon sur nous ne peut affaiblir notre possibilité de résistance si nous ne cédons pas nous-mêmes ; mais l'aide de Dieu ne saurait assurer automatiquement le succès.

28. Cette phrase qui semble devoir introduire ce qui suit ne l'introduit pas réellement ; car il n'est pas question dans le paragraphe suivant des modalités de l'action démoniaque sur nous, mais de nos pensées qui semblent s'ajouter aux impulsions du corps et à celles des démons comme une troisième source de tentations, selon une tripartition que l'on retrouve dans *SelPs.* 10, 5 (*PG* 12, 1192-1193), si ce fragment est d'Origène, car sa fin est à attribuer à Évagre : tentations venant du corps, de l'âme, du dehors, parallèles aux trois sortes de biens de la doctrine aristotélicienne qu'Origène discute notamment dans *ComPs.* 4 (*Philoc.* 26) ; *CCels.* 54 et 56. Voir Aristote, *Éthique à Nicomaque* I, 8 ; *SVF* III, p. 24. Il est possible que cette transition soit un ajout peu précautionneux de Rufin.

29. Le cœur, καρδία, est pour Origène le nom d'origine biblique de la partie supérieure de l'âme, appelée aussi du terme platonicien de νοῦς et du terme stoïcien d'ἡγεμονικόν : assimilation de καρδία ou *cor* à νοῦς ou *mens* dans *FragmJn* XIII (*GCS* IV, p. 495) ; *PArch.* I, 1, 9 ; *CCels.* VI, 69 ; *ComMatth.* XVII, 9 ; à ἡγεμονικόν ou *principale cordis (principale mentis* ou *principale animae)* dans *PEuch.* XXIX, 2 ; *HomJér.* V, 15 ; *ComCant.* I (*GCS* VIII, p. 93) ; *ComMatth.* XI, 15. Voir H. Crouzel, « Il cuore secondo

Origene », dans *Interiorità e Alterità: Ricerche sul Simbolismo del Cuore*, *Studia Spiritualia* 2, Roma 1977, à paraître.

30. Le problème posé est celui du « discernement des esprits », auquel Origène répondra en en posant une règle fondamentale en *PArch.* III, 3, 4-6. Il s'agit de discerner quel est l'esprit qui agit en nous pour savoir s'il faut le suivre ou s'opposer à lui. Cela a toujours été un chapitre important de la théologie spirituelle. L'expression « discernement des esprits » vient d'un des charismes distingués par Paul en *I Cor.* 12, 10. Sur la doctrine origénienne, voir l'article de Fr. Marty cité au début du commentaire de la septième question. Le *Pasteur* d'HERMAS contient de nombreux éléments de cette doctrine, notamment le *Précepte XI* sur le discernement des prophètes. La tradition spirituelle peut se suivre à travers le Moyen Age jusqu'aux fameuses règles que donnent les *Exercices Spirituels* d'Ignace de Loyola. Voir l'article « Discernement des Esprits » dans le *Dictionnaire de Spiritualité* III, 1957, 1222-1291, de divers auteurs.

31. Voir note 10.

32. *II Cor.* 10, 5 porte θεοῦ, non Χριστοῦ.

33. Sur le *Pasteur* d'Hermas pour Origène, voir note 12 de *PArch.* I, préf. Sur la *Lettre de Barnabé* : *CCels.* I, 63 (elle y est traitée d'« épître catholique »), *ComRom.* I, 18 (allusion à sa doctrine sans la nommer). Origène tend à considérer ces deux écrits comme inspirés.

34. Sur la doctrine de l'ange gardien, voir *PArch.* II, 10, 7 et note correspondante 38. L'idée que tout homme est assisté de deux anges gardiens, un bon et un mauvais, a des origines classiques : cf. P. BOYANCÉ, « Les deux démons personnels dans l'antiquité grecque et latine », *Revue de Philologie* 61, 1935, p. 189-202. Pareillement, des origines hébraïques : *Testament de Juda* 20, 1 ; PHILON, *Quaest. Ex.*

I, 35. Elle est liée à la doctrine des deux voies, aux origines à la fois classique (Xénophon, *Mémorables* II, 1, 21-24, le mythe de Prodicos, Héraclès sollicité par la Vertu et par le Vice), scripturaire (*Jér.* 21, 8 ; *Deut.* 30, 15 ; *Sir.* 15, 16 ; *Matth.* 7, 13-14), juive (*Testament d'Aser* I, 3 s. ; *II Enoch* 30, 15 ; *Oracles Sibyllins* VIII, 399 s.) et chrétienne (les deux traités des « Deux voies », celui qui ouvre la *Didachè* I-VI et celui qui termine la *Lettre de Barnabé* XVIII-XXI. Pour la doctrine des deux anges chez Origène : *HomJos.* XXIII, 3 ; *HomÉz.* I, 7 ; *HomLc* XII, 4 ; XXXV, 3 ; *PEuch.* XXXI, 6. Chaque homme a donc non seulement son ange, mais son démon personnel. On trouve aussi l'idée que chaque type de péché a son démon particulier, avec beaucoup de subordonnés qui poussent tel homme à tel péché : *HomJos.* XV, 5-6 ; *HomLév.* XII, 7 ; *HomNombr.* XX, 3. Dans *HomJos.* XV, 6, Origène s'appuie sur le *Testament de Ruben* 2, 1 - 3, 7, pour voir un Satan dans chaque pécheur. Sur l'ange gardien et le démon gardien : J. Daniélou, *Origène*, p. 235-242.

35. *ComJn* VI, 36 (20), 180-183 : dans ce passage se trouve une formulation des rapports de la grâce et du libre arbitre digne du Concile d'Orange. *ComMatth.* X, 19 : Jésus demande la foi pour faire un miracle.

36. La Septante appelle en effet Artaxerxès celui que la Vulgate nomme en latin Assuerus ; il semble cependant qu'il ne s'agisse pas d'Artaxerxès Ier, mais de son père Xerxès Ier.

37. La « garde du cœur » — le cœur étant l'intelligence, cf. note 29 — est aussi un des chapitres de la théologie spirituelle : surveillance de l'imagination et des pensées pour chasser les représentations mauvaises et les empêcher de s'imposer. Voir *Dictionnaire de Spiritualité* VI, 1967, 100-117 (P. Adnès).

38. Cette possession est présentée comme un asservissement : *HomEx.* VI, 9. Cf. J. Alcain, *Cautiverio.*

39. Origène oppose donc ici *Éphés.* 6, 12 et *I Cor.* 10, 13. Les Corinthiens sont exposés à des tentations humaines, venant de la chair et du sang, les Éphésiens à des tentations plus qu'humaines, œuvres des esprits mauvais. Les seconds sont donc plus avancés que les premiers sur la voie de la perfection : plus on s'élève spirituellement, plus les tentations permises par Dieu sont dures. Les Corinthiens sont donc des débutants : *HomJos.* XI, 4 ; *ComRom.* VII, 12 ; *PEuch.* XXIX, 2. Mais l'aide divine s'accroît à proportion : *ComRom.* VII, 12.

40. *FragmÉphés.* 33 (*JTS* III, p. 571).

41. *ComRom.* VII, 12.

42. La citation ne se trouve pas dans les manuscrits utilisés par Koetschau, mais dans Delarue (voir *PG* 11) : Koetschau ignore si Delarue l'a trouvée dans un manuscrit aujourd'hui perdu ou l'a restituée par conjecture : voir *ComRom.* II, 14.

43. *ComRom.* VII, 12 : supporter les tentations plus qu'humaines est l'œuvre du Christ seul (*Col.* 2, 15).

44. Cette interprétation singulière se trouve aussi dans *SelGen.* (*PG* 12, 128), texte qui ne vient pas du *ComGen.* qui ne dépassait pas les premiers chapitres du livre. Dans les deux passages, Origène interprète Israël : « tu as été fort avec (et non « contre ») le Seigneur », se référant à l'étymologie donnée par *Gen.* 32, 28. Proche d'elle est celle qu'on lit dans JUSTIN, *DialTryph.* 125, « l'homme qui vainc la Puissance ». Ailleurs, Origène interprète le plus souvent Israël, « celui qui voit Dieu » : ainsi *PArch.* IV, 3, 8 et 12 ; *ComJn* II, 31 (25), 189 ; *HomNombr.* XI, 4. C'est l'interprétation habituelle, aussi arbitraire d'ailleurs que les autres : PHILON, *Abr.* 57 ; *Praem.* 44 ; MÉLITON, *Peri Pascha* 82 ; CLÉMENT, *Péd.* I, 7, 57 ; I, 9, 77 ; JÉRÔME, *Des noms hébreux* (*De Exodo* à la lettre I) ; de même l'apocryphe *Prière de Joseph*. Mais l'interprétation donnée par Origène, « avec » et non « contre » Dieu (ou son Logos : *SelGen.* dans *PG* 12, 128) reste isolée ; la plus courante est la plus proche du texte, Jacob luttant contre l'Ange qui est le Seigneur : cette dernière explication se trouve aussi chez Origène en *FragmJér.* 25 (*GCS* III, p. 210).

45. Exemple du littéralisme avec lequel Origène explique souvent les textes et qui n'est pas sans rappeler des interprétations rabbiniques : voir chez Paul *Gal.* 3, 16.

46. Origène semble ici dédoubler en deux personnages distincts l'ange et Dieu alors qu'ils représentent l'un et l'autre le Fils, agent de toutes les théophanies (cf. notes 2-3). Mais il lui arrive de distinguer deux *épinoiai* ou aspects d'un même personnage : *ComJn* X, 8(6), 31 distingue ainsi par l'*épinoia* le Pierre de *Jn* 1, 41-42 et celui de *Matth.* 4, 18-19.

47. *CCels.* VIII, 73 : aux démons revient la responsabilité des guerres. *CCels.* IV, 32 : ils sont les instigateurs des persécutions contre les chrétiens. De même JUSTIN, *I Apol.* 12 ; *II Apol.* 12 ; *DialTryph.* 39. Il y a ici allusion aux persécutions.

48. C'est-à-dire de nous pousser à l'apostasie et aux opinions de ceux qui nient la providence en professant un déterminisme d'origine gnostique, astrologique ou philosophique (comme celui des Épicuriens).

49. Les tentations et épreuves entrent dans le dessein de la Providence qui veut notre bien.

50. Le mot *media* chez Rufin correspond à μέσα, synonyme d'ἀδιάφορα : *PArch.* II, 5, 3 ; III, 1, 18. Ces termes désignent dans la morale stoïcienne ce qui n'est ni bien ni mal. Origène a tendance à y voir une sorte de substrat commun d'actes qui peuvent être déterminés vers le bien ou le mal, parce que les créatures raisonnables sont capables de se décider dans un sens ou dans l'autre : *PArch.* I, 3, 6 ; I, 5, 2 ; I, 7, 2 ; I, 8, 3 ; *CCels.* V, 5. Des choses indifférentes peuvent devenir bonnes ou mauvaises suivant l'usage qu'on en fait. Il ne semble pas qu'il y ait pour Origène d'acte humain concret, accompli avec connaissance et volonté, qui puisse être dit indifférent. Voici la définition du fondateur du stoïcisme, Zénon, citée par Stobée (II, 7, 5a : cf. *SVF* I, p. 47) : « Parmi les êtres les uns sont bons, d'autres mauvais, d'autres indifférents. Bons la prudence, la tempérance, la justice, le courage (c'est-à-dire les quatre vertus cardinales) et tout ce qui est vertu ou participe à la vertu ; mauvais la folie, l'intempérance, l'injustice, la lâcheté (les contraires des vertus cardinales) et tout ce qui est malice ou participe à la malice ; indifférents la vie ou la mort, la gloire ou l'obscurité, le plaisir ou la peine, la richesse ou la pauvreté, la santé ou la maladie, et tout ce qui leur ressemble. » Tout cela coïncide avec les critiques que fait continuellement Origène à la doctrine aristotélicienne des trois sortes de biens, parce qu'Aristote admet comme biens non seulement ceux de l'âme, les vertus, les seuls vrais biens selon Origène, mais ceux du corps et ceux du dehors, indifférents selon Origène : *ComRom.* III, 1 ou *FragmRom.* 2 (Scherer, 130) ; *ComPs.* 4 (*Philoc.* 26), GRÉGOIRE LE THAUMATURGE, *Remerciement à Origène* II, 11-12 ; III, 28 ; VI, 75-77 ; IX, 122. La doctrine des trois sortes de biens est attaquée aussi par les mésoplatoniciens Albinos et Atticos (KOCH, p. 265 et 269), par l'*Élenchos* attribué à Hippolyte I, 20. Chez ARISTOTE, *Éthique à Nicomaque*, I, 8, 15-17 : voir W. JAEGER, *Aristotle*, p. 247 et dans l'index au mot *Goods*.

51. *HomJos.* XV, 5 : Dieu permet et même provoque l'action des puissances mauvaises pour nous donner l'occasion de les vaincre. *HomGen.* III, 2, distingue entre volonté et providence de Dieu : tout ce qui se passe dans le monde ne se produit pas selon la volonté de Dieu, car il faut tenir compte du libre arbitre des créatures, mais tout est utilisé par lui selon les desseins de sa providence. Le mal physique peut ainsi servir à l'action divine et même le mal moral, le péché : *CCels.* VI, 56 ; *HomÉz.* I, 2 ; *PArch.* II, 5, 3. Voir A. ORBE, *En los albores*, p. 328 s.

52. *PArch.* II, 11, 5.

53. Ce paragraphe est à la fois conclusion de ce qui précède et annonce de ce qui suit : il individualise cette première section dans un ensemble plus vaste.

Deuxième section (III, 3)

Après les tentations en général traitées dans le chapitre précédent, Origène envisage celles qui viennent de la fausse sagesse, dont il décrit les différents types. Il va donc toucher un point déjà traité par les Apologistes et par Clément, l'attitude que le chrétien doit prendre face à la sagesse païenne ; bien moins optimiste que JUSTIN (*I Apol.* 46 ; *II Apol.* 10) et que CLÉMENT (*Strom.* I, 4, 25 ; I, 5, 28 ; I, 7, 37 etc.), il n'en arrive pas cependant au refus, au moins théorique, de Tatien et de Tertullien : voir H. CROUZEL, *Philosophie.* Mais ce sujet n'occupe que la première partie de cette section et à elle seule (III, 3, 1-3 et début de 4) convient le titre donné par les éditions latines. Dans la seconde partie, Origène répond au problème du discernement des esprits posé par le précédent chapitre.

De *I Cor.* 2, 6-8, Origène tire, avec un littéralisme strict, une distinction entre la sagesse de Dieu, révélée le plus complètement dans le Christ, la sagesse du monde et la sagesse des princes de ce monde, c'est-à-dire des anges ou démons qui gouvernent les nations (1). La sagesse du monde est constituée par les arts ou techniques qui ont pour objet le monde et non la connaissance de Dieu. Les diverses sagesses des princes de ce monde sont les philosophies de chaque nation ; elles leur sont enseignées par les princes de ce monde, ceux qui ont crucifié le Christ venu détruire leurs doctrines (2). Les princes de ce monde enseignent-ils leurs sagesses par méchanceté pour tromper leurs sujets ou de bonne foi en croyant qu'elles sont vraies ? La seconde hypothèse est plus probable. Il y a en outre des esprits qui enseignent les différents arts ou techniques de la sagesse du monde, dont certains sont d'origine démoniaque : la poésie quand l'inspiration se produit dans un moment de folie, la divination ou la magie. Elles constituent la caricature de l'inspiration prophétique, qui suppose au contraire la vertu (3). Mais les anges qui enseignent les hérésies sont des puissances apostates qui, par jalousie, veulent empêcher les hommes de parvenir à la connaissance de Dieu.

Les mauvais esprits agissent dans l'âme en la possédant et en obnubilant son intelligence. Au contraire les bons esprits poussent l'âme au bien par leurs suggestions, sans la troubler ni aliéner l'intelligence, sans lui faire perdre son libre arbitre : tel est le cas des prophètes (4). Souvent l'âme est aidée par les bons anges ou livrée aux mauvais à la suite de causes antécédentes à la naissance corporelle : en effet des enfants ont été choisis par Dieu ou possédés par les démons dès leur naissance. Car l'état de l'âme est toujours la conséquence de ce qu'a voulu son libre arbitre (5). Le chapitre s'achève par une exhortation à la vigilance et à la garde du cœur pour ne pas recevoir les suggestions du démon, pour ne pas lui donner place dans notre âme, pour recevoir au contraire les bons anges et leurs suggestions (6).

Peri Archon III, 3

1. Sous l'influence de *Jn* 12, 31, qui appelle le démon le « prince de ce monde », l'expression paulinienne est entendue des démons qui dirigent les nations. La doctrine origénienne des « anges des nations » est ambiguë : tantôt comme ici il s'agit de puissances mauvaises, tantôt de puissances bonnes (voir note 15).

2. Même distinction à partir du même texte dans *ComCant.* I (*GCS* VIII, p. 100).

3. Cette multiplicité correspond aux disciplines diverses de la sagesse humaine réparties entre divers démons, comme les péchés en *PArch.* III, 2, 4. L'opposition de l'un et du multiple étant courante dans la philosophie grecque, la liaison unité/perfection, multiplicité/imperfection fait ressortir la supériorité de l'unique sagesse de Dieu sur les sagesses multiples du monde ou des princes de ce monde.

4. Supériorité du Nouveau Testament sur l'Ancien : IRÉNÉE, *Adv. Haer.* IV, 27, 1, cite pareillement et dans le même but *Matth.* 12, 42. Ailleurs, en réaction contre la dépréciation marcionite et gnostique des vieilles Écritures, Origène atténue cette supériorité : *ComJn* VI, 5 (2), 28-30 ; *PArch.* II, 7, 2. Une synthèse plus équilibrée entre ces deux tendances se trouve en *ComJn* XIII, 48 (46), 314-319, où la question, discutée à fond, avec pareillement une référence à *Matth.* 12, 42, est résolue par une conciliation entre l'excellence des personnages de l'Ancien Testament et la plénitude de révélation apportée par le Christ.

5. Cela semblerait pouvoir ressortir de *ComJn* VI, 5 (2), 28-30 : voir note 4. De *III (I) Rois* 3, 12, on peut tirer que Salomon a été le plus sage des hommes, même de ceux qui viendront. La reine de Saba est l'image de l'Église des Nations allant vers le véritable Pacifique, dont Salomon est la figure : *ComCant.* II (*GCS* III, p. 120).

6. *PArch.* IV, 3, 14. Origène ne traite ici de la sagesse qu'en relation avec les tentations démoniaques.

7. Cette phrase montre bien que III, 3 fait bloc avec III, 2.

8. C'est là la tentation la plus subtile et la plus périlleuse, même pour qui connaît bien l'Écriture : *HomNombr.* XX, 3 ; *Lettre à Grégoire* (*Philoc.* 13).

9. La sagesse du monde correspond donc aux différents arts ou techniques. Le même jugement se trouve dans *ComRom.* IV, 9 : la sagesse humaine qui n'apprend pas à connaître Dieu est dite *indifferens* et *media*, ni bonne ni mauvaise en elle-même ; même appréciation peu enthousiaste, spécialement de la rhétorique, en *CCels.* I, 62 ; *FragmICor.* 9 (*JTS* 9, p. 238 s.). Cependant, en la distinguant de la fausse sagesse des princes de ce monde et en la jugeant indifférente, Origène n'en condamne pas la pratique. Dans cet ensemble d'arts et de techniques se trouvent les disciplines qui constituaient la *paideia* hellénique ; il les juge admissibles, alors que d'autres chrétiens les condamnaient, ainsi TERTULLIEN, *De Praescr.* 7 ; *Didascalie* (ou *Constitutions Apostoliques*) I, 6. Il y a même un jugement plus optimiste dans *HomNombr.* XVIII, 3 où, en rapprochant *Sir.* 1, 1 et *Ex.* 31, 1-6, Origène fait remonter à Dieu l'origine des sciences utiles à la vie des hommes comme la géométrie, la musique, la médecine, distinguées de la fausse sagesse. Le programme scolaire d'Origène décrit par GRÉGOIRE LE THAUMATURGE dans la seconde partie du *Remerciement à Origène*, montre qu'il enseignait la physique, φυσιολογία, la géométrie et l'astronomie (VIII, 109-114), tout en les mettant en relation avec la connaissance de Dieu. Mais Grégoire rapporte aussi le mépris de son maître pour la rhétorique (VII, 107), qui s'exprime quelquefois dans l'œuvre d'Origène avec celui des soins du style et de la littérature : *HomEx.* IV, 6 ; *CCels.* IV, 38 ; IV, 50 ; VII, 6 ; *HomJos.* VII, 7, etc. Mais les hommes et les démons peuvent tourner cette sagesse au mal ; sur tout cela : H. CROUZEL, *Philosophie*, p. 125-157. Voir CLÉMENT, *Strom.* VI, 8, 68. On peut comparer le jugement de PHILON tel qu'il s'exprime, entre autres livres, dans le *De Congres-*

su : l'ἐγκύκλιος παιδεία qui correspond à ces sciences est symbolisée par Agar, dont Abraham doit s'approcher avant de rendre féconde Sara, la Sagesse-Vertu. Mais celui qui y reste sans poursuivre sa route vers la Sagesse est le sophiste, objet de tous les anathèmes du théologien juif : il est symbolisé par Ismaël.

10. La sagesse secrète et occulte des Égyptiens est peut-être une allusion aux écrits hermétiques. Il est question de l'astrologie dans *CCels.* V, 12 ; *HomNombr.* XII, 4 ; *ComMatth.* XIII, 6, mais surtout dans *ComGen.* III (*Philoc.* 23). Ce dernier texte accepte comme l'*Ennéade* II, 3 de Plotin que les astres soient signes, mais non agents, des événements terrestres qui s'inscrivent par la volonté divine dans le ciel où les anges peuvent les lire : le ciel est la Bible des anges. Mais leur lecture dépasse absolument toute compréhension humaine et c'est pourquoi l'astrologie est sans objet : elle est l'œuvre d'anges apostats qui trompent ainsi les hommes ; c'est pourquoi sa pratique est interdite aux hommes qu'elle ne peut que tromper.

11. Malgré sa formation philosophique très poussée et l'usage constant qu'il en fait, Origène n'est pas tendre envers la philosophie. Elle contient des vérités (*HomGen.* XIV, 3) qu'il accueille (*CCels.* VII, 46), mais elle est aussi contaminée par l'erreur (*HomLév.* VII, 6 ; *HomJér.* XVI, 9) dont elle est elle-même l'origine (*HomJos.* VII, 7), et là où elle diffère de l'enseignement du Christ elle est folie (*FragmICor.* 16 : *JTS* 9, p. 247). Voir H. Crouzel, *Philosophie*, p. 19-67, 103-114.

12. Sur les anges des nations, voir *PArch.* I, 5, 2 et la note 11 correspondante ; pour le Prince de Tyr, voir I, 5, 4.

13. C'est l'expression ψευδώνυμος γνῶσις, « connaissance (gnose) au faux nom » de *I Tim.* 6, 20, reprise par Irénée dans le titre grec de l'*Adversus Haereses.*

14. Les puissances adverses ont provoqué la crucifixion du Christ, ignorant qu'il était le Fils de Dieu et opérant par là même leur propre déconfiture : *SelLam.* 4, 12 (*GCS* III, p. 273) avec citation de *Ps.* 2, 2. C'est ainsi que le Christ a livré son âme en rançon au démon qui ignorait qu'il ne pouvait la garder captive : J. A. ALCAIN, *Cautiverio*, p. 177 s. La rédemption est, selon *Col.* 2, 15, une victoire du Christ sur les puissances qui tenaient l'homme captif : *ComMatth.* XII, 40 citant *Col.* 2, 15 ; XIII, 9 citant *Ps.* 2, 2 ; *HomGen.* IX, 3 citant les deux textes ; *HomJos.* VIII, 3 ; JUSTIN, *DialTryph.* 41 et 93. L'ignorance des démons en ce qui concerne le salut rejoint la conception judéo-chrétienne, peut-être déjà présente en *Éphés.* 3, 10, que l'incarnation du Christ est restée cachée aux puissances angéliques : IGNACE, *Éphés.* 19, 1 que cite Origène, *HomLc* VI, 3-4 ; *Ascension d'Isaïe* 11, 6 ; IRÉNÉE, *Adv. Haer.* I, 23, 3, à propos de Simon le Magicien ; CLÉMENT, *Ecl. proph.* 53. Cela est peut-être à rapprocher du motif gnostique du Sauveur qui en feignant de mourir sur la croix trompe les puissances adverses : *Exc. ex Theod.* 61 ; IRÉNÉE, *Adv. Haer.* I, 24, 4 à propos de Basilide. Mais, pour Origène, l'ignorance des démons en ce qui concerne l'ordre du salut est solidement fondée sur un point important de sa doctrine spirituelle : si pour connaître Dieu de plus en plus il faut devenir de plus en plus semblable à Dieu, comment les démons qui ont renié leur parenté avec Dieu connaîtraient-ils Dieu et les choses de Dieu ? *CCels.* VIII, 33 ; *Hom. I Rois (I Sam.)* 28, 5 (*GCS* III, p. 287) ; *HomLc* VI, 3-4 ; *FragmLc* 96 (*GCS* IX[2] ou *SC* 87). Mais une difficulté vient de ce qu'en *Matth.* 8, 29, un démon appelle Jésus fils de Dieu ; Origène répond (*HomLc* VI, 4-6) qu'il pouvait en avoir quelque idée, mais non le prince de ce monde dont la malice était beaucoup plus grande : voir H. CROUZEL, *Connaissance*, p. 421-425. Sur la conception de la rédemption par le Christ conçue comme une libération du pouvoir du démon, effectuée par

Jésus qui donne sa propre âme en rançon : *ComMatth.* XII, 28 ; XVI, 8 ; *ComJn* VI, 53 (35), 273-275 ; *HomEx.* VI, 9. Sur tout cela J. A. Alcain, *Cautiverio.*

15. Ici, Origène juge plus probable que l'erreur des princes de ce monde soit involontaire, alors qu'il vient de les accuser d'avoir crucifié le Christ. Cela vient de l'ambiguïté de sa doctrine à ce sujet. Tantôt il voit en eux de bons anges (*PArch.* I, 5, 2 ; *HomLc* XII, 3 ; *ComJn* XIII, 59(58), 412-413), quoiqu'ils soient incapables d'assurer seuls le salut de leurs sujets. Tantôt ce sont des maîtres pénibles que les nations ont reçus en punition de leurs fautes (*CCels.* V, 30). Il est l'héritier de traditions diverses. Pour Clément, les anges des nations sont de bons anges pourvoyant au bien de leurs sujets : *Strom.* VI, 17, 157 ; VII, 2, 6. Selon d'autres traditions, ce sont les anges déchus qui ont appris aux hommes les diverses techniques (*I Enoch* 8, 1) et leur rôle est de détourner les peuples de la voie du Seigneur (*Jubilés* 15, 31). Origène a perçu cette ambiguïté (*HomNombr.* XI, 4) et a donc admis l'existence parmi les anges des nations de bons et de mauvais. Mais avant la venue du Christ les bons ont peu de pouvoir pour aider leurs sujets : *HomLc* XII, 5 ; *PArch.* III, 5, 6 ; cela pourrait expliquer qu'ils aient pu induire involontairement en erreur. D'autant plus que, selon les lignes générales des conceptions cosmologiques d'Origène, les anges sont eux aussi dans une condition instable (*PArch.* I, 6, 2 ; *ComMatth.* XIII, 28 ; *ComJn* XIII, 59 (58), 411-415). Les anges gardiens des personnes individuelles seront jugés au jour du Jugement avec leurs pupilles et seront blâmés s'ils ont été négligents : *HomNombr.* XI, 4. Il peut en être de même pour les anges des nations, même s'ils sont de bons anges. Sur les anges des nations, voir J. Daniélou, *Origène*, p. 222-235 ; J. Ratzinger, « Menschheit und Staatenbau in der Sicht der frühen Kirche », *Studium Generale* 14, 1961, p. 664-682. Proche de la doctrine en question est l'exégèse origénienne de l'image de César que porte, selon *Matth.* 22, 15-22, la monnaie du tribut ; elle s'identifie à l'image du diable : *HomLc* XXXIX, 5 ; *ComMatth.* XIII, 10 ; XVII, 28 ; *ComRom.* IX, 30 ; *HomÉz.* XIII, 2.

16. *haereseos principes* : αἵρεσις désigne les diverses écoles philosophiques, médicales, ou de n'importe quelle science (*CCels.* III, 12). Dans le Nouveau Testament, le terme s'applique aux différents partis existant parmi les Juifs : sadducéens (*Act.* 5, 17), pharisiens (*Act.* 15, 5 ; 26, 5) ; les chrétiens sont considérés ainsi par les Juifs (*Act.* 24, 5 : l'αἵρεσις des Nazaréens), mais Paul ne l'accepte pas (*Act.* 24, 14 : « selon la voie (ὁδός) qu'ils appellent αἵρεσις ». Paul l'applique aux dissensions entre chrétiens : *I Cor.* 11, 19 ; *Gal.* 5, 20 ; pareillement *II Pierre* 2, 1. Ici on peut se demander s'il s'agit d'écoles philosophiques ou d'hérésies chrétiennes. A. Le Boulluec (*Origeniana*, p. 53 et note 31) se prononce pour le premier sens : « Il s'agit de doctrines qui ne résultent pas chez les anges des nations d'une volonté délibérée de tromper, mais d'une illusion concernant la physique, l'éthique et la théologie : cette illusion est nettement distinguée du dessein qu'ont les autres puissances d'abuser les hommes et qui, lui, produit les fautes contre l'orthodoxie. » C'est plus loin, en effet, dans *PArch.* III, 3, 4, qu'il s'agit clairement de puissances inspirant les hérésies du christianisme.

17. Voir aussi *HomJos.* XXIII, 3. D'après *HomNombr.* XVIII, 3, c'est Dieu qui est l'origine des sagesses humaines, techniques et arts : on pourrait donc comprendre ces esprits comme de bons anges. Mais quand l'inspiration poétique confine à la folie, elle ne peut être pour Origène, conformément à sa doctrine de l'inspiration prophétique, que l'œuvre des démons : *PArch.* II, 7, 3 et note correspondante 16 à propos des montanistes ; III, 3, 4. De même pour la magie et la divination auxquelles Origène ne refuse pas une certaine réalité, tout en les considérant comme démoniaques, donc interdites au chrétien : *CCels.* III, 25 ; VII, 3 ; *HomNombr.* XII, 4 ; XVI, 6-7. Il y a un glissement dans la pensée d'Origène, que la mention de l'art poétique a amené à rappeler la doctrine qui assimile à la folie l'inspiration du poète : Démocrite, fragments 18 et 21 dans DIELS, *Die Fragmente der Vorsokratiker* ; PLATON, *Ion* 533 e ; *Phèdre* 245 a. De là il est passé à d'autres aspects de l'action démoniaque, incantations et magie. Théophile d'Alexandrie (JÉRÔME, *Lettre* 92, 2) accuse Origène de favoriser dans le *PArch.* l'astrologie et la magie et la même accusation est combattue par l'*Apologie* anonyme lue par Photius ; elle est injustifiée, car Origène condamne tout cela comme diabolique.

18. Difficile de traduire en français *vates* quand ce mot est distingué de *diuini*, les « devins », dont il est question dans la phrase suivante. Le *vates* désigne ici le poète inspiré. Quels sont les mots grecs qui correspondent à ces deux mots latins?

19. Les prophètes, dont l'inspiration n'est pas une possession divine, mais une exaltation de la conscience et de la liberté qui les fait collaborer librement à l'action divine : *ComJn* VI, 4 (2), 21-23 ; *HomÉz.* VI, 1 ; *CCels.* VII 3-4. Leur vertu est le signe le plus sûr de l'authenticité de leur mission : *CCels.* II, 51 ; IV, 95 ; V, 42 ; VII, 3 ; *HomLc* XVII, 9-10 ; *Hom. I Rois (I Sam.)* 28, 9.

20. *PArch.* IV, 4, 4 ; *CCels.* I, 2 ; I, 46. La pureté est nécessaire pour parvenir à une telle participation (cf. note 19) ; *ComMatth.* XV, 5.

21. Il y a une participation à l'Antichrist opposée à la participation au Christ (*SerMatth.* 33), une inhabitation du diable dans l'âme pécheresse (*ComRom.* II, 6).

22. Sur cette expression, *scripturarum regula*, équivalant à *regula pietatis*, *regula fidei* et autres locutions semblables, voir *PArch.* I, 5 à la note 18.

23. Sur les origines démoniaques de l'hérésie : JUSTIN, *I Apol.* 26 ; 56 ; 58 ; IRÉNÉE, *Adv. Haer.* I, 16, 3. Les puissances adverses qui inspirent ces hérésies le font-elles parce qu'elles sont incapables de comprendre dans sa vérité le message du Christ ou ont-elles l'intention de tromper ? Origène, comme la tradition antérieure, penche vers la seconde solution : la diffusion de l'hérésie est l'œuvre d'anges apostats, différents des princes de ce monde : *Fragm. ComTite* (*PG* 14, 1303 s.), *SerMatth.* 33.

24. *Apocryphon Johannis* (éd. Till, *Texte und Untersuchungen* 60).

25. L'esprit œcuménique ne se trouve guère chez les Pères anciens : c'est un sentiment très récent.

26. Ici commence la seconde partie du chapitre sur le discernement des esprits. Le problème a été posé en *PArch.* III, 2, 4, voir note 30 correspondante.

27. Le passage qui suit exprime la plus fondamentale des « Règles pour le discernement des esprits » selon Origène : le mauvais esprit trouble et obnubile l'âme, il la « possède » ; le bon esprit au contraire lui permet d'exercer dans le calme sa conscience et sa liberté.

28. Par le péché l'âme se soumet librement à l'esclavage démoniaque, mais après elle est « possédée » : *ComRom.* V, 3 ; *ComJn* XXXII, 13 (8), 147-151, où est exposé le cas de Judas.

29. C'est donc bien une règle permettant de distinguer quel est l'esprit qui agit en l'âme. L'insistance d'Origène sur le fait que l'inspiration divine, loin de les supprimer, rend au contraire plus aiguës les facultés intellectuelles et volitives, alors que seul le démon possède et obnubile, est dirigé, nous l'avons vu dans les notes précédentes, contre des courants païens, notamment la mantique grecque, surtout dans *CCels.* VII, 3-4 en la personne de la Pythie de Delphes. Pareillement contre les montanistes (note 16 de *PArch.* II, 7) et les arguments d'Origène peuvent être comparés à ceux de l'écrit antimontaniste que mentionne EUSÈBE en *Hist. Eccl.* V, 16 et de l'écrit de Miltiade cité *ibid.* V, 17 : l'inspiration prophétique n'est pas compatible avec une extase conçue comme inconscience. PHILON avait professé le caractère inspiré de l'extase-inconscience : *Somn.* II, 232 (mais l'extase qui y est décrite semble seulement d'ordre psychologique), *Her.* 249-258. Les affirmations du grand théologien juif ne sont pas à prendre trop strictement, mais surtout comme une insistance sur la passivité et la grâce, comme le montre la thèse dactylographiée de A. BECKAERT, *La connaissance de Dieu dans la philosophie de Philon d'Alexandrie*, Paris. Sur l'attitude d'Origène envers l'extase-inconscience, voir Fr. MARTY, article cité en tête du septième traité, p. 55, et les discussions occasionnées par W. VÖLKER, *Das Vollkommenheitsideal des Origenes*, Tübingen 1931, p. 125-144 : cf. H. CROUZEL, « Grégoire de Nysse est-il le fondateur de la théologie mystique ? », *Revue d'Ascétique et de Mystique* 33, 1957, p. 191-202, et *Connaissance* p. 184-209.

30. *PArch.* III, 2, 4.

31. « *Illud quoque... adlata est* » (183-189) : JÉRÔME, *Lettre* 124, 8. Introduit : « *Atque in eodem uolumine* — Et dans le même volume ». Suit une citation : « *Sed et hoc requirendum, quare humana anima nunc ab his, nunc ab aliis uirtutibus ad diuersa moueatur.* — Mais il faut chercher maintenant pourquoi l'âme est mue vers des objets divers, tantôt par certaines puissances, tantôt par d'autres. » La suite n'est pas présentée comme une citation : « *Et putat quarumdam antequam uenirent in corpora merita praecessisse, ut est illud Iohannis exultantis in utero matris suae, quando ad uocem salutationis Mariae, indignam se confabulatione eius Elisabeth confitetur.* — Et il pense que certaines âmes avant de venir dans les corps ont obtenu des mérites comme c'est le cas de Jean exultant dans le sein de sa mère, quand, à la voix de la salutation de Marie, Élisabeth se reconnaît indigne de parler avec elle. » Jérôme et Rufin concordent.

32. Pour ces deux exemples voir *PArch.* I, 7, 4. Au sujet de Jean-Baptiste et de la visitation de Marie à Élisabeth : *ComJn* VI, 49 (30), 252-257 ; *HomLc* ; VII ; IX ; X.

33. « *Et rursum... responderi* » (192-200) : JÉRÔME, *Lettre* 124, 8. Introduit par : « *Statimque subiungit* — Il ajoute aussitôt ». Texte : « *Et e contrario paruuli licet paene lactantes malis replentur spiritibus, et in diuinos atque ariolos inspirantur : in tantum, ut etiam daemon Pythonicus quosdam a tenera aetate possideat : quos derelictos esse apud prouidentiam dei, cum nihil tale fecerint, ut istius modi insaniam sustinerent, non est eius qui nihil uult absque deo fieri, et omnia illius iustitia gubernari.* — Et au contraire de petits enfants presque encore nourrissons sont remplis d'esprits mauvais et sont inspirés pour être des devins et des diseurs de bonne aventure : tellement que même un démon Python en possède certains dès l'âge tendre ; les considérer comme abandonnés par la Providence de Dieu, alors qu'ils n'ont rien fait pour mériter une telle folie, ne pourrait être soutenu par celui qui veut que rien ne se fasse sans Dieu et que tout soit gouverné par sa justice. » Jérôme concorde avec Rufin pour le sens.

34. Allusion à *Act.* 16, 16 qui parle d'un « esprit Python ». La glose de Rufin, « *id est uentriloquum* », se justifie par PLUTARQUE, *De defectu oraculorum* 9 (*Morales* 414 e). Elle ne correspond pas à l'étymologie : Πυθώ est l'ancien nom de Delphes et Πύθων le serpent monstrueux que tua, à Delphes, Apollon qu'il avait failli étouffer dans son berceau. L'esprit Python tient-il son nom de ce serpent ou du souffle mantique venant d'Apollon Pythien et qui, sortant de terre, mettait la Pythie en extase ?

35. Peut-être un ajout de Rufin qui se réfère souvent à la règle de foi. Origène y fait parfois allusion, mais Rufin en ajoute comme en III, 1, 7 ; note 35c de III, 1.

36. Allusion à la préexistence des âmes : *PArch.* I, 7, 4 et notes correspondantes.

37. Origène n'explique pas comment cette affirmation générale qui est à la base de toute sa pensée se concilie avec la possession diabolique des énergumènes et des passionnés : le péché commis volontairement au début, ici-bas ou dans la préexistence, a livré l'âme au démon en diminuant fortement l'usage du libre arbitre. Mais il doit considérer ces situations comme transitoires, car cette punition, comme les autres, est médicinale : celui qui est ainsi possédé par le démon dès son enfance, à cause de fautes antécédentes à la naissance, doit pouvoir cependant en sortir. Voir J. A. Alcain, *Cautiverio*, p. 305-314, sur la nécessité du Christ Rédempteur ; mais il ne semble pas qu'Alcain réponde à ce problème précis.

38. Clément, *Strom.* IV, 12, 83 : selon Basilide l'âme supportait ici-bas le châtiment de fautes commises dans une autre vie ; *Strom.* III, 3, 20 cite Platon, *Politique* 273 bc dans ce sens. Jérôme, *Lettre 120 à Hédybia*, 10, attribue à Pythagore, Platon et leurs disciples chrétiens (Origène) l'idée que les âmes sont tombées du ciel et expient dans tels ou tels corps les châtiments de leurs anciens péchés : à propos de *Rom.* 9, 14-29 et de ce qui concerne Ésaü et Jacob.

39. Il ne s'agit ici que de suggestions, non de possession au sens strict.

40. Sur la vigilance, la garde du cœur, le contrôle à garder de nous-mêmes pour ne pas donner prise au démon : *ComJn* XX, 22 (20), 176-184 ; *HomÉz.* XI, 4 ; *HomJos.* XVI, 5 ; *HomJug.* II, 5 ; *HomGen.* IX, 3 où est cité pareillement *I Pierre* 5, 8. Sur le soin à apporter pour garder la foi intacte et ne pas tomber dans l'hérésie : *SérMatth.* 33 ; 93. Sur la négligence source de tout péché : *PArch.* I, 4, 1 ; I, 6, 2 ; II, 9, 2.

41. Transition d'une section à l'autre comme au début de *PArch.* III, 4, 1. Cette phrase est rattachée à *PArch.* III, 4 dans les trois éditions du XVIe siècle, Merlin, Érasme, Génébrard.

Troisième section (III, 4)

Le titre latin mis ici en tête est placé après *inimica* (6) par les manuscrits, comme un titre dans le groupe *a*, dans le texte dans le groupe *g*. Les éditeurs du XVIe siècle, Merlin, Érasme, Génébrard qui font commencer ce chapitre après *exornatum* du précédent (238), l'intitulent : « *De humanis tentationibus* — Au sujet des tentations humaines ». « *Vtrum... per singulas* » est mis dans le texte après *inimica* (6) comme dans les manuscrits du groupe *g*. Il en est de même pour Delarue, sauf qu'il conclut le chapitre précédent comme ici après *aduersantur* (240) : c'est là qu'il place le titre des éditeurs du XVIe siècle, en précisant dans une note qu'il n'a pas trouvé de titre dans les manuscrits — toujours ceux du groupe *g* — ni d'indice marquant le début d'un nouveau chapitre. Koetschau, trouvant « *utrum... per singulos* » comme titre dans le groupe *a*, le transporte après *exornatum* à l'endroit indiqué par Delarue pour le début du chapitre.

Le titre inauguré par Merlin correspond au contenu. Dans *PArch.* III, 2, Origène a mentionné les tentations qui viennent de la chair et du sang, c'est-à-dire de la corporéité de l'homme, et les a distinguées des tentations plus qu'humaines qui viennent des puissances adverses. Mais il s'est occupé seulement de ces dernières jusqu'à la fin de *PArch.* III, 3. Maintenant il revient aux premières. Mais le titre des manuscrits *a*, inséré dans le texte lui-même par les manuscrits *g*, est lui aussi adapté au chapitre qui va se demander s'il y a en nous deux âmes, spirituelle et charnelle, ou une seule. Ici Origène va laisser de côté l'anthropologie trichotomique qui lui est familière et qu'il a remarquablement systématisée à partir des données de la tradition (H. Crouzel, « Geist (Heiliger Geist) », dans *Reallexikon für Antike und Christentum*, IX, 511-524). Non tout à fait cependant, car son anthropologie, distinguant dans l'unique ψυχή une partie supérieure, intellectuelle et spirituelle, et une partie inférieure qui pousse l'âme vers la chair, fait la synthèse des deux antithèses et échappe à la fois au dualisme et au monisme. Ici il discute les deux hypothèses et laisse la question ouverte, l'abandonnant au choix du lecteur. Le caractère de discussion libre qu'il laisse à ce chapitre oblige le lecteur à la prudence avant de décider s'il est partisan de l'une ou de l'autre, du moins à l'époque du *PArch.* Dans le reste de son œuvre, l'unicité de l'âme dans la dualité de ses parties, et la trichotomie de l'homme, qui est esprit, âme et corps, avec l'âme comme élément central de la personnalité, l'emportent de loin sur toute autre solution : voir les notes 30 de *PArch.* II, 8 et 34-37 de II, 10.

Après avoir parlé des tentations qui viennent des puissances adverses, Origène doit donc s'occuper de celles dont la source est la nature charnelle : existe-t-il une âme charnelle, distincte de l'âme raisonnable ? Trois opinions sont rapportées : 1) Il y a deux âmes dans l'homme, une raisonnable et une charnelle ; 2) C'est l'âme raisonnable qui vivifie elle-même le corps ; 3) La trichotomie platonicienne qui suppose en l'âme une partie raisonnable et deux parties irrationnelles, l'irascible et le concupiscible. Cette dernière ayant été éliminée tout de suite comme sans répondant scripturaire, Origène va donc s'occuper seulement des deux premières (1).

Première opinion : il y a deux âmes dans l'homme, une raisonnable et une charnelle, la première venant d'en-haut, la seconde, comme le corps, de la semence paternelle (traducianisme). Plusieurs passages scripturaires sont invoqués, qui pourraient confirmer l'existence d'une âme charnelle. Aux objections faites à leur interprétation, les partisans de cette opinion répondent qu'il y a en l'âme des passions mauvaises qui n'ont pas de rapport direct avec la chair et ne peuvent donc s'expliquer par la chair seule.

A cet endroit commence une digression qui sera désignée comme telle à la fin du § 3 — « *ampliore quam uolumus usi excessu* » (165-166) — avec un glissement vers une autre conception, non celle d'une âme de la chair, mais d'une âme qui serait en quelque sorte intermédiaire entre la chair et l'esprit, pouvant s'attacher à l'un comme à l'autre, une âme qui pourrait avoir une volonté propre distincte de celle de la chair et de celle de l'esprit (2). A propos de la volonté propre de cette âme intermédiaire et moralement indifférente, Origène affirme ce qui suit : il vaut mieux, certes, suivre la volonté de l'esprit, mais, s'il faut choisir entre la volonté de la chair et celle de cette âme, entre le froid et le tiède, on peut se demander s'il n'est pas préférable de suivre la volonté de la chair qui, par le dégoût qu'elle finira par provoquer, rendra la conversion davantage possible, que la volonté de cette âme moralement indifférente, dont l'amoralisme met l'homme sur le plan des animaux (3).

Maintenant Origène examine la seconde opinion. Aux partisans des deux âmes, ceux qui tiennent à l'unité de l'âme répondent en insistant sur le caractère indécis de l'âme humaine hésitant entre les courants qui la tirent vers le haut ou vers le bas. Il n'est pas nécessaire d'imaginer une âme charnelle pour pousser vers la chair l'âme raisonnable : le corps lui-même y suffit. Les passages scripturaires qui semblent impliquer une âme de la chair parlent un langage figuré qui semble donner une âme, comme le fait souvent le langage courant, à des réalités sans âme (4). Quant aux passions mauvaises qui n'ont pas de rapport direct avec le corps, elles viennent du fait que l'âme raisonnable, quand elle a cédé à la chair, est devenue tout à fait charnelle. De toute façon on ne voit pas comment Dieu aurait créé une âme charnelle qui lui serait ennemie, et cette opinion n'est pas éloignée des natures d'âmes que professent les hérétiques. Finalement Origène s'abstient de conclure et laisse le lecteur choisir ce qui lui paraîtra le plus raisonnable (5). La structure de ce chapitre a été étudiée en détail par J. A. ALCAIN, *Cautiverio*, p. 113-117.

Peri Archon III, 4

1. Cette expression doit correspondre au φρόνημα τῆς σαρκός de *Rom.* 8, 6-8 ; elle est souvent employée par Origène pour désigner la partie inférieure de l'âme : *ExhMart.* 5 ; *CCels.* VIII, 22-23, etc.

2. Il ne s'agit pas ici de la trichotomie habituelle à Origène : autrement il faudrait entendre « vie », non de la « vie commune », mais de la « vraie vie », la surnaturelle. Il est plus vraisemblable qu'il s'agisse d'un *pneuma* de nature biologique, celui de *Gen.* 2, 7, qui fait de l'homme modelé à partir de la glaise un être vivant : le récit de *Gen.* 2 concerne pour Origène la création du corps et celui de *Gen.* 1 celle de l'homme en tant que substance raisonnable.

3. Nouménios distinguait deux âmes du monde et deux âmes en chaque homme par suite de la distinction entre Dieu et la matière ; il y avait en l'homme un principe vital dérivant de la matière et un principe rationnel venant de Dieu : STOBÉE I, 49, 25 ; PORPHYRE, *De Abstin.* I, 40 ; voir A. J. FESTUGIÈRE, *La révélation d'Hermès Trismégiste* III, Paris 1953, p. 45. XÉNOPHON dans la *Cyropédie* VII, 1, 21, atteste la croyance des anciens Perses en deux âmes pour chaque homme, bonne et mauvaise. On la trouve chez les gnostiques (*Exc. ex Theod.* 50) : une âme hylique faite à l'image du Démiurge et une âme psychique à sa ressemblance. CLÉMENT, *Strom.* II, 20, 112-114, attribue cette doctrine aux basilidiens, notamment à Isidore, fils de Basilide. Voir H. LANGERBECK, « Die Anthropologie der alexandrinischen Gnosis », dans *Aufsätze zur Gnosis*, Göttingen 1967, p. 38-82, et W. D. HAUSCHILD, *Gottes Geist und der Mensch*, Münich 1972, p. 26-27. En ce qui concerne les chrétiens de la Grande Église : TATIEN, *Ad Graecos* 12 ; 16 ; TERTULLIEN, *De Anima* 10 ; CLÉMENT, *Strom.* VI, 12, 135.

4. Tous, païens et chrétiens, supposaient que le corps, en tant que matériel, n'avait pas par lui-même de possibilité de vie, s'il n'était pas animé par une âme. Pour Origène qui conçoit à la manière stoïcienne comme un substrat amorphe (*PArch.* II, 1, 4), elle ne peut être vivifiée que par un principe extérieur à elle, quoique étroitement lié. On n'a pas la même impression à la lecture du *De Resurrectione* d'ATHÉNAGORE qui, dans sa deuxième partie, essaie de démontrer philosophiquement la résurrection corporelle par l'intime union de l'âme et du corps, deux éléments dont aucun ne constitue l'homme à lui tout seul : il voit dans le corps l'origine de tous les mouvements qui se produisent dans l'homme et semble réduire l'âme, pouvoir de décision, à une sorte d'épure (§§ 15-25).

5. Pour Origène, à la différence d'Athénagore, l'homme en tant que personne, sujet, substance individuelle, est essentiellement son âme : le corps a un rôle secondaire, et il est devenu terrestre à la suite du péché des créatures raisonnables, d'éthéré qu'il était dans la préexistence et qu'il sera dans la résurrection. Le Christ en tant qu'homme est avant tout son âme : *PArch.* II, 6, 4 et 7. *CCels.* VII, 38 et *PArch.* IV, 2, 7 définissent à peu près dans les mêmes termes que l'homme est une âme qui se sert d'un corps. *HomJug.* VI, 5 : le corps est au service de l'âme comme une bête de somme ou un véhicule. Sur le corps, mort par lui-même, vivant seulement par l'âme : PSEUDO-JUSTIN, *De Resurr.* X ; PLATON, *Cratyle* 399 de. Selon Marcion et Basilide le corps ne participe pas au salut : IRÉNÉE, *Adv. Haer.* I, 27, 3 et I, 24, 5.

6. C'est la trichotomie platonicienne (*Rep.* IV, 436 a s. ; *Phèdre* 246 a s.) qu'Origène rapporte à Platon en *CCels.* V, 47. Mais le refus de la trichotomie platonicienne n'affecte en rien la trichotomie propre à Origène. On écrit encore quelquefois, certainement à tort, que la trichotomie origénienne découle de la platonicienne, alors qu'elles ont peu de chose en commun. La trichotomie origénienne concerne l'homme dans son entier, la platonicienne l'âme seule. Le *pneuma* spirituel d'Origène n'a pas de correspondant chez Platon et a peu de rapport avec le *pneuma* matériellement conçu du stoïcisme et du platonisme tardif : il découle de la *ruah* hébraïque à travers Paul et Philon. Si Origène parle incidemment d'irascible et de concupiscible (*HomÉz.* I, 16 ; *FragmLc* dans *GCS* IX², nº 187 ou dans *SC* 87, nº 79 ; *SelPs.* 17, 29 dans *PG* 12, 1236 A), il les confond dans la partie inférieure de l'âme sans faire de différences entre tendances nobles et tendances basses. Voir l'histoire de cette trichotomie, de son usage avant Origène et chez Origène et de sa disparition rapide après lui dans H. CROUZEL, « Geist (Heiliger Geist) », *Reallexikon für Antike und Christentum* IX, 511-524.

7. Sur le recours à l'Écriture comme fondement de la vérité : *PArch.* I, 3, 1 et note 3 correspondante ; pareillement IV, 1, 1. Ce qu'Origène rejette n'est pas tant la division de l'âme en entités distinctes (voir *PArch.* II, 10, 7 : *Lév.* 17, 14 parle du sang comme âme de la chair), mais la division de l'âme en trois parties, et sa conception de l'homme est beaucoup plus dynamique que statique, des forces plus que des éléments.

8. La note 3 montre qu'il ne s'agit pas d'opposants fictifs, inventés pour animer la discussion en personnalisant les thèses en présence — PAMPHILE, *Apologie* dans *PG* 17, 606-607, rappelle en effet qu'Origène usait de ce procédé d'école — ; si Rufin a traduit correctement « *quod astruere solent quidam* », cette expression montre que des personnages réels sont visés : peut-être le mésoplatonicien Nouménios d'Apamée dont Origène parle plusieurs fois favorablement (*CCels.* I, 15 ; IV, 51 ; V, 57) et qu'il lisait assidûment selon Porphyre cité par EUSÈBE (*Hist. Eccles.* VI, 19, 5-8) ; ou quelque gnostique.

9. Il est question dans *Exc. ex Theod.* 50 d'une âme terrestre, matérielle, irrationnelle, consubstantielle à celle des bêtes, coexistant avec l'âme psychique proprement dite. CLÉMENT parle d'une âme corporelle et d'un *pneuma* corporel : *Strom.* VI, 16, 136 ; VII, 12, 79. La distinction âme terrestre/âme céleste s'adapte bien au schéma binaire âme/corps, car l'âme corporelle est ce qui anime un corps de lui-même incapable de vivre (*Apocryphon Ioannis* 51 dans *Texte und Untersuchungen* 60), et en tant que jointe au corps elle s'oppose à l'autre âme. C'est dans un sens analogue qu'Origène emploie habituellement le mot « chair », distinct de « corps » (*PArch.* II, 8, 4 et note 30 correspondante). Ne faudrait-il pas rapprocher tout cela de la coexistence, chez le pneumatique valentinien, d'un élément psychique et d'un élément hylique avec l'élément pneumatique, ce qui est appelé « la doctrine des enveloppements » par Fr. SAGNARD, *La gnose valentinienne et le témoignage de saint Irénée*, Paris 1947, p. 397-400. D'après Jamblique cité par STOBÉE (I, 49, 40), le mésoplatonicien Atticos supposait avec l'âme raisonnable une âme « irrationnelle, défectueuse (πλημμελής) et matérielle ».

10. Exemples déjà rencontrés en *PArch.* I, 7, 4 ; II, 9, 7 ; III, 3, 5 : l'âme supérieure est donc la créature raisonnable tombée de la béatitude primitive et insérée dans un corps terrestre.

11. C'est la conception traducianiste selon laquelle l'âme est engendrée avec le corps de la semence paternelle. Origène ne l'applique ici qu'à l'âme corporelle, tandis que les partisans de cette doctrine l'appliquaient à l'âme spirituelle : *PArch.* I, Préf. 5 ; TERTULLIEN, *De Anima* 27. L'idée que l'âme n'est pas immortelle par nature, mais seulement par grâce, est assez répandue chez les auteurs chrétiens du temps : JUSTIN, *DialTryph.* 6 ; TATIEN, *Ad Graecos* 13 ; Héracléon dans *ComJn* XIII, 60 (59), 417-418. Dans *CCels.* IV, 30, Origène, ironisant sur les questions que se posent les philosophes, fait mention des âmes inséminées (συσπαρεῖσαι) avec les corps ; de même *ComJn* II, 30 (24), 182.

12. Le rapprochement de *Gal.* 5, 17 et de *Lév.* 17, 14 se retrouve en *PEuch.* XXIX, 2, dans un passage traitant des tentations qui viennent de la nature humaine. Dans *DialHér.* 16-23, *Lév.* 17, 14 est expliqué symboliquement comme une allégorie de l'âme qui est la vie de l'homme spirituel, de la même manière que le sang l'est à l'homme corporel ; pareillement *SelÉz.* 18, 10 dans *PG* 13, 817.

13. Voir *PEuch.* XXIX, 2. Par contre, l'intelligence ou *hégémonikon*, c'est-à-dire l'âme céleste ou la partie supérieure de l'âme, est appelée cœur, mais il ne s'agit pas de l'organe corporel : le cœur, principe intellectuel selon l'Écriture, est un nom figuré de cette partie de l'âme : *ComJn* II, 35 (29), 215 ; VI, 38 (22), 189 ; *PEuch.* XXIX, 2. Voir la note 29 de *PArch.* III, 2.

14. *ComJn* XIII, 23, 140 ; voir G. GRUBER, p. 176-177 en note.

15. CLÉMENT, *Strom.* VI, 136, 1 et VII, 79, 6 ; *Exc. ex Theod.* 50, 1 ; Valentin d'après IRÉNÉE, *Adv. Haer.* I, 5, 5.

16. D'après l'objecteur, ces diverses expressions, âme de la chair, sagesse de la chair, appartiennent au langage figuré feignant d'attribuer au corps une vitalité ou même une personnalité qu'il ne possède pas par nature.

17. La réponse à l'objection montre que l'âme de la chair n'est pas seulement ce qui anime le corps, mais elle commence à se distinguer de lui. La mention dans ce qui suit de l'intelligence ou de l'esprit de l'homme superpose sur le schéma binaire le schéma ternaire, esprit/âme/corps (voir note 30 de *PArch.* II, 8, notes 34 à 37 de *PArch.* II, 10) et nous passons peu à peu à la conception de l'âme comme entité intermédiaire entre chair et esprit, libre de choisir le service de l'une ou de l'autre. D'abord Origène, parlant au nom des partisans des deux âmes, représente l'âme de la chair comme ce qui anime le corps, un esprit corporel opposé à l'âme supérieure et incapable de vivre sans le corps ; puis il parle de l'âme comme capable de vie et d'action propres, de choisir entre le bien et le mal, l'esprit et la chair, capable encore de s'assurer l'immortalité dans le sens plein qui est celui d'Origène (*ComJn* XIII, 61 (59), 429). Ces oscillations viennent-elles d'Origène, de ceux qu'il fait parler ou de Rufin qui n'aurait pas réussi à maîtriser sa pensée dans tous ses détails et articulations ? Il ne semble pas que cela vienne de Rufin, car c'est déjà l'amorce de la digression qui va suivre à la fin de *PArch.* III, 4, 2 et dans III, 4, 3.

18. Est-ce ici de la part de Rufin un redoublement qui ne respecte pas la distinction origénienne du νοῦς et du πνεῦμα, ou une traduction exacte citant les deux protagonistes de la lutte contre la chair, le πνεῦμα qui est l'entraîneur et le νοῦς le disciple ?

19. *ex seminis traduce* : cette expression se retrouve chez Rufin : *PArch.* I, préf. 5 ; *Apologie à Anastase* 6 ; *De Bened. Patr.* II, 26. Elle est déjà devenue technique pour désigner l'opinion qu'une âme dérive d'une autre en même temps qu'un corps d'un autre à partir de la semence (traducianisme) : TERTULLIEN, *De Anima* 9, 6 ; 36, 4 ; *Adv. Valent.* 25, 3 ; voir note 11 les références chez Origène. On trouve dans le milieu gnostique (*Exc. ex Theod.* 50 ; 55) l'idée d'une âme matérielle transmise par l'intermédiaire de la semence.

20. En d'autres termes : une partie des vices mentionnés par l'Apôtre n'ont pas de rapport avec la chair ; aussi ne peut-on attribuer leur existence à la chair conçue comme une entité étrangère à l'âme, mais à l'âme inférieure.

21. L'âme de la chair n'est donc plus un simple principe vital du corps, mais une entité capable de sagesse, quoique de sagesse mauvaise ; elle peut diriger l'âme vers le mal, non seulement par les sens, mais encore par l'intelligence, comme l'âme hylique des Valentiniens. Voir M. SIMONETTI, « Psychè e psychikos nella Gnosi valentiniana », *Rivista di Storia e Letteratura religiosa* 2, 1966, p. 18. D'ordinaire, Origène ne pousse pas si à fond ce passage paulinien, *I Cor.* 1, 26, mais en fait un usage générique en opposant la sagesse selon la chair, c'est-à-dire la sagesse humaine, à la sagesse de Dieu : *CCels.* III, 48 ; VI, 14 ; VII, 60.

22. L'esprit dont il est question ici est conçu par Paul comme élément divin et non comme partie supérieure de l'homme. Il ne peut conduire l'homme qu'au bien, car il est intrinsèquement bon. Quant à la chair, si elle est privée d'une âme propre, elle reste inerte, incapable d'opposer sa volonté à celle de l'esprit. Il faut donc supposer une volonté de l'âme, de la chair, capable de s'opposer à la volonté de l'esprit et de vouloir le mal ; donc imaginer deux volontés, celle de l'esprit et celle de l'âme de la chair. Mais plus bas il est question d'une volonté de l'âme intermédiaire entre la volonté de l'esprit et celle de la chair.

23. C'est à cet endroit, avec comme transition « *Et si* *ita est* » (105) et non à « *Requirendum ergo est* » (113) que J. A. ALCAIN, p. 114, note 114, fait commencer la digression qui couvre la fin de *PArch.* III, 4, 2 et tout III, 4, 3 et qui est signalée à la fin aux lignes 164-170 : « Jusque-là parlait le défenseur des deux âmes. Alors Origène, pris par le dernier texte de Paul (*Gal.* 5, 17), commence l'excursus... La transition est dans le changement du sujet qui parle. Bien que se servant des mêmes termes — chair, âme, esprit —, il leur donne une signification différente. Imperceptiblement nous sommes passés du schème chair, âme de la chair, âme supérieure (intelligence ou esprit 74-75) au schème chair, âme, esprit, qui est le schème de ceux qui défendent l'unicité de l'âme. »

24. *ComJn* XXXII, 18 (11), 218 ; *ComRom.* I, 18 ; *HomLév.* II, 2 ; *PArch.* II, 8, 4 et note 30 correspondante ; III, 2, 7. L'âme, qui était dite d'abord âme de la chair, est maintenant intermédiaire entre l'esprit et la chair, capable de se tourner aussi vers le bien.

25. Le sort de l'âme est présenté d'une manière analogue à celui de l'homme psychique des valentiniens libre de choisir entre l'adhésion à l'esprit ou à la matière : IRÉNÉE, *Adv. Haer.* I, 6, 1 ; I, 7, 5. Même la terminologie est substantiellement la même. Mais pour Origène les hommes ne se distinguent que par leur volonté et non par leur nature, à la différence de ce que tenaient les valentiniens : *ComJn* II, 21 (15), 137-139 ; *PArch.* I, 8, 2 ; II, 9, 5. SCHNITZER, p. 222 en note, parce qu'il n'arrive pas à unifier tous ces éléments, pense que Rufin a mal compris et mal traduit : c'est difficile à prouver quand il s'agit d'un chapitre où Origène ne parle pas de lui-même, mais donne la parole aux tenants de conceptions diverses, impossibles à concilier.

26. Il s'agit de la volonté de l'âme intermédiaire entre les deux autres volontés : *extrinsecus* (119) est à traduire par *en plus*, des deux autres volontés, celles de la chair et celle de l'esprit. SCHNITZER p. 233 en note, pour qui *extrinsecus* = ἔξω = *du dehors*, ne comprend pas qu'on puisse désigner ainsi une volonté et propose de modifier ce mot en *inferior* = κάτω = *en bas*. Mais il ne s'agit pas de l'âme inférieure qui est celle de la chair, mais de l'âme intermédiaire entre l'esprit et la chair.

27. En admettant une volonté propre de l'âme intermédiaire entre la chair et l'esprit, le passage paulinien pourrait être interprété en ce sens que l'âme, tirée par chacun dans un sens opposé, ne réussit pas à faire sa volonté, mais doit se ranger nécessairement à celle de la chair ou à celle de l'esprit. Il pourrait sembler que ce soit là ce qu'indique Paul. Mais, dans la perspective où se place Origène dans cette digression, cette interprétation est écartée par lui. Il faut remarquer que si l'âme de la trichotomie origénienne habituelle peut être aussi dite intermédiaire entre l'esprit et la chair, elle n'a pas de volonté propre : normalement elle doit suivre la volonté de l'esprit vers lequel la porte sa partie supérieure, l'intelligence, élève de l'esprit, mais il lui arrive de suivre la volonté de la chair où l'entraîne sa partie inférieure par suite de la démission de l'intelligence. C'est pourquoi le jugement moral négatif porté en *PArch.* III, 4, 3 sur cette volonté propre à l'âme ne retombe pas sur l'âme de la trichotomie origénienne : il vient surtout de ce que cette volonté de l'âme est moralement indifférente, amorale, opposée à celle de l'esprit qui est morale et à celle de la chair qui est immorale.

28. Si l'âme est considérée comme intermédiaire entre chair et esprit, l'expression de Paul est comprise comme une invitation à s'opposer à la volonté de l'âme, car trop souvent elle incline vers la chair plutôt que vers l'esprit.

29. Les derniers lignes de *PArch.* III, 4, 3 montrent que dans ce paragraphe Origène fait une digression, car il ne touche pas directement la question des deux âmes, mais il traite un thème moral modifiant partiellement ce qui a été dit plus haut, se demandant s'il est meilleur à l'âme de suivre sa propre volonté plutôt que celle de la chair. Bien que cela soit meilleur théoriquement — l'amoral peut sembler préférable à l'immoral —, il vaut mieux pratiquement s'adonner au mal que de rester dans une position moralement indifférente, car l'excès du mal provoquera le dégoût et le retour au bien plus tôt et plus facilement que si on reste dans la tiédeur et dans l'indifférence. On retrouve ici des thèmes traités à propos du libre arbitre en *PArch.* III, 1 (et souvent ailleurs) sur le comportement du médecin qui laisse son malade dans la maladie pour pouvoir par réaction l'en guérir plus durablement. Ce jugement ne manque pas d'une certaine vérité pratique, mais il s'expose à tout ce que peut entraîner la « politique du pire ».

30. La trichotomie esprit/âme/corps comporte nécessairement une valeur moins grande donnée à l'âme, par rapport à la dichotomie âme/corps : voir M. Simonetti, « Psychè e psychikos nella Gnosi valentiniana », *Rivista di Storia e Letteratura religiosa* 2, 1966, p. 9 s. Dans une trichotomie statique, où les trois termes représenteraient des éléments distincts, l'âme est mise dans une position d'indifférence. Ce n'est pas pareil dans une trichotomie dynamique, comme celle d'Origène, où l'âme, élément central de la personnalité, est attirée en deux directions, par l'esprit et par la chair, qui constituent plutôt des forces que des éléments. Sur la première perspective, voir *PArch.* III, 2, 7 et note correspondante 53. Dans son *ComGal.* III, à propos de *Gal.* 5, 17, Jérôme considère d'abord, d'après *I Cor.* 2, 14, les philosophes comme *animales*, incapables de comprendre les réalités spirituelles, puis il prend en exemple l'or (= l'âme) qui, caché dans la terre (= la chair) se confond avec elle et n'acquiert sa dignité que lorsqu'il a été purifié au feu (= l'esprit) : tant qu'il est extrait et non purifié il n'a de l'or que le nom, mais non la valeur. Or le *ComGal.*, comme les premiers commentaires de Jérôme sur les épîtres pauliniennes, est très inspiré d'Origène, et cette comparaison est basée sur la trichotomie origénienne.

31. Sur la satiété du mal, voir *PArch.* III, 1, 13 (Rufin) et note 68a correspondante, ainsi que III, 1, 17.

32. *PArch.* III, 1, 12 et *PEuch.* XXIX, 13-19.

33. Étant donné la valeur négative que revêt pour Origène l'indifférence morale de l'âme, on peut en effet comprendre Paul en ce sens qu'il ne faut pas faire la volonté de l'âme, qu'il vaut mieux, certes, se tourner vers l'esprit, mais qu'il serait même préférable de se tourner vers la chair.

34. Cette comparaison est dans la ligne de l'intellectualisme grec pour qui le bien moral s'identifie à la vie selon la raison et qui considérait par conséquent comme divine la partie raisonnable de l'homme, le νοῦς. Mais pour Origène, le concept de raison (λόγος) est bien plus prégnant spirituellement et théologiquement, car la Raison de Dieu, à laquelle participe toute raison humaine, est le Fils : *ComJn* VI, 38 (22), 188-190, 191 s ; *PArch.* I, 3, 6. Pour Origène, cet état indifférent de l'âme semble donc considéré comme une adhésion inchoative à la condition de la vie charnelle.

35. Les conceptions de l'âme discutées jusqu'ici semblent donc des conceptions gnostiques, soit l'âme hylique ou âme de la chair, soit l'âme psychique ou indifférente. Le paragraphe « *Haec autem... carnis* » (164-170) est la conclusion à la fois de la discussion de la première opinion, celle des deux âmes, et de la digression.

36. Les conflits intérieurs et la lutte contre les inclinations mauvaises sont maintenant expliqués de deux façons dans la perspective d'une âme unique : 1) l'incertitude du jugement de l'âme, tirée en deux directions opposées qui se présentent à elle avec une force de persuasion de degré égal, le πιθανόν de la philosophie stoïcienne (*SVF* II, p. 25, 64) ; 2) les nécessités physiologiques de l'organisme humain qui peuvent pousser l'âme au mal. La démonstration se fait en deux parties : d'abord les principes généraux sont exposés synthétiquement ; ensuite sont discutés les passages scripturaires précédemment expliqués dans l'hypothèse de deux âmes.

37. Ici (186) comme plus bas (191) *utile* traduirait, selon SCHNITZER, p. 225 en note, χρηστόν qui représente l'utile au sens moral, donc le bien.

38. En ce sens que l'âme ne se trompe pas sur la fin à laquelle elle doit tendre ; mais d'autres obstacles peuvent s'y opposer. Ou l'âme, accablée par les plaisirs de la chair, ne réussit pas à bien voir sa fin.

39. S'il n'y a qu'une âme, elle est à la fois principe de vie rationnelle et principe vital du corps. La chair qui désire contre l'esprit est donc l'âme attirée par les besoins physiologiques du corps, dont elle tire un plaisir mauvais.

40. Argument déjà esquissé plus haut en *PArch.* III, 4, 2, lignes 54 s.

41. *sensus carnis* représente, comme peut-être *prudentia carnis* de *PArch.* III, 4, 1 (ligne 5), le φρόνημα τῆς σαρκός de *Rom.* 8, 6-7 qui est pour Origène un des noms de la partie inférieure de l'âme. Dans *HomPs.* 37, I, 2, se trouvent plusieurs fois, à propos de l'incestueux de *I Cor.* 5, 5, les expressions *sensus carnis* et *sensus carnalis* qui ont le même sens de concupiscence mauvaise. Or le texte grec d'une bonne partie des *HomPs.* 36, 37 et 38 traduites par Rufin a été conservé par des fragments édités soit par A. GALLAND (*PG* 17), soit par J. B. PITRA (*Analecta Sacra*, tome III) :

d'après le fragment correspondant au passage susdit (Pitra, p. 15-17), *sensus carnis* représente bien φρόνημα τῆς σαρκός. Le mot *sensus* a en effet fréquemment chez Rufin le sens de pensée. On pourrait répondre de la sorte à l'argument que prête Origène aux partisans de l'unicité de l'âme : la pensée de la chair n'a pas été créée à proprement parler par Dieu ; conséquence de la création du corps terrestre à la suite de la chute, selon l'hypothèse de la préexistence, elle n'est pas ennemie de Dieu par elle-même, mais le devient par suite du libre arbitre : *CCels.* IV, 40 ; *ComRom.* V, 2-4 ; cf. J. A. ALCAIN, p. 116 note 123.

42. La critique de la théorie des deux âmes est donc accompagnée de pointes antignostiques. Origène laisse cependant la question ouverte et ne conclut pas. La théorie des deux âmes ne lui paraîtrait donc pas absolument inacceptable : il ne lui semblerait pas incompatible avec la règle de foi de supposer un principe de vie biologique inférieur au principe rationnel et destiné à périr avec le corps. Aussi ne jugeons-nous pas tout à fait pertinente la conclusion de SCHNITZER, p. 227 en note : « Origène mène l'hypothèse opposée, celle des deux âmes, à une absurdité, procédé fréquent chez lui. Et cela signifie également qu'ici (c'est-à-dire dans le passage sur l'âme unique) il expose sa vraie opinion. » Dans ce cas, semble-t-il, Origène aurait conclu plus fermement, après avoir exposé chaque thèse avec les arguments qui la soutiennent. En fait la doctrine des deux parties de l'âme que l'on trouve dans le reste de son œuvre fait la synthèse des deux antithèses, dualiste et moniste, discutées dans ce chapitre : elle n'admet qu'une âme, attirée d'une part par l'esprit, de l'autre par le corps, mais cette âme comprend à la fois un principe rationnel, — νοῦς, ἡγεμονικόν ou καρδία, qui est en continuité avec le νοῦς de la préexistence et est le siège de la personnalité et du libre arbitre — et un principe d'animation du corps, qui s'est ajouté au premier au moment où le corps est devenu terrestre et dont l'adjonction a refroidi le νοῦς en ψυχή (*PArch.* II, 6, 3). Ces deux parties de l'âme sont clairement exposées en *PArch.* II, 10, 7 : la partie meilleure faite à l'image et ressemblance de Dieu et la partie surajoutée après la chute du libre arbitre, amie de la matière corporelle. En fait, plutôt que de parties ou de principes, il faudrait s'exprimer d'une manière plus dynamique : le premier principe, c'est l'âme en tant qu'elle est tournée vers l'esprit ; le second, l'âme en tant que tournée vers le corps. Le fait que la position d'Origène fait la synthèse des deux antithèses peut expliquer pourquoi il ne conclut pas, car il assume d'une certaine façon l'une et l'autre. Voir J. A. Alcain, p. 116.

43. Expressions analogues laissant au lecteur le choix entre diverses solutions : *PArch.* I, 6, 4 ; I, 7, 1 ; II, 3, 7.

Huitième traité (III, 5-6)

Nous présentons les deux chapitres III, 5 et III, 6 comme les deux sections d'un même traité, car ils correspondent au même paragraphe 7 de la préface de *PArch.* I, où se trouve clairement indiqué le titre grec du premier, moins clairement celui du second. La décision que nous prenons ainsi est discutable, car Photius désigne chacun par des titres séparés, comme le fait Rufin, ce qui semble montrer que chacun est indépendant.

Ces deux chapitres présentent une certaine difficulté par rapport à la structure d'ensemble du *PArch.* De I, 1 à II, 3, Origène parcourt une première fois le chemin : Trinité, créatures raisonnables, monde. Puis il le suit une seconde fois à partir de II, 4, mais en traitant les mêmes questions sous des aspects différents, de telle sorte que les traités précédents ne rendent pas les suivants inutiles : alors que dans I, 1, Dieu était considéré dans son incorporéité, dans II, 4-5 il l'est en tant qu'unique pour les deux Testaments ; alors que dans I, 2, le Christ était examiné dans sa divinité, en II, 6 il l'est dans son humanité ; le traitement des êtres raisonnables en I, 5-8 était d'ordre général, ontologique, tandis que de II, 8 à III, 4 il s'agit essentiellement de l'homme, avec une orientation morale, qu'il s'agisse de l'âme, de sa préexistence, de la résurrection et des châtiments, des promesses, du libre arbitre et des tentations qu'il subit venant des puissances adverses ou de la nature charnelle. Les chapitres III, 5 et III, 6 tiennent bien, et eux seuls, dans ce second cycle, la place de la troisième série d'ἀρχαί, le monde. Mais ils n'ont pas la même originalité que les autres, ils reprennent en partie des idées déjà exposées : au début de III, 5, Origène dit qu'il lui est nécessaire de revenir sur ces sujets. On pourrait expliquer ainsi ce retour. Il est possible que les différents traités du *PArch.* aient circulé dans le public avant que l'œuvre n'ait été achevée et aient suscité des réactions à cause de la hardiesse de certaines thèses : Origène aurait en conséquence repris ici ces sujets pour y apporter des éclaircissements. Il se préoccupe de fortifier par des passages scripturaires ses idées sur le début et la fin du monde, d'appuyer sa théorie de la chute sur l'expression καταβολὴ τοῦ κόσμου, d'expliquer en quoi consiste la soumission du Christ à son Père. Conformément à ce qu'il dit dans la préface du Livre III, Rufin a dû omettre dans ces deux chapitres certains passages sur des idées déjà traitées dans les Livres I-II, et les fragments de Jérôme permettent de signaler la place de ces omissions.

A cause de ce caractère particulier de *PArch.* III, 5-6, on a pu se demander s'il ne fallait pas mettre fin en III, 4 au second cycle et considérer III, 5-6, le traité sur l'Écriture (IV, 1-3) et la récapitulation finale comme des appendices. Mais, dans ce cas, le second cycle ne parlerait que de la Trinité et des créatures raisonnables, non du monde. D'autre part, la correspondance entre les traités du second cycle et les questions de la préface, exposée par M. Harl dans *Origeniana*, p. 11-32, oblige à comprendre dans le second cycle non seulement III, 5-6, mais encore IV, 1-3. On pourrait peut-être reconnaître ce caractère d'appendice ajouté postérieurement par Origène à III, 6, moins clairement annoncé que III, 5 dans I, préf. 7, comme nous venons de le remarquer.

Première section (III, 5)

Le commencement et la fin du monde sont enseignés par de nombreux textes scripturaires : Origène en cite quelques-uns (1). Un monde sans commencement ni fin serait un monde infini qui ne pourrait être compris ; or il est impie de prétendre que Dieu ne peut comprendre le monde (2). Mais il faut répondre à l'objection : Que faisait Dieu avant que le monde ne commence? Restait-il oisif? En fait, avant ce monde-ci il y en avait un autre et après lui il y en aura un autre. Origène confirme par des témoignages scripturaires la doctrine de mondes successifs, tout en rejetant l'idée de plusieurs mondes coexistant simultanément ; il renvoie à I, 4, 3-5, où il a déjà répondu à cette question (3). Mais l'Écriture appelle le commencement du monde du mot de καταβολή (*Jn* 17, 24 ; *Éphés.* 1, 4), qui signifie étymologiquement l'action de jeter vers le bas. Puisque le monde s'achèvera dans la béatitude et que le début doit être semblable à la fin, ce mot signifie que la descente des âmes consécutive à la chute a été l'occasion de la création du monde sensible. Certains sont descendus à cause de leurs fautes, d'autres, de plein gré ou contre leur gré, les ont accompagnés pour aider leur remontée qu'ils espèrent (4). Tout cela Dieu l'avait prévu dès le début, connaissant par avance ce qui résulterait des mouvements du libre arbitre (5). Mais ceux à qui avait été confié le soin de gouverner les hommes étant impuissants à obtenir d'eux leur salut, le Fils de Dieu s'est incarné, enseignant ainsi aux subordonnés l'obéissance et aux puissances qui les gouvernent l'art de gouverner. Et son action durera jusqu'à ce que, s'étant soumis tous les êtres, il se soumettra, selon *I Cor.* 15, 28, à celui qui lui a soumis toutes choses (6). Ce texte paulinien est très mal compris par les hérétiques, qui pensent que, puisque le Fils se soumettra alors à son Père, il ne lui est pas soumis actuellement. Mais la soumission finale du Fils exprime l'achèvement de l'œuvre de la Rédemption, la soumission au Père par le Fils des créatures raisonnables que le Fils s'est soumises (7). Cette soumission ne se fera pas par violence, mais par des moyens compatibles avec le caractère raisonnable et libre de la créature qui lui sera soumise, bien que la crainte puisse avoir son rôle, au moins au début. Dieu, son Fils et son Esprit savent seuls de quelle manière diriger chacun en respectant son libre arbitre (8).

Peri Archon III, 5

1. Le début du monde est affirmé par la *Genèse* et sa fin est une doctrine commune de l'Église fondée sur de nombreux passages scripturaires : *PArch.* I, préf. 7.

2. Les gnostiques et autres hérétiques soutiennent tous le début et la fin du monde ; l'un ou l'autre cependant, comme Hermogène combattu par Tertullien *(Adv. Hermogenem)*, pense la matière coéternelle à Dieu. Les adversaires dont il sera question en III, 5, 3 sont des païens.

3. L'expression « le voile de la lettre » se réfère à l'interprétation donnée par Paul en *II Cor.* 3, 12-16, à propos du voile que Moïse mettait sur sa face quand il descendait de la montagne (*Ex.* 34, 29-35) et qui cache toujours aux Juifs le sens de l'Ancien Testament, car seul le Christ le révèle : c'est pour Origène le sens littéral qui cache le sens spirituel que le Christ seul dévoile (*HomGen.* VI, 1 ; VII, 1 ; *HomEx.* II, 4 ; *HomLév.* I, 1 ; *HomNombr.* IV, 1 ; *ComMatth.* X, 14 ; XI, 14 ; *SérMatth.* 10). Le sens littéral de l'Écriture recouvre des symboles (*CCels.* VI, 70) et renferme des mystères ineffables qui dépassent la compréhension humaine (*ComMatth.* XI, 11 ; XVII, 11 ; *ComJn* II, 28 (23), 173 ; *HomJos.* XIII, 4 ; *PArch.* I, 1, 5 ; II, 4, 4 et surtout le traité sur l'exégèse scripturaire IV, 1-3). Le voile a aussi d'autres significations pour Origène, la corporéité, le péché, qui gênent ou empêchent la connaissance : H. Crouzel, *Connaissance*, p. 409-428. Du récit biblique de la création, Origène retient le sens fondamental que tout est créé par Dieu, mais interprète allégoriquement les représentations anthropomorphiques de Dieu : *PArch.* IV, 3, 1 ; *CCels.* IV, 37 et 39. Dans le *ComGen.*, perdu, sauf des fragments, il interprétait certainement le texte biblique d'après sa doctrine de la chute des êtres raisonnables : *CCels.* IV, 40. De même les nombreux passages où, suivant PHILON (*Opif.* 134 ; *Leg.* I, 31 ; *Quaest. Gen.* 58), il distingue la création de l'homme selon l'image en *Gen* 1, 27 et celle du corps en *Gen.* 2, 7 : *HomGen.* I, 14 ; *ComJn* XX, 22 (20), 182-183. A propos de *Gen.* 3, 21 (les tuniques de peau), voir *FragmGen.* dans *PG* 12, 101 et PROCOPE DE GAZA, *ComGen.* 3, 21 (*PG* 87, 221) qui attaque Origène : M. SIMONETTI, « Alcune osservazioni sull'interpretazione origeniana di *Genesi* 2, 7 e 3, 21 », *Aevum* 36, 1962, p. 370-381.

4. Rufin ne sait comment traduire ἐπί dans ἐπ' ἐσχάτων τῶν ἡμέρων des Septante : dans *HomGen.* XV, 4 et dans son *De Bened. Patriarch.* II, 3, Rufin met seulement « in nouissimis diebus ». Mais Origène avait peut-être souligné déjà la double interprétation possible de *Gen.* 49, 1, dont la seconde, « après », s'adaptait à la conception de mondes successifs.

5. Même citation, jointe à *I Cor.* 7, 31 dans un contexte semblable, en *PArch.* I, 6, 4.

6. Sur cette citation, voir *PArch* I, 7, 5 et les notes correspondantes. Si le monde est assujetti à la vanité avec l'espérance d'être libéré, c'est par suite de la chute des créatures raisonnables qui a provoqué cet assujettissement et qui marque le début du monde corporel et visible.

7. Origène passe de l'argumentation scripturaire à l'argumentation rationnelle, en reprenant ce qu'il a dit en *PArch.* II, 9, 1 sur l'incompréhensibilité de ce qui est infini, car un monde sans commencement ni fin est infini.

8. *compraehendere* doit correspondre à χωρεῖν avec le double sens de comprendre et de contenir. Sur ce mot : H. CROUZEL, *Connaissance*, p. 392-395.

9. Cette question a déjà été posée en *PArch.* I, 2, 10 et largement discutée en I, 4, 3-5 : Origène n'en cachait pas l'extrême difficulté et proposait sa solution pour sauvegarder les exigences de la foi. La discussion de III, 5, 2, moins prégnante et plus diffuse, parle non seulement de monde précédent mais de monde successif.

10. Le dialogue conservé en syriaque, *A Théopompe: Du Passible et de l'Impassible en Dieu* (J. B. Pitra, *Analecta Sacra* IV ; texte syriaque et traduction latine de P. Martin), attribué à l'élève d'Origène, Grégoire le Thaumaturge, combat la conception païenne du « Dieu oisif » tenue par un certain Isocrate, certainement un païen, dont les arguments impressionnent l'interlocuteur de Grégoire, Théopompe : H. Crouzel, « La Passion de l'Impassible » dans *L'homme devant Dieu: Mélanges offerts au Père Henri de Lubac* I, Paris 1964, p. 269-279.

11. Une chronologie de ce genre, fixant l'âge du monde d'après les données de l'Écriture, a effectivement été composée par le contemporain et correspondant d'Origène, Julius Africanus et nous en possédons des fragments (*PG* 10, 63-94). En parlent Eusèbe (*Hist. Eccl.* VI, 31), Jérôme (*Vir. Ill.* 63) et Photius (*Bibl.* 34). D'après ce dernier, Africanus commençait à la création du monde selon Moïse et terminait au règne de Macrin, meurtrier et successeur de Caracalla (217-218). L'ouvrage fut achevé à cette date, dit Photius d'après l'auteur : il est donc antérieur au *PArch.* de peu de temps et devait constituer encore, quand Origène a rédigé ce livre, une nouveauté de librairie. Il compte d'après Photius 5723 années entre l'origine du monde et le règne de Macrin. Il paraît très vraisemblable que cette phrase d'Origène est une allusion à ce livre, donc que ce chapitre au moins du *PArch.* a été composé après le règne de Macrin. Harnack ne l'a pas vu. Cf. *Der kirchengeschichtliche Ertrag...* II, dans *Texte und Untersuchungen* 42/4, p. 87 : « De la grande Chronographie de son ami Julius Africanus, (Origène) n'a eu aucune connaissance. »

12. En effet les hérétiques admettent le début et la fin du monde ; les objecteurs sont donc des païens. Les néoplatoniciens étaient divisés sur l'éternité du monde : il leur fallait concilier PLATON, affirmant dans *Timée* 28-29 la création du monde par le Démiurge, et la conception du monde comme émanation nécessaire de la bonté divine. Le mésoplatonicien Albinos soutenait un monde sans début ni fin : Plutarque et Atticos lui attribuaient un début, mais pas de fin : PROCLOS, *In Timaeum* II, 48 s. ; III, 170. Voir C. ANDRESEN, *Logos und Nomos*, Berlin 1955, p. 276 s. ; A. ORBE, *Hacia la primera...* I, p. 179 s.

13. « *Nos uero... futurum* » (69-86) : JÉRÔME, *Lettre* 124, 9. Fragment introduit par : « *Rursumque de mundo* — De nouveau à propos du monde ». Citation : « *Nobis autem, inquit, placet, et ante hunc mundum alium fuisse mundum, et post istum alium futurum. Vis discere, quod post corruptionem huius mundi alius sit futurus? Audi Esaiam loquentem:* Erit caelum nouum et terra noua, quae ego facio permanere in conspectu meo (*Is.* 66, 22). *Vis nosse, quod ante fabricam istius mundi alii mundi in praeterito fuerint? Ausculta Ecclesiasten:* Quid est quod fuit? Ipsum quod erit. Et quid est quod factum est? Ipsum quod futurum est. Et non est omne nouum sub sole, quod loquatur, et dicat : Ecce hoc nouum est. Iam enim fuit in saeculis pristinis, quae fuerunt ante nos (*Eccl.* I, 9 s.). — Nous acceptons, dit-il, qu'avant ce monde il y en eut un autre et qu'après ce monde il y en aura un autre. Veux-tu savoir qu'un autre monde existera après que celui-ci aura été corrompu? Écoute Isaïe : *Il y aura un ciel nouveau et une terre nouvelle, que je ferai subsister toujours devant ma face.* Veux-tu savoir qu'avant la fabrication de ce monde d'autres mondes existèrent dans le passé? Écoute l'*Ecclésiaste* : *Qu'est-ce qui a été fait? La même chose que ce qui* *sera. Et qu'est-ce qui a été créé? La même chose que ce qui sera. Il n'y a rien de nouveau sous le soleil qui puisse parler et dire: Voilà, ceci est nouveau. Mais ceci a déjà été dans les siècles anciens qui nous ont précédés.* » Jérôme commente : « *Quod testimonium non solum fuisse, sed futuros mundos esse testatur: non quod simul et pariter omnes fiant, sed alius post alium.* — Il atteste que ce témoignage n'est pas le seul, et que des mondes futurs existeront : non pour exister tous à la fois et également, mais l'un après l'autre. »

Des mondes futurs, au pluriel, c'est une interprétation de Jérôme : Origène, selon lui comme selon Rufin, parle de mondes passés, au pluriel, mais d'un monde futur, ce que corrobore la citation d'Isaïe. Selon Origène, il y a bien eu avant ce monde deux autres mondes : le monde intelligible, des idées, raisons et mystères, contenu dans le Fils-Sagesse et créé par Dieu dans la génération éternelle du Fils, donc coéternel à Dieu (*PArch.* I, 4, 3-5) ; le monde des intelligences préexistantes, qui a commencé et qui a abouti à la chute à la suite de laquelle Dieu a créé ce monde-ci ; après ce dernier, il y aura le monde de la résurrection. Dans quelle mesure est valable l'interprétation de Jérôme qui semble ramener ce passage à l'hypothèse soulevée en *PArch.* III, 1-3, celle de multiples mondes successifs, provoqués par de nouvelles chutes du libre arbitre? Mais ce n'était alors qu'une alternative dans une discussion : voir notes correspondant à II, 3, 1-3.

14. Jérôme ne parle pas ici de la « règle de piété » : c'est probablement une interpolation de Rufin : voir *PArch.* III, 1, 7 et note correspondante 35c.

15. Voir note 13. Il ne faudrait pas trop forcer une expression qui n'a peut-être pour but que de repousser l'idée d'une oisiveté primitive de Dieu. Selon Photius, *Bibl.* 109, Clément aurait parlé dans ses *Hypotyposes* de plusieurs mondes antérieurs à Adam ; mais dans quel sens le disait-il et pouvons-nous nous fier au scandale éprouvé par Photius ?

16. Origène donne plus d'explications qu'en *PArch.* I, 4, 3-5, car il n'avait traité alors que de l'activité de Dieu avant de créer ce monde-ci, tandis que maintenant il parle de son activité après ce monde-ci : *Eccl.* 1, 9 en est l'occasion. Ce texte, en I, 4, 5, montrait l'existence d'un monde antérieur. En I, 6, 2, *Is.* 66, 22 servait à établir l'existence d'un monde futur en liaison avec la doctrine de la chute des créatures raisonnables.

17. Dans *PArch.* II, 3, 6, Origène rejetait la coexistence éventuelle avec notre monde d'un monde supérieur et plus parfait : le monde des idées est dans le Fils et la demeure des bienheureux, située dans une neuvième sphère, fait partie de notre monde. Origène affirme qu'il n'existe qu'un monde à la fois dans une intention antignostique, pour éviter le dualisme du plérôme divin et du monde terrestre. D'après H. Koch, p. 240, note 4, c'est une doctrine de Plutarque qui serait ici rejetée.

18. *PArch.* I, 4, 3-5 sur l'activité éternelle de Dieu ; II, 3, 6 sur l'unicité du monde.

19. Sur ce qui suit, voir A. Orbe, *Hacia la primera...*, p. 699 s.

20. Origène s'appuie à plusieurs reprises sur l'étymologie du mot καταβολή et son utilisation scripturaire dans le sens de création pour représenter la formation du monde matériel comme consécutive à la chute : surtout *ComJn* XIX, 22 (5), 149. Pareillement le *ComÉphés.* de Jérôme, très inspiré d'Origène, introduit cette explication à propos de *Éphés.* 1, 4 par *alius uero*, c'est-à-dire Origène, pour ne pas la prendre à son compte. Origène devait donc en parler dans son propre *ComÉphés.* que suit Jérôme à propos de *Éphés.* 1, 4. Critiqué à ce sujet par Rufin, *Apol. contra*

Hier. I, 26, Jérôme s'en défend dans *Apol. adv. lib. Ruf.* I, 22. Les gnostiques avaient appliqué ce terme non seulement à la création du monde matériel, mais aussi à l'émanation des Éons dans le Plérôme à partir du Dieu suprême : *Élenchos* VII, 21, 4-5 ; VII, 22, 8 ; X, 14, 3 (Basilide) ; *Évangile de Vérité* (éd. Ménard, 2, 11, 20). Le même usage dans Philon : *Mos.* I, 279 ; *Spec.* III, 36.

21. La citation est en fait de *Matth.* 24, 21 et non de Jean. Mais *Matth.* parle d'ἀρχὴ κόσμου, non de καταβολὴ κόσμου. En *Jn* 17, 24, il est question de καταβολὴ κόσμου. La bévue est-elle à attribuer à Origène qui, malgré son incomparable science des Écritures, en fait bien quelquefois (H. Crouzel, *Philosophie*, p. 186 note 32), ou à Rufin qui aurait voulu préciser une référence plus générale ?

22. *II Cor.* 4, 18 ; Philon, *Opif.* 12 ; Platon, *Timée* 28.

23. Que la fin est semblable au commencement : *PArch.* I, 6, 2 ; II, 1, 1.

24. « *Et si tale... institutus est* » (109-122) : Jérôme, *Lettre* 124, 9. Fragment introduit par : « *statimque subiungit* — et aussitôt il ajoute ». Citation : « *Diuinius (corr. Koetschau,* diuinitus *codd.) habitaculum et ueram requiem apud superas aestimo intellegi, in qua creaturae rationales commorantes antequam ad inferiora descenderent, et de inuisibilibus ad uisibilia conmigrarent, ruentesque ad terram, crassis corporibus indigerent, antiqua beatitudine fruebantur. Vnde conditor deus fecit eis congrua humilibus locis corpora, et mundum istum uisibilem fabricatus est : ministros ob salutem et correptionem eorum, qui ceciderunt, misit in mundum : e quibus alii certa obtinerent loca, et mundi necessitatibus oboedirent : alii iniuncta sibi officia, singulis quibusque temporibus, quae nouit artifex deus, sedula mente tractarent. Et ex his sublimiora mundi loca, sol et luna et stellae, quae ab Apostolo creatura dicitur* (*Rom.* 8, 19-22), *acceperunt. Quae creatura uanitati subiecta* *est, eo quod crassis circumdata corporibus, et aspectui pateat. Et tamen non sponte subiecta est uanitati; sed propter uoluntatem eius, qui eam subiecit in spe.* — Je pense qu'il faut comprendre que cette demeure plus divine et ce vrai repos se trouvent dans les régions supérieures. C'est là que résidaient les créatures raisonnables avant de descendre dans les lieux inférieurs, d'émigrer de l'invisible au visible, quand elles tombèrent sur la terre et eurent besoin de corps grossiers, et elles y jouissaient de leur ancienne béatitude. C'est pourquoi le Dieu créateur leur fit des corps adaptés à ces lieux bas[1] et il fabrica tout ce monde visible. Il envoya en ce monde des serviteurs pour sauver et corriger ceux qui étaient tombés : parmi ceux-ci les uns occupèrent certains lieux et obéirent aux nécessités du monde ; d'autres accomplirent avec soin les fonctions qui leur furent imposées, en chacun des temps selon ce que sait le Dieu créateur[2]. Parmi eux le soleil, la lune et les étoiles, ce que l'Apôtre appelle créature, reçurent des lieux parmi les plus élevés. Ces créatures sont soumises à la vanité parce que, entourées de corps grossiers, elles se présentent aussi aux regards. Et cependant elles ne se sont pas soumises d'elles-mêmes à la vanité, elles le sont par la volonté de celui qui les y a soumises dans l'espérance. »

Il est difficile de déterminer avec précision où commence chez Rufin le fragment de Jérôme. Il pourrait débuter, comme il a semblé à Koetschau, à la phrase précédente « *Et arbitror* » (105). De même la correspondance de la fin du fragment avec Rufin n'est pas très claire. La concordance des deux textes n'est pas littérale : on peut croire

1. L'idée que pour vivre dans un lieu corporel donné il faut un corps adapté à la nature de ce lieu est plusieurs fois soulignée par Origène, le plus souvent dans un contexte de résurrection des corps : *Fragm. ComPs.* 1, 5 (cf. Méthode, *Résur.* I, 22 ; Épiphane, *Panarion* 64, 14, 7-8) ; *CCels.* V, 19. Présente chez Jérôme, l'idée est absente de Rufin.

2. *artifex (deus)* correspond à δημιουργός.

que Rufin a paraphrasé, peut-être aussi Jérôme ; mais les idées ne diffèrent pas.

25. Ce passage qui se trouve équivalemment chez Jérôme montre que la chute des intelligences n'a pas pour Origène une portée universelle, puisque certaines sont descendues dans le monde pour aider les créatures pécheresses et non à cause de leurs démérites : *PArch.* I, 7, 5 ; II, 9, 7 et les notes correspondantes ; de même *HomÉz.* I, 1 ; *ComMatth.* XV, 35 ; *ComJn* I, 17, 98-100.

26. JÉRÔME, dans *ComÉphés.* à propos d'*Éphés.* 1, 4, avant de rapporter l'interprétation origénienne de καταβολή (voir note 20) en présente une autre, venant peut-être de Didyme, qui explique ce mot par *initium fundamenti* — « début des fondations », et le réfère à la création à partir du néant contre les manichéens et tous les partisans d'une matière incréée.

27. « *uel cum... deus* » (127-129) : JÉRÔME, *Lettre* 124, 9. Introduit par « *Et iterum* — Et de nouveau ». Citation : « *Alii uero in singulis locis atque temporibus, quae solus artifex nouit, mundi gubernaculis seruiunt, quos angelos eius* (esse *corr. Vallarsi*) *credimus.* — Mais d'autres dans chaque lieu et temps que seul le Créateur connaît tiennent les gouvernails du monde : nous croyons que ce sont ses anges. »

Ce fragment de Jérôme est logé à cet endroit par Koetschau à cause d'expressions semblables : « *quae solus cognoscit omnium artifex deus* » (Rufin, 128-129) ; « *quae solus artifex nouit* » (Jérôme). Mais la correspondance des textes n'est pas parfaite et on pourrait songer aussi à « *omnes eas animas... paratae sunt* » (Rufin 130-133).

28. Le monde visible a donc été créé pour Origène comme un établissement de correction. Koetschau, suivant une suggestion de Carl Weyman, a vu dans *omnes eas animas... exerceri* (130-131) une réminiscence de VIRGILE,

Énéide VI, 739 s. et il est approuvé par G. Bardy, p. 127 : *Ergo exercentur poenis, ueterumque malorum || Supplicia expendunt...*

29. Affirmation antignostique : *PArch.* I, 8, 2 ; II, 9, 5 ; III, 1, etc. De même que la même matière est le substrat de tous les corps, de même une seule et même nature se trouve dans tous les êtres doués de raison. Ils sont archanges, anges, hommes, démons, à la suite de mérites ou démérites ; ces noms ne désignent pas des natures différentes, mais des fonctions différentes : *ComJn* II, 23 (17), 144-148. Sur l'avis des Pères postérieurs, voir P. D. Huet, *Origeniana*, II, 11, 5, 16.

30. « *Hanc... conpellebantur* » (138-144) : Jérôme, *Lettre* 124, 9. Introduit : « *Et post paululum* — Et peu après ». Citation : « *Quem rerum ordinem et totum mundi* <*regit dei*> *prouidentia (corr. Koetschau, texte très corrompu), dum aliae uirtutes de sublimioribus corruunt, aliae paulatim labuntur in terras. Istae uoluntate descendunt, aliae praecipitantur inuitae. Hae sponte suscipiunt ministeria, ut ruentibus manum porrigant; illae coguntur ingratae, et tanto uel tanto tempore in suscepto officio perseuerant.* — Cet ordre des choses et ce tout du monde, la Providence de Dieu le régit, pendant que certaines puissances se précipitent des régions supérieures, d'autres tombent peu à peu sur la terre. Celles-ci tombent par leur volonté, d'autres y sont jetées malgré elles. Celles-ci acceptent spontanément leurs fonctions pour tendre la main à celles qui tombent, celles-là y sont forcées contre leur gré et elles restent un temps plus ou moins long dans la fonction reçue. »

Rufin traduit avec moins de netteté ce qui correspond à ce fragment hiéronymien. Koetschau place ici le passage de Jérôme qui suit celui-ci, mais il n'a aucune correspondance dans Rufin. Sur la suggestion de K. Schnitzer, nous le mettons en III, 5, 8, où l'on peut trouver une certaine correspondance dans le texte rufinien.

31. L'allusion à la Providence est plus nette chez Jérôme (note 30) : *PArch.* II, 1, 1-3.

32. Là aussi Jérôme est plus net. Parmi les créatures raisonnables qui descendent sur terre, non à cause de leurs péchés, mais pour aider celles qui ont péché, les unes acceptent cette mission, d'autres y vont contraintes et forcées. Cette seconde catégorie résulte de *Rom.* 8, 20 qu'Origène entend de l'assomption des corps visibles : *PArch.* I, 7, 5 ; II, 9, 7 ; III, 5, 4.

33. Tous les partisans du déterminisme, stoïciens, fauteurs de l'astrologie, gnostiques.

34. Il s'agit des anges gardiens des individus ou des nations, ou encore de Moïse, des patriarches et prophètes envoyés par le Verbe pour le salut de l'humanité : *PArch.* IV, 3, 12 ; *SérMatth.* 28 ; *ComCant.* II (*GCS* VIII, p. 157) ; *HomGen.* XV, 5. Car aux grands hommes de l'Ancien Testament, Origène attribue une qualité angélique : *PArch.* II, 9, 7 et note correspondante 39. Sur les anges des nations : *PArch.* III, 3, 2-3 et notes correspondantes 14-15. Les bergers de Noël sont les anges des nations, incapables de sauver leurs pupilles et heureux de recevoir celui qui pourra le faire : *HomLc* XII, 3-5 ; XIII, 2. De même *ComRom.* V, 1.

35. *PArch.* IV, 4, 5 ; *ComJn* XX, 18 (16), 153-156. Ici c'est le Fils lui-même qui quitte la forme de Dieu et prend celle de l'esclave : *Phil.* 2, 6-11 ; ailleurs c'est l'âme préexistante assumée par le Fils et se trouvant par son union au Verbe « sous la forme de Dieu ». Voir J. L. Papagno, « *Flp.* 2, 6-11 en la cristologia y soteriologia de Origenes », *Burgense*, 17, 1976, p. 395-429.

36. Origène met bien en valeur les différents aspects de l'action rédemptrice du Christ. Tantôt il met l'accent sur sa mort qui a racheté du péché (*PArch.* III, 3, 2). Ici c'est la valeur exemplaire de sa mission : dans son obéissance au Père selon *Phil.* 2, 6-11, il est modèle d'obéissance ; par sa victoire sur les puissances adverses et par le rétablissement de l'ordre compromis, il est le modèle de ceux qui ont à gouverner. Mais on ne doit pas mettre en relief un seul aspect de son activité rédemptrice aux dépens des autres, comme E. de Faye et Hal Koch privilégiant l'aspect pédagogique. Voir J. A. Alcain, qui les expose tous.

37. Cette phrase exprime d'une manière forte et ramassée divers traits de l'action rédemptrice du Christ : son obéissance totale à la volonté du Père ; la continuité de la Rédemption qui ne se terminera que lorsque tous seront soumis (*PArch.* I, 6, 1) ; la récapitulation en Jésus de toute l'humanité qu'il unira avec lui au Père, dont elle avait été séparée par le péché.

38. Il ne manque pas de textes exprimant, dans l'œuvre d'Origène, l'union eschatologique de tous dans le Christ. Ils seront devenus « tous exactement un Fils » dans le Fils Unique et, devenus intérieurs au Fils, verront le Père de la même façon que celui-ci le voit (*ComJn* I, 16, 92), la médiation de ce dernier ayant changé de mode (*Ibid.* XX, 7, 47-48). Ou, en d'autres termes, ils deviendront tous ensemble un seul Soleil (*ComMatth.* X, 3), le Christ ayant alors logé son Église dans le Soleil de Justice qu'il est lui-même (*SelPs.* 18, 6-6 dans *PG* 12, 1241 selon Pamphile). Tout cela n'est pas à prendre dans un sens panthéïstique, car le Logos respecte la liberté et la personnalité de chacun (*CCels.* VIII, 72, avec intention polémique contre la conflagration stoïcienne).

39. D'après E. R. Redepenning (*De Princ.*, p. 313 en note), cette soumission au Christ selon Origène consiste dans le fait qu'en adhérant à lui les êtres raisonnables reçoivent la perfection du salut, et ainsi la fin répond au commencement, l'unité et la parfaite obéissance ayant été rétablies : *ComMatth.* X, 3. Cela concorde, dit Redepenning, avec la pensée de Paul : le royaume du Christ et son efficace propre concernent le monde pécheur ; quand le péché est complètement surmonté, le Fils restitue la royauté au Père. Mais, ajouterions-nous, cette affirmation est à concilier avec le respect par Dieu et son Christ du libre arbitre de chacun, constamment affirmé par Origène : au sujet du diable voir la note 25 de *PArch* I, 6 et la note 26 de III, 6. Cependant cela a été l'objet d'âpres accusations : Théophile d'Alexandrie, *Lettre synodale*, 92 dans la correspondance de Jérôme, § 2, et *Lettre Pascale de 401*, 96 chez Jérôme, § 5, comprend que le règne du Christ prendra fin selon Origène ! Redepenning parle encore de l'anathématisme XIII de Constantinople II, qui atteint en fait non Origène lui-même, mais les origénistes du temps, et qui, comme A. Guillaumont (p. 143-159) l'a montré, dépend en réalité d'Évagre : il condamne l'opinion des isochristes qui pensent que toutes les âmes seront à la fin les égales du Christ. Redepenning croit que cette égalité ne portait pas chez Origène sur la nature divine du Christ, mais sur son âme : les origénistes tardifs auraient reporté cette égalité sur la nature divine, et c'est pourquoi ils auraient été qualifiés d'isochristes au moment où les modérés du groupe se séparèrent d'eux et reçurent le nom de protoctistes ou tétradites. En fait, si on juge les opinions des isochristes d'après le *Livre de saint Hiérothée* d'Étienne bar Sudaïli, le principal témoignage provenant de l'origénisme du VIe siècle (voir Guillaumont, p. 302-332), la problématique est différente : toutes les créatures raisonnables, les intellects, sont d'essence divine. Le Christ est l'un d'entre eux, d'origine divine comme eux, sans distinction de nature divine et de nature humaine. Sa seule supériorité, provisoire, vient de ce qu'il n'a pas péché. Quand les autres intellects auront surmonté leur péché, il n'y aura plus de différence, non seulement de nature, mais de personne, entre eux et le Christ, entre eux et Dieu, puisque tout nom sera aboli. Mais cela a peu à voir avec Origène.

40. Difficile de savoir quels sont ces hérétiques. *I Cor.* 15, 28 pouvait être compris dans un sens adoptianiste, comme montrant l'infériorité du Christ à l'égard du Père, ou dans un sens modaliste comme exprimant l'absorption du Fils dans l'unique personne divine. Le premier sens se retrouvera plus tard chez les ariens selon HILAIRE, *De Trin.* XI, 8, le second chez Marcel d'Ancyre (fragments 113-117, 121, dans EUSÈBE, *Contra Marcellum*, *GCS* IV selon la table des fragments). Hilaire juge ainsi les conséquences qui pourraient découler d'une mauvaise interprétation de ce passage : « *abolitio naturae aut potestatis defectio.* — La suppression de la nature ou la déficience du pouvoir » (*De Trin.* XI, 21). Peut-être faut-il penser plutôt à la position modaliste, car la théologie de Marcel a un caractère archaïque et est étroitement liée à la tradition asiatique, si opposée à la pensée d'Origène qui l'attaque souvent, surtout dans son millénarisme. Voir aussi IRÉNÉE, *Adv. Haer.* V, 36, 2. On peut aussi penser aux Marcionites qui avaient expurgé leur Nouveau Testament de ce verset, insistant davantage sur *I Cor*, 15, 25 qui parle de la soumission au Christ : TERTULLIEN, *Adv. Marc.* V, 9, 6 ; A. v. HARNACK, *Marcion*, *Texte und Untersuchungen* 45, p. 90 s. des *Beilagen*.

41. Origène pense peut-être à ces hérétiques dans *HomPs.* 36, II, 1, où il refuse de conclure de *I Cor.* 15, 28 que le Fils, maintenant non soumis au Père, le sera à la fin des temps. On ne peut selon lui voir dans cette soumission celle du Christ en personne, car le Fils est toujours soumis à son Père, dans une conformité parfaite de sa volonté, mais la réalisation dans le Christ et par lui du dessein divin de racheter et de restaurer le monde créé, assumé et récapitulé dans le Christ ; en d'autres termes il faut comprendre que c'est en tant que chef de la création raisonnable finalement réconciliée avec Dieu, l'Église, que le Christ se soumettra au Père : voir aussi *SérMatth.* 55. C'est en ce sens qu'Origène peut affirmer que le Christ n'est pas actuellement soumis au Père, car toutes les créatures raisonnables sont membres du Christ, et cela dès la préexistence quand l'Église préexistante était l'Épouse, et le Corps, de l'âme préexistante unie au Verbe. Et tant qu'on ne peut pas dire que tous les membres du Corps sont soumis au Père, c'est-à-dire réconciliés avec lui, on peut dire en ce sens que le Christ lui-même n'est pas soumis : *HomLév.* VII, 2. Sur la mission qu'a le Christ de ramener tous les hommes à son Père, voir *HomLc* IV, 5.

42. *HomLév.* VII, 2 : la joie du Christ sera parfaite quand il n'aura plus à déplorer nos péchés ni à lutter pour nous contre les puissances adverses.

43. Voir *PArch.* I, 6, 1 et notes correspondantes. Prenant en exemple, en *CCels.* VIII, 72, la conception stoïcienne de la conflagration où tout se transforme en feu, Origène dit que le Logos sera plus fort que la force du mal et finira par soumettre, sans les forcer, toutes les créatures raisonnables qui se laisseront transformer en l'image de sa perfection.

44. *PArch.* II, 1, 2.

45. On adhère à Dieu par amour — les enfants de la femme libre — ou par crainte à cause des menaces — les enfants de l'esclave —, mais la crainte n'est qu'un stade initial et inférieur : *HomGen.* VII, 4. La colère de Dieu a un but pédagogique : *PArch.* II, 4, 4. Conception très semblable chez CLÉMENT, crainte et non violence : *Péd.* III, 12, 87.

46. « *quomodo... cognitum est* » (226-241) : ici, à la suite de Schnitzer, p. 234 en note, nous plaçons un fragment selon JÉRÔME, *Lettre* 124, 9, que Koetschau a mis à la suite du fragment précédent (note 30) sans lui trouver de correspondance dans le texte rufinien, alors qu'ici on peut en trouver une certaine. Introduit par « *Et iterum* — Et de nouveau ». Citation : « *Ex quo sequitur, ut ob uarios motus, uarii creentur et mundi, et post hunc quem incolimus, alius multo dissimilis mundus fiat. Nullusque alius diuersis casibus et profectibus, uel uirtutum praemiis, uel uitiorum suppliciis, et in praesenti et in futuro, atque in omnibus et retro et porro (corr. Koetschau,* in priore *uel* in priora *codd.) temporibus potest merita dispensare, et ad unum rursus finem cuncta pertrahere, nisi solus conditor omnium deus, qui scit causas propter quas alios dimittat sua perfrui uoluntate, et de maioribus ad ultima paulatim delabi, alios incipiat uisitare, et gradatim quasi manu data, ad pristinum retrahere statum, et in sublimibus collocare.* — D'où il suit que par suite de mouvements variés, des mondes eux aussi variés sont créés et qu'après le monde que nous habitons un autre monde très différent existera. A travers ces diverses chutes et progrès, ces récompenses dues aux vertus ou ces châtiments dus aux vices, que ce soit dans le présent, l'avenir ou dans tous les temps du passé ou du futur, personne d'autre ne peut gouverner selon les mérites et mener tout de nouveau à une fin unique, sinon le créateur de tout, Dieu, qui connaît les causes pour lesquelles il laisse les uns jouir de leur volonté et tomber peu à peu du plus haut jusqu'au plus bas, et il commence à visiter les autres et progressivement, comme en leur donnant la main, à les tirer pour les remettre dans leur état primitif et les réinstaller sur les hauteurs. »

La première phrase de Jérôme n'a pas ici son correspondant chez Rufin, mais elle l'a ailleurs. La seconde phrase, très longue, dit la même chose que le passage de Rufin avec lequel nous la mettons en correspondance, bien que sur le plan littéral l'accord soit très lâche. Les idées développées se présentent aussi ailleurs dans le *PArch.* :

sur la diversité des traitements que Dieu inflige aux pécheurs pour les purifier plus complètement, voir par exemple III, 1, 12-14 et 17 ; sur les peines médicinales, I, 6, 3 ; II, 5, 3 ; II, 10, 6.

47. *PArch.* II, 6, 7. Voir *ComRom.* III, 9 : « L'Apôtre dit (*Rom.* 3, 28) que la justification de la seule foi suffit, de telle sorte que celui qui seulement croit est justifié, même s'il n'a rien accompli en fait d'œuvre. » E. R. Redepenning (*De Princ.* p. 316 en note) rapporte que les Centuriateurs de Magdebourg (édition Bâle 1562, centurie III, chap. 10, col. 259) prêtent à cause de ce texte à Origène la doctrine luthérienne de la justification par la foi seule. A tort, répond Redepenning, car *ComRom.* IV, 1 dit que cette foi est comme une racine sur laquelle poussent l'arbre, les fleurs et les fruits qui sont les œuvres et que la foi ne suffit que lorsque le temps ou l'occasion manquent pour porter des fruits ; aussi, conclut-il, Origène a de la foi, des œuvres et de la justification des conceptions autres que celles de la théologie luthérienne *(quam nostra notio)*.

48. *PArch.* II, 9, 8.

49. Sur le sens technique de l'expression *procedit* pour parler de la « procession » de l'Esprit Saint, voir I, 2, 13 et note correspondante 77. Mais la relation de *Jn* 1, 3 et de *Jn* 15, 26, auxquels il est fait ici allusion, est en faveur de l'authenticité origénienne de l'expression, car le rapprochement est fait par *ComJn* II, 10 (6), 73-76 pour conclure que l'Esprit vient du Père par le Fils. A propos de la doxologie qui termine *PArch.* III, 5, J. Rius-Camps, « La suerte final... », p. 292, y voit le signe que la seconde série de traités s'arrêtait ici, le reste, III, 6 et IV, 1-3 étant un appendice. Mais il y a dans le *PArch.* deux autres doxologies auxquelles il est difficile d'attribuer une valeur de conclusion : à la fin de IV, 1, en grec comme en latin, quand le traité sur l'exégèse scripturaire n'en est encore qu'à son premier tiers ; après IV, 3, 14, alors qu'il reste encore dans le même traité sur l'exégèse scripturaire un autre paragraphe, IV, 3, 15, qui a, il faut le reconnaître, un certain aspect d'appendice. Il est donc difficile de tirer des conclusions sûres de la présence d'une doxologie et la correspondance des propositions de la préface et des traités de la seconde partie est pour le plan de l'œuvre un critère autrement clair.

Seconde section (III, 6)

Photius (*Bibl.* 8), qui donne à ce chapitre comme au précédent un titre particulier, en fait le premier du livre IV, avant le traité sur l'exégèse scripturaire. Mais il est démenti sur ce point non seulement par Rufin, mais par Jérôme qui marque bien, dans la *Lettre* 124, le début du livre IV après les fragments correspondants à ce chapitre, et par Justinien, car l'unique passage qu'il cite est présenté comme tiré du livre III. Ou Photius s'est trompé, ou le manuscrit qu'il lisait avait une disposition différente de celle des *codices* utilisés par Rufin, Jérôme et Justinien, qui lui sont antérieurs de cinq à trois siècles.

Le problème de la fin du monde est ici traité, comme en *PArch.* II, 1-3, du point de vue de la corporéité. Mais il souligne la perspective de l'union de l'homme à Dieu et il continue ce que dit le chapitre précédent à propos de *I Cor.* 15, 28, la soumission du Christ à son Père et Dieu devenant tout en tous. Sur la question de la corporéité ou de l'incorporéité finale, Origène, comme le montre la fin du chapitre selon Rufin confirmé indirectement par Jérôme, laisse la question ouverte. Mais dans la discussion, Rufin a remanié le développement sur plusieurs points dans le sens de la corporéité finale, supprimant d'importants passages conservés par Jérôme : il a dû penser, conformément à la préface du livre III, qu'ils ne faisaient que répéter ce qui avait déjà été dit dans *PArch.* II, 1-3, et il les a considérablement abrégés. Par ailleurs Jérôme, soucieux surtout de souligner l'hétérodoxie, durcit les passages qu'il reproduit par ses commentaires et aussi par de légers remaniements transformant en affirmations apodictiques ce qui reste problématique dans ces discussions : il tire ainsi dans la direction de l'incorporéité finale, sans cacher cependant complètement dans l'introduction de son dernier fragment qu'Origène traitait aussi à la fin du chapitre de la corporéité éthérée finale.

La discussion s'ouvre par une introduction très importante : le but de la vie humaine n'est autre que la ressemblance avec Dieu, comme l'ont dit déjà nombre de philosophes grecs, et cette ressemblance s'achève dans une unité, qui, malgré les insinuations de Jérôme, n'est pas pour Origène panthéistique, car l'individualité des créatures raisonnables reste sauve. Cela est confirmé par l'exégèse de *Gen.* 1, 26-27, la participation à l'image étant donnée au début, la ressemblance réservée pour la fin, et par celle de plusieurs textes johanniques parlant de la ressemblance et de l'unité finales.

Alors Origène expose la thèse de l'incorporéité ; d'après Rufin abondamment complété par Jérôme, il expose les raisons qui militent en sa faveur. Si les corps et le monde sensible n'existaient pas au début et sont la conséquence du péché des créatures raisonnables, il faut croire qu'ils n'existeront pas à la fin quand le péché sera surmonté. Si le corps signifie la corruption, il devra disparaître dans l'incorruption finale. Si la matière fait obstacle à l'union à Dieu parce que Dieu n'est pas corps, l'union à Dieu ne pourra être atteinte que si le corps matériel est supprimé (1). Quand il est écrit que Dieu sera tout en tous, cela ne veut pas dire qu'il sera présent dans la malice, dans les êtres sans raison, ni même dans les corps humains qui n'existeront plus (2). Mais Dieu ne sera pas seulement en tout, il sera tout : les créatures raisonnables auront Dieu comme seul but de leur activité et de leur vie, sans être désormais tentées par la malice. Cela suppose qu'elles seront complètement dégagées de la matière corporelle. Selon Jérôme, cela n'exclut pas l'hypothèse de nouvelles décisions du libre arbitre se détournant de Dieu et en conséquence de nouvelles chutes, de nouvelles créations de matière, de nouvelles ascensions ou descentes parmi les créatures raisonnables, des descentes jusqu'à l'état même du diable (3).

Origène passe alors à la seconde thèse, celle de la corporéité finale éthérée, à partir de textes pauliniens : les corps spirituels des bienheureux dépasseront en éclat et en gloire les corps des astres, d'une manière qu'on ne peut même pas imaginer. Dans un premier stade, ces corps spirituels seront diversifiés selon les mérites des êtres raisonnables ; mais dans l'unité complète ils ne différeront plus les uns des autres (4). A ce moment, même le dernier ennemi, la mort, c'est-à-dire la mort spirituelle, le péché, sera détruit, non dans le sens que sa substance périra, mais qu'il ne sera plus ennemi et mort. Car rien n'est inguérissable par Dieu. Les êtres raisonnables ne peuvent périr dans leur substance même. La chair elle-même ne périt pas complètement à la mort, puisqu'elle est destinée à la résurrection (5). Lorsque tout sera restauré dans l'unité, toute notre substance corporelle sera menée à cet état de pureté : cela ne se fera pas d'un seul coup, car les uns marcheront plus vite, d'autres plus lentement, sur le chemin de l'union à Dieu, dans la réconciliation avec lui de ses ennemis jusqu'au dernier, la mort. Le processus de conversion des âmes, auparavant plus ou moins éloignées de Dieu, rejaillira sur les corps qui ne seront pas autres que ceux dont nous nous servons aujourd'hui, mais les mêmes, transformés. La doctrine aristotélicienne de l'éther, cinquième élément, n'est pas acceptable — pour Origène l'éther n'est pas un élément substantiel, mais la qualité que revêt la matière dans son plus haut degré de spiritualisation —, car les corps ressuscités seront les mêmes corps que les terrestres, passés d'une qualité animale ou psychiques à une qualité spirituelle, parallèlement au progrès de l'homme animal à l'homme spirituel (6). Car Dieu a créé deux natures générales, une corporelle et une spirituelle, susceptibles de recevoir des changements divers, la spirituelle selon les mutations du libre arbitre, la corporelle par la volonté divine en conséquence de ces mutations (7). Est-ce que dans la restauration finale toute la nature des corps aura une seule forme, comme c'était le cas au début quand Dieu créa le ciel, distingué de notre firmament, et la « vraie » terre distinguée de notre aride ? Car les saints dans leur ascension gagneront cette vraie terre, où ils trouveront les réalités dont ils ont contemplé les images sur notre terre : ils y recevront l'éducation qui les préparera à participer à l'instruction parfaite du ciel, celle de l'Évangile éternel (8). Ils passeront de la tutelle des anges à l'enseignement direct du Christ en tant qu'il est la Sagesse, et il les préparera à la soumission complète au Père : à ce moment la nature corporelle recevra son état le plus parfait. A la fin du chapitre Origène laisse au lecteur le choix entre les deux thèses opposées (9).

A propos de ce chapitre, G. BARDY, *Recherches*, p. 138-139, ne partage guère le pessimisme de J. DENIS, p. 351, qui le juge complètement bouleversé par Rufin. Sur la question de la corporéité ou de l'incorporéité finale, voir J. RIUS-CAMPS, « La suerte final... ».

Peri Archon III, 6

1. C'est la fameuse déclaration de PLATON, *Théétète* 176 b : « L'évasion (de ce monde) c'est de s'assimiler à Dieu dans la mesure du possible : on s'assimile en devenant juste et saint avec prudence. » Elle a eu un succès considérable chez païens, Juifs hellénistiques et chrétiens. Jointe à *Gen.* 1, 26-27, elle est à la base de la mystique origénienne qui repose sur l'adage : Seul le semblable connaît le semblable. Voir CLÉMENT, *Protr.* 12, 122 ; *Strom.* II, 19, 97 ; II, 19, 100.

2. Platon et les philosophes grecs ont pris à l'Écriture tout ce qu'ils ont dit de bien. Cet argument élaboré par la polémique juive est passé dans l'apologétique chrétienne : JUSTIN, *I Apol.* 59-60 ; TATIEN, *Ad Graecos* 31 s. ; 40 ; THÉOPHILE D'ANTIOCHE, *A Autolycos* I, 14 ; III, 23 (avec référence à Flavius Josèphe) ; CLÉMENT, *Strom.* I, 17, 87 ; I, 22, 150 (avec références au Juif Aristobule et à Nouménios) ; V, 13, 90 ; VI, 2, 27. L'argument du « larcin des Grecs » revient plus d'une fois chez Origène : *ComCant.* Prol. (*GCS* VIII, p. 75) ; I (*GCS* VIII, p. 141) ; *CCels.* I, 15 (Pythagore élève des Hébreux) ; VI, 19 ; VII, 30 (Platon inspiré par l'Écriture). CLÉMENT tendait à faire dériver *Théétète* 176b de *Deut.* 13, 5 : cf. *Strom.* II, 19, 100.

3. La distinction entre image et ressemblance se trouve déjà chez Irénée, mais comprise tout autrement que chez Origène : la nature, corps et âme, est l'image ; l'esprit, surnaturel, la ressemblance (*Adv. Haer.* V, 6, 1). CLÉMENT la comprend comme Origène : *Strom.* II, 8, 38 ; II, 22, 131 ; *Protr.* 12, 122. Origène y revient souvent : *CCels.* IV, 30 ; *ComRom.* IV, 5 ; *PEuch.* XXVII, 2 ; *HomÉz.* XIII, 2 ; *ComJn* XX, 22 (20), 183. Sur le passage « *scilicet... consummaret* » (21-25), voir A. ORBE, « Homo nuper factus », *Gregorianum* 46, 1965, p. 496-500 : un fragment du marcionite Apelle, conservé en latin par Ambroise (*De Paradiso* V, 28), reproduit les mêmes idées que ce passage et bien des termes sont communs (voir le commentaire d'A. Orbe).

4. Celle de *Gen.* 1 qui concerne selon Origène la création spirituelle, tandis que celle de *Gen.* 2 s'applique au corps.

5. Sur l'imitation de Dieu et du Christ : *PArch.* I, 6, 2 ; I, 9, 6 ; III, 5, 7 ; IV, 4, 4 ; IV, 4, 10. Elle se trouve surtout dans l'amour du prochain, même des ennemis : *ComJn* XX, 13, 106-107 ; XX, 17 (15), 141-143 ; XX, 33 (27), 280 (ces trois textes citent *Matth.* 5, 43-45) ; *PEuch.* XXII, 4 ; *CCels.* IV, 28 ; dans l'imitation de la vie humaine du Christ, de ses vertus, de sa mort, par le martyre qui est une assimilation parfaite au Christ : *ComJn* II, 34 (28), 210-211 ; XIX, 22 (5), 150 ; XXVIII, 3, 18-22 ; *ComRom.* V, 5 ; *HomJug.* VII, 2 ; *HomJér.* XIV, 7 ; *ExhMart.* 36 ; 42 ; 50. Pour l'imitation de Dieu chez CLÉMENT : *Protr.* 11, 117 ; *Strom.* IV, 26, 171.

6. E. R. REDEPENNING (*De Princ.*, p. 317 en note) commente : « Jansenius dans l'*Augustinus*, tome I, 2, chap. 7, a bien vu que dans la mentalité d'Origène l'image divine n'est rien d'autre qu'une possibilité de perfection. Il s'ensuit que l'image n'a jamais pu être perdue. » Malgré l'approbation de Redepenning, le selon-l'image ne se réduit pas à une possibilité de perfection, il est déjà une parenté avec Dieu. Origène ne suit pas habituellement le schème aristotélicien puissance/acte, mais le schème stoïcien du logos spermatique qui n'est pas seulement puissance, mais début d'acte. Dans une autre note de la même page, Redepenning qualifie justement de calomnieuse l'affirmation d'Épiphane, Théophile et Jérôme, suivant laquelle Origène aurait enseigné la perte de l'image par le péché : voir H. CROUZEL, *Image*, p. 206-211.

7. Origène à son habitude n'insiste ici que sur un aspect, l'effort humain, mais en *FragmÉphés.* 2 (*JTS* III, p. 235) il relève le rôle de la grâce dans l'assimilation à Dieu : de même *HomEx.* VI, 5. Sur ce qui est souvent, mais improprement, appelé le synergisme origénien, voir la note 106 correspondant à *PArch.* III, 1, 19. En rapprochant *PArch.* III, 6, 1 de II, 9, 2, on peut conclure que le passage de l'image à la ressemblance de la part des créatures raisonnables consiste, grâce à un usage droit du libre arbitre, à adhérer personnellement au bien qui leur a été accordé par Dieu au moment de leur création et à se l'assimiler toujours plus. La création n'est pas un acte que Dieu a complètement achevé au début, mais un processus dynamique qui fait passer la créature d'un état initial passif de bonté à un perfectionnement qui sera complètement réalisé dans la béatitude. L'adage fréquemment répété de la fin semblable au commencement (*PArch.* I, 6, 2 ; II, 1, 1) signifie seulement que la créature sera exempte du mal à la fin comme elle l'a été au début.

8. *I Jn* 3, 2 est encore rapproché de *Gen.* 1, 26 en *HomEx.* VI, 5 et *HomÉz.* XIII, 2. Dans *ComMatth.* XVII, 19, il marque la différence entre la vision imparfaite de Dieu ici-bas et la parfaite du ciel. En citant ce verset, Origène identifie ressemblance à Dieu et ressemblance au Christ.

9. En écrivant ceci, Origène est-il fidèle au sens littéral de *I Jn* 3, 2, puisque grammaticalement le sujet de φανερώθῃ devrait être le nom le plus proche, θεοῦ, c'est-à-dire le Père que nomment seul les versets 1 et 2 ? Mais J. Bonsirven, *Épîtres de saint Jean*, *Verbum Salutis* IX, Paris 1936, p. 162 et note 1, fait du Christ, comme Origène, le sujet de φανερώθῃ, bien qu'il ne soit pas nommé : « la suite des propositions exige d'entendre cet *apparuerit* de la manifestation du Christ à la parousie ».

10. C'est en effet par le Christ que nous participons à la vérité et à la divinité du Père et devenons ses fils adoptifs : *ComJn* I, 27 (29), 189 ; II, 1, 18 ; XX, 28 (22), 245-248 ; XXVIII, 12 (11), 88 ; *Fragm. ComIs.*, *PG* 13, 217.

11. L'unité est perfection et la multiplicité imperfection : *PEuch.* XXI, 2 ; XXVII, 8 (la substance matérielle n'a pas d'unité parce qu'elle est divisible) ; *HomIRois (I Sam.)* I, 4 ; *Fragm. ComJn* V (*Philoc.* V) ; *Fragm. ComOs.*, *PG* 13, 825. Cette conception pythagoricienne (l'opposition monade/dyade) est traditionnelle dans le platonisme. Pour les gnostiques, voir Héracléon d'après *ComJn* XIII, 51 (50), 341 ; *Évangile de Philippe* 116. Mais l'unité finale des créatures raisonnables avec Dieu n'est pas une absorption panthéistique. E. R. Redepen-

NING (*De Princ.*, p. 318 en note) explique cela par ce qui est dit au début de *PArch.* III, 6, 3, que l'intelligence ne pourra comprendre ou penser que Dieu. Il évoque à ce sujet ce que disent les néoplatoniciens de l'union mystique : PLOTIN, *Ennéades*, 9, 9-10. Mais pour les Pères et pour Origène, l'âme n'est pas une partie de Dieu, bien qu'il puisse parler de « mélange » pour exprimer cette union (H. CROUZEL, *Connaissance*, p. 518-521).

12. « *In quo... doceat* » (41-49). Au court paragraphe de Rufin correspondent chez Jérôme, *Lettre* 124, 9, trois fragments consacrés à la thèse de l'incorporéité finale.

Le premier est ainsi introduit : « *Cum de fine disputare coepisset, haec intulit.* — Alors qu'il a commencé à discuter de la fin, il ajoute cela. » Citation : « *Quia, ut crebro iam diximus, principium rursus ex fine generatur, quaeritur utrum, et tunc futura sint corpora, an sine corporibus aliquando uiuendum sit, cum redacta in nihilum fuerint, et incorporalium uita incorporalis esse credenda sit, qualem et Dei nouimus. Nec dubium est quin si omnia corpora ad mundum istum sensibilem pertineant, quae appellantur ab apostolo uisibilia* (*Col.* 1, 16), *futura sit uita incorporalium incorporalis.* — Puisque, comme nous l'avons déjà dit fréquemment, le début est de nouveau engendré à partir de la fin[1], on se demande s'il y aura alors des corps, ou s'il faudra vivre un jour sans corps, lorsque les corps auront été réduits au néant, et s'il faut croire que la vie des êtres incorporels sera incorporelle, comme nous le savons de Dieu. Il n'est pas douteux que, si tous les corps appelés par l'Apôtre visibles appartiennent au monde sensible[2], la vie des êtres incorporels sera incorporelle. »

1. *PArch.* I, 6, 2 ; II, 1, 1.
2. Et ce monde sensible est destiné à disparaître : *ComMatth.* XIII, 1 ; *CCels.* IV, 21.

Le second fragment est introduit par : « *Et paululum* — Et peu après ». Citation : « *Illud quoque quod ab eodem apostolo dicitur* : Omnis creatura liberabitur a seruitute corruptionis in libertatem gloriae filiorum Dei (*Rom.* 8,21) *sic intellegimus ut primam creaturam rationabilium et incorporalium esse dicamus, quae non* (non *codd.* nunc *corr. Engelbrecht*) *seruiat corruptioni eo quod* <*non*> *(add. Vallarsi) sit uestita corporibus, et ubicumque corpora fuerint, statim corruptio subsequatur. Postea autem liberabitur de seruitute corruptionis, quando receperit gloriam filii dei et deus fuerit omnia in omnibus* (*I Cor.* 15, 28). — Ce que dit le même Apôtre : *Toute créature sera libérée de la servitude de la corruption pour la liberté glorieuse des enfants de Dieu*[1], nous l'entendons ainsi : nous disons que la création primordiale fut celle des êtres raisonnables et incorporels ; elle n'est pas esclave de la corruption parce qu'elle n'est pas vêtue de corps, car partout où il y a des corps, aussitôt la corruption suit. Ensuite elle sera libérée de la servitude de la corruption quand elle recevra la gloire du Fils de Dieu et que Dieu sera tout en tous. » Le sens serait peut-être meilleur en corrigeant le premier *non* par *nunc*, comme c'est indiqué entre parenthèses, et en n'insérant pas le second *non*, mis entre crochets : « elle est maintenant esclave de la corruption parce qu'elle est vêtue de corps ».

Le troisième fragment est introduit par : « *Et in eodem loco* — Et dans le même passage ». Le voici : « *Vt autem incorporeum finem omnium rerum esse credamus, illa nos saluatoris oratio prouocat, in qua ait :* Vt quomodo ego et tu unum sumus, sic et isti in nobis unum sint (*Jn* 17, 21). *Etenim scire debemus quid sit deus et quid sit futurus in*

1. Pour l'interprétation de *Rom.* 8, 21, voir *PArch.* I, 7, 5 et notes correspondantes. Sur l'incorporéité des créatures raisonnables et leur rapport avec le corps qui les revêt : *PArch.* I, 7, 1 ; II, 2, 2 ; IV, 3, 15 et notes correspondantes.

fine saluator, et quomodo sanctis similitudo patris et filii repromissa sit, ut quomodo illi in se unum sunt, sic et isti in eis unum sint. Aut enim suscipiendum est uniuersitatis deum uestiri corpore et, quomodo nos carnibus, sic illum qualibet materia circumdari, ut similitudo uitae dei in fine sanctis possit aequari; aut si hoc indecens est maxime apud eos, qui saltem ex minima parte dei sentire cupiunt maiestatem et ingenitae atque omnia excedentis naturae gloriam suspicari, e duobus alterum suscipere cogimur, ut aut desperemus similitudinem dei, si sumus corpora semper habituri, aut si beatitudo nobis eiusdem cum deo uitae promittitur, eadem qua uiuit deus condicione uiuendum est. — Cette prière du Seigneur nous invite à croire que la fin de toutes choses sera incorporelle : *Afin que comme moi et toi nous sommes un, que de la même facon ceux-ci soient un en nous.* En effet, nous devons savoir ce qu'est Dieu, ce que sera à la fin le Sauveur et comment la ressemblance du Père et du Fils est promise aux saints, afin que comme ceux-là sont un entre eux, ceux-ci aussi soient un en eux. Ou bien il faut admettre que le Dieu de l'univers est vêtu d'un corps et que, de même que nous sommes entourés de chair, il est entouré d'une matière quelconque, pour qu'on puisse assimiler la vie des saints à la fin à celle de Dieu. Ou si cela est inconvenant, surtout pour ceux qui désirent penser si peu que ce soit la majesté de Dieu et soupçonner la gloire de sa nature qui est sans origine et dépasse toutes choses, nous sommes forcés d'accepter de deux choses l'une, ou de désespérer[1] d'obtenir la ressemblance de Dieu si nous

1. L'assimilation à Dieu est considérée ici comme une vie dans les mêmes conditions que Dieu. Mais la conception habituelle d'Origène fait consister l'assimilation de l'homme à Dieu dans la connaissance et contemplation de Dieu, ainsi que dans la vertu : elle entend cette assimilation d'une manière relative. Ainsi l'assimilation à Dieu n'est pas incompatible avec l'existence d'un corps glorifié semblable au corps du Christ ressuscité. Mais l'influence de l'opposition platonicienne âme/corps (*Phédon* 114 c) aurait poussé

possédons toujours les mêmes corps, ou, si nous avons reçu la promesse de vivre avec Dieu de la même vie bienheureuse, de croire que nous vivrons dans la même condition que Dieu. »

Ce fragment est suivi d'un court commentaire de Jérôme (*Lettre* 124, 10) : *Ex quibus omnibus adprobatur, quid de resurrectione sentiat, et quod omnia corpora interitura confirmet : ut simus absque corporibus, quomodo prius fuimus antequam crassis corporibus uestiremur.* — Tout cela prouve ce qu'il pense de la résurrection et confirme la disparition de tous les corps : de sorte que nous serons sans corps, comme nous l'avons été au début, avant d'être vêtus de corps grossiers. »

Sur ces textes, on peut consulter K. Müller, p. 626-627. Avant de les commenter personnellement nous reproduisons le jugement de K. Schnitzer, p. 237-238 en note : « Qu'Origène présente ici un double point de vue, comme en *CCels.* V, 15, ce qu'il explique à la fin, cela ressort aussi suffisamment des remarques de Jérôme dans la *Lettre à Avitus* et c'est son habitude de pousser jusqu'au bout chaque conséquence : ainsi ici l'anéantissement de la matière, alors qu'ensuite il considère une ' matière spirituelle qui doit se changer en un seul corps très pur ' (Jérôme, voir *infra* note 57) comme le moyen de l'union

Origène à envisager comme digne d'examen l'état final d'incorporéité des créatures raisonnables, sans que cela découle nécessairement de ses conceptions cosmologiques et anthropologiques.

L'accusation faite à Origène de professer l'incorporéité finale se retrouve dans la *Lettre Synodale* de Théophile (92, 2 dans la correspondance de Jérôme). Elle est appliquée aux origénistes du VIe siècle par l'anathématisme XI de Constantinople II (553) et est aussi formulée contre eux par l'abbé Cyriaque d'après sa *Vie* écrite par Cyrille de Scythopolis (XII : traduction française dans A. J. Festugière, *Les Moines d'Orient* III/3, p. 47 : les corps ressuscités éthérés et sphériques semblent être pour l'abbé Cyriaque une étape vers l'incorporéité complète).

à Dieu ou de la ressemblance finale. Il n'y a donc pas tellement à mettre en doute la crédibilité de Rufin, comme Delarue le fait, lorsqu'en particulier il présente comme une falsification ce que Rufin, au § 3, fait attribuer par Origène à d'autres (ici lignes 91-93) et quand, au § 6, Rufin fait contredire par Origène ce qui est selon Jérôme sa propre opinion, pourvu qu'on tienne comme exposées par Origène les deux opinions qu'il présente. Je considère comme fournissant une norme décisive les passages de *ComMatth.* XIII, 1 et *CCels.* IV, 21, où Origène attribue avec beaucoup de conséquence à la destruction de la matière l'anéantissement du mal et le renouvellement du monde ; de telle sorte que Jérôme, qui ici cependant est si précis, n'a rien opposé à la traduction rufinienne de I, 6, 4, à ce que l'on peut voir, et je crois qu'Origène était plus attaché à la seconde opinion qu'il présente » (c'est-à-dire à la corporéité éthérée finale).

Nous n'avons donc aucune raison de douter de l'authenticité substantielle des trois passages cités par Jérôme, et il faut en conclure que Rufin a opéré une réduction drastique. La seule critique à leur faire c'est, comme toujours, l'unilatéralité tendancieuse de ces extraits qui, ne relevant dans le *PArch.* que ce qui paraît hétérodoxe, fait disparaître le caractère de discussion qu'a le chapitre et attribue directement à Origène ces raisonnements comme des affirmations fermes — le commentaire qu'en fait Jérôme à la fin le souligne —, alors qu'il ne s'agit que d'un élément d'une alternative, élément qu'Origène, à son habitude, développe pleinement, avant de considérer l'autre.

Ajoutons deux remarques sur la comparaison Rufin-Jérôme. La formule de Rufin « *requiritur a nonnullis* » (41) éloigne d'Origène la question qu'il traite, mais Jérôme lui-même dans le premier fragment emploie l'impersonnel « *quaeritur* — on se demande » qui a le même effet : il ne semble plus s'en souvenir dans son commentaire. En outre le membre de phrase « *maxime... doceat* » (47-49) chez

Rufin semble refléter les discussions trinitaires du IVe siècle, où l'unité du Fils avec le Père d'après *Jn* 10, 30 ou 17, 21 était entendue par les orthodoxes de l'unité de nature, alors qu'Origène ne parle pas d'unité de nature, mais en termes équivalents d'unité de volonté, d'action, de divinité, etc. : ainsi *CCels.* VIII, 12 ; *DialHér.* 4. Mais le passage correspond à ce que dit Jérôme au début du troisième fragment : Rufin a seulement transposé, comme il le fait souvent, ce que dit Origène, dans les termes de la théologie de son temps.

13. « *Cum ergo... dicatur* » (50-57) : JUSTINIEN (Mansi IX, 529). Le fragment est introduit par : « Ἐκ τοῦ τρίτου λόγου τοῦ αὐτοῦ βιβλίου, περὶ τοῦ αὐτοῦ — Du troisième tome du même livre, sur le même sujet ». Le sujet est donc le même que celui du fragment qui le précède dans le florilège, c'est-à-dire celui de *PArch.* III, 3, 3 (note 16 correspondante), ainsi précisé dans son argument : « ὅτι ἔσται τελεία ἡ τῶν σωμάτων ἀπόθεσις — que la déposition des corps sera complète ».

Voici le texte : « Λεγομένου τοῦ θεοῦ πάντα γίνεσθαι ἐν πᾶσιν, ὥσπερ οὐ δυνάμεθα κακίαν καταλιπεῖν, ὅτε ὁ θεὸς πάντα γίνεται ἐν πᾶσιν, οὐδὲ ἄλογα ζῷα, ἵνα μὴ ἐν κακίᾳ ὁ θεὸς γίνεται καὶ ἐν ἀλόγοις ζῴοις, ἀλλ' οὐδὲ ἄψυχα, ἵνα μὴ καὶ ἐν αὐτοῖς ὁ θεός, ὅτε τὰ πάντα γίνεται, οὕτως οὐδὲ σώματα, ἅτινα τῇ ἰδίᾳ φύσει ἄψυχά ἐστιν. — Puisqu'il est dit que Dieu deviendra toutes choses en tous, de même que nous ne pouvons pas laisser subsister la malice quand Dieu devient toutes choses en tous, ni les animaux sans raison, pour que Dieu ne soit pas dans la malice ou dans les animaux sans raison, ni même les êtres inanimés pour que Dieu ne soit pas aussi en eux quand il devient toutes choses : de même, nous ne pouvons laisser subsister les corps qui par leur nature propre sont inanimés. » Rufin a paraphrasé et il ne mentionne pas ce qui est suivant Justinien la pointe du morceau, la suppression des corps.

14. Conception à la fois biblique et stoïcienne, utilisée aussi par Origène dans un sens antignostique, par opposition au kénôme valentinien : *PArch.* II, 1, 3 ; *CCels.* IV, 5.

15. Au moins dans les créatures raisonnables, les seules qui subsisteront. Pour chacune, Dieu sera l'unique objet de contemplation et d'amour. Mais l'accent mis sur la personnalité et la liberté de chacun exclut tout sens panthéistique : la créature n'est pas absorbée dans l'essence divine, comme semble le comprendre W. VÖLKER, *Das Vollkommenheitsideal des Origenes*, p. 128. Pour Origène, *I Cor.* 15, 28 signifie que la créature raisonnable participe totalement à la bonté de Dieu : *CCels.* III, 75 ; VI, 71, réfutant la doctrine stoïcienne de l'absorption de tout dans le feu divin ; *HomNombr.* XVII, 4, où Origène souligne le caractère dynamique de l'union à Dieu conçue comme une montée sans fin. Voir H. CROUZEL, *Connaissance*, p. 443-495 ; P. NEMESHEGYI, p. 211-216. Cette union à Dieu est présentée comme une illumination venant de Dieu : *ComMatth.* XVII, 19 ; de même *ComCant.* II (*GCS* VIII, p. 126), où l'union est figurée par les noces mystiques du Christ et de l'âme, motif inauguré par Origène et qui aura un grand succès dans la suite. Quand on parle, comme on le fait souvent, du caractère « intellectuel » de cette union, on risque d'oublier, d'abord qu'elle comporte une ascèse de détachement du corporel et du péché, ainsi que de pratique de la vertu qui rend possible une assimilation de plus en plus forte jusqu'à la ressemblance (H. CROUZEL, *Connaissance*, p. 409-442 ; *Image*, p. 217-245) ; ensuite, qu'en dernière analyse Origène assimile expressément la connaissance à l'union et à l'amour, la définissant par *Gen.* 4, 1 : « Adam connut Ève son épouse » : *ComJn* XIX, 4 (1), 23 ; *SerMatth.* 55 ; *ComRom.* VII, 8 ; H. CROUZEL, *Connaissance*, p. 496-523.

16. Comparer avec ce que *PArch.* II, 6, 6 dit de l'âme du Christ plongée dans le Verbe comme le fer devenant feu dans le feu : « *Omne quod agit, quod sentit, quod intellegit, deus est.* — Tout ce qu'elle fait, qu'elle pense, qu'elle comprend, est Dieu. »

17. Pour qui se trouve déjà établi dans le bien, ce qui est la condition initiale et finale, vouloir apprendre la distinction des bons et des méchants est déjà mal : telle était peut-être l'interprétation origénienne de *Gen.* 3 entendu de la chute des créatures raisonnables, selon le *ComGen.* perdu : voir *SelGen.* dans *PG* 12, 100 CD : « Il transgresse le commandement de celui qui l'a régénéré, celui qui suit les raisonnements du serpent et qui aime les uns comme bons et hait les autres comme mauvais. Tel est l'arbre de la connaissance du bien, dont celui qui a goûté librement mourra ; car ce n'est pas Dieu qui a fait la mort, mais l'homme ayant haï son prochain. » Dans le désir de manger de cet arbre, Origène voit donc une violation de l'universalité de la charité qui doit atteindre à la fois les méchants et les bons.

18. Il s'agit probablement en premier lieu de la mort spirituelle, le péché : *PArch.* II, 8, 3 ; *ComJn* XX, 25 (21), 220-230.

19. « *De qua re... digesta sunt* » (93-95) est probablement un ajout de Rufin, qui a supprimé le passage ci-dessous, conservé par Jérôme, comme reprenant des idées déjà exprimées. Il donne l'impression que la thèse de l'incorporéité finale a été longuement traitée dans les pages précédentes, alors qu'elle a été à peine mentionnée : à moins que Rufin ne pense aux chapitres précédents où la question a déjà été abordée. Après *admixtio* (93), à la fin de la thèse de l'incorporéité et avant que ne commence celle de la corporéité, que Jérôme dans le fragment qui suivra celui-là (voir note 57) caractérise comme une *disputatio longissima*, on peut placer ce fragment de Jérôme, *Lettre* 124, 10, que Schnitzer et Koetschau situent un peu plus haut entre *Verum* et *admixtio* (87-93).

Il est ainsi introduit : « *Rursumque de mundorum uarietatibus disputans et uel ex angelis daemones, uel ex daemonibus angelos siue homines futuros esse contestans, et e contrario ex hominibus daemones, et omnia ex omnibus, sententiam suam tali fine confirmat.* — De nouveau, discutant des diversités des mondes, et affirmant que parmi les anges certains deviendront des démons et parmi les démons certains des anges ou des hommes, et inversement parmi les hommes certains des démons et que tout pourra venir de tout, il confirme sa pensée en achevant ainsi. »

Voici la citation : « *Nec dubium est quin post quaedam interualla temporum rursus materia subsistat et corpora fiant et mundi diuersitas construatur propter uarias uoluntates rationabilium creaturarum, quae post perfectam beatitudinem usque ad finem omnium rerum paulatim ad inferiora delapsae tantam malitiam receperunt ut in contrarium uerterentur, dum nolunt seruare principium et incorruptam beatitudinem possidere. Nec hoc ignorandum, quod multae rationabiles creaturae usque ad secundum et tertium et quartum mundum seruent principium nec mutationi in se locum tribuant, aliae uero tam parum de pristino statu amissurae sint ut paene nihil perdidisse uideantur, et nonnullae grandi ruina in ultimum praecipitandae sint barathrum. Nouitque dispensator omnium deus in conditione mundorum singulis abuti iuxta meritum et oportunitates et causas, quibus mundi gubernacula sustentantur et initiantur, ut qui omnes uicerit nequitia et penitus se terrae coaequauerit, in alio mundo, qui postea fabricandus est, fiat diabolus, principium plasmationis domini ut inludatur ei ab angelis* (*Job* 40, 14), *qui exordii amisere uirtutem.* — Il n'est pas douteux[1] que, après certains intervalles de temps, de

1. C'est vraisemblablement un durcissement de Jérôme à la place de l'habituel τάχα « peut-être », si fréquent dans les discussions d'Origène.

nouveau la matière[1] ne subsiste, des corps ne soient faits et la diversité du monde ne soit reconstituée, à cause des volontés diverses des créatures raisonnables qui, après la béatitude parfaite, jusqu'à la fin de l'univers, glissant peu à peu vers le bas, auront reçu en elles une telle malice qu'elles se seront changées en leur contraire, ne voulant pas garder l'état initial et posséder la béatitude sans corruption. Il ne faut pas ignorer que beaucoup de créatures raisonnables gardent l'état initial jusqu'aux second, troisième et quatrième mondes et ne donnent pas place au changement. D'autres aussi perdront si peu de chose de leur état antérieur qu'elles paraissent n'avoir presque rien perdu et certaines par une grande chute seront précipitées au fond de l'abîme. Dieu, gouverneur de tout[2], sait dans la création du monde utiliser pour chacune selon son mérite les occasions et les causes qui soutiennent et qui font débuter le gouvernement du monde, de telle sorte que celui qui aura dépassé tous les autres par sa perversité et se sera complètement égalé au terrestre, dans un autre monde qui sera organisé ensuite deviendra diable, début du modelage du Seigneur, pour être objet de moquerie de la part des anges[3], qui ont perdu la vertu du début. »

Cette citation est suivie d'un commentaire : « *Quibus dictis, quid aliud conatur ostendere, nisi huius mundi*

1. *PArch.* II, 3, 3. Origène s'oppose à cette possibilité de pécher après la restauration dans un certain nombre de textes : cf. *ComRom.* V, 10.

2. *PArch.* II, 1, 2 et 4.

3. Origène interprète du diable *Job* 40, 14 (19 selon les Septante) surtout dans *ComJn* I, 17, 95-98 ; XX, 22 (20), 182. Il distingue, à partir de *Gen.* 1, 26 et 2,7, ποιεῖν, appliqué à la création spirituelle, et πλάττειν, création matérielle, que nous avons traduit par « modelage » (H. Crouzel, *Image*, p. 148-153). Le diable est le début du « modelage » du Seigneur en tant qu'initiateur de la chute qui a entraîné le « modelage » des corps matériels et du monde sensible par Dieu.

homines peccatores in alio mundo posse diabolos et daemones fieri? Et rursum nunc daemones in alio mundo posse uel angelos uel homines procreari? — Par ces paroles qu'essaie-t-il de montrer sinon que les hommes pécheurs de ce monde peuvent dans un autre monde devenir des diables et des démons? Et en revanche que ceux qui sont maintenant des démons peuvent dans un autre monde être refaits en anges ou en hommes? »

Là aussi, il n'y a pas de raison de mettre en doute l'authenticité substantielle de la citation, compte tenu, comme chaque fois, de l'unilatéralité qui tire les passages jugés condamnables de leurs contextes, qui durcit dans les commentaires et probablement aussi dans le cours des citations en formules affirmatives, « il n'est pas douteux », « il ne faut pas ignorer », ce qui garde toujours chez Origène un aspect hypothétique : cette unilatéralité, enfin, fait perdre au passage le caractère qu'il a d'un élément d'une alternative dans une discussion. L'hypothèse d'une seconde chute dans la béatitude avec une nouvelle création de corps se trouve en *PArch.* II, 3, 3, avec le texte de Jérôme, dans la note correspondante 16. L'idée qu'un ange ou un homme peut devenir démon et réciproquement qu'un démon peut devenir ange ou homme revient à plusieurs reprises dans les fragments de Jérôme : *PArch.* I, 6, 2 et note correspondante 8 ; I, 7, 5 et note correspondante 37 ; I, 8, 4 et note correspondante 28. On peut voir nos appréciations à chacun de ces passages. En ce qui concerne l'authenticité origénienne de cette transformation d'un démon en ange et inversement, on peut se demander si Jérôme, là aussi, ne force pas trop les traits en négligeant des nuances importantes, notamment en représentant comme une transformation ce qui est une sorte d'assimilation morale. Sur ce texte voir aussi K. MÜLLER, p.627 et 629.

20. Ici débute l'hypothèse de la corporéité éthérée finale. Origène suit de très près ce qu'il a dit en *PArch.* II,

3 dans les §§ 3 et 6-7 et utilise la conception stoïcienne de la matière amorphe, capable de se transformer selon les qualités changeantes qui la déterminent : *PArch.* II, 1, 4 ; III, 6, 7.

21. La conception du corps spirituel est appliquée d'abord au corps humain ressuscité (*PArch.* II, 3), puis à toute la création entendue suivant l'interprétation de *Rom.* 8, 20-21 habituelle à Origène, c'est-à-dire aux anges, démons et astres (*PArch.* I, 7, 5 ; II, 9, 7 ; III, 5, 4).

22. Il s'agit des astres : « faits par la main » équivaut à corporels et corruptibles. Sur le rapprochement *II Cor.* 4, 18 et 5, 1, voir *PArch.* II, 3, 6. Sur les corps éthérés et subtils que revêtent les âmes après la mort : *CCels.* VII, 5 et surtout le fragment origénien, venant probablement du *De Resurrectione*, cité par Méthode dans son propre *De Resurrectione* III, 17 et conservé en grec par Photius, *Bibl.* 234, sur le corps que possèdent les âmes même entre la mort et la résurrection. Il confirme de façon frappante l'affirmation plusieurs fois répétée dans le *PArch.* que seule la Trinité est sans corps.

23. *PArch.* II, 1, 2 et 4.

24. *PArch.* III, 6, 8. Cela ne signifie pas l'anéantissement des individualités. Car le principe d'individuation des êtres raisonnables n'est pas pour Origène dans la matière amorphe, mais dans le libre arbitre dont chacun est doué et qui lui permet de se déterminer individuellement (*PArch.* III, 6, 7) ; il y a aussi dans le corps un principe d'individuation qui lui est propre et qui assure l'identité du corps terrestre avec lui-même aux différents moments de son existence, en dépit du flux continuel de ses éléments matériels, et entre le corps terrestre et le corps glorieux : voir note 14 de *PArch.* II, 10, les trois manières dont Origène exprime ce principe d'individuation du corps. Mais en ce qui concerne le libre arbitre, l'union à laquelle il est appelé est une unité de vouloir et d'amour, et Origène cite à son propos *Jn* 17, 21, le même passage dont il s'était servi pour justifier l'incorporéité finale des créatures raisonnables. Ainsi est souligné le caractère alternatif de ce chapitre avec ses deux hypothèses. Koetschau cite en note, à propos de ce passage, les anathématismes 13-15 de 553 — non de 543 comme il le dit par erreur — condamnant la doctrine selon laquelle, dans leur réintégration au sein de l'hénade originelle, les créatures raisonnables perdraient toute individualité et il n'y aurait plus alors de distinction entre elles et le Christ. Mais cette doctrine est postérieure à Origène : les moines isochristes de Palestine sont ici explicitement visés et la doctrine censurée par ces anathématismes reproduit, parfois littéralement, des *Kephalaia Gnostica* d'Évagre le Pontique (A. GUILLAUMONT, p. 143-159). La doctrine condamnée rappelle aussi de façon frappante le *Livre de saint Hiérothée* d'Étienne bar Sudaïli : voir note 38 de *PArch.* III, 5,

25. La mort est identifiée au péché : voir la citation de *I Cor.* 15, 26 dans *ComMatth.* XII, 33 ; *HomJér.* XVII, 3 (selon la traduction de Jérôme, car il y a une lacune dans le grec). Dans *HomLév.* IX, 11 et dans *HomJos.* VIII, 4, le « dernier ennemi, la mort » est expressément identifié au diable. Dans *PEuch.* XXV, 3, cette identification est possible, mais non explicite.

26. Ce texte peut passer pour l'affirmation la plus explicite du *PArch.* concernant la conversion et la réintégration du diable. En effet, deux textes cités dans la note précédente identifient au diable « le dernier ennemi, la mort », et dans ce passage, bien que le diable ne soit pas nommé, ces expressions s'appliquent à une personne réelle dont le mauvais propos disparaîtra, mais qui subsistera en tant qu'être raisonnable : voir aussi CLÉMENT, *Strom.* I, 17, 83. Cela d'autant plus que pour Origène le mal, c'est-à-dire le péché, est quelque chose de négatif ou plutôt de privatif, qui n'a pas de substance, ce « rien » qui selon *Jn* 1, 3 fut créé sans le Verbe : *ComJn* II, 13 (7), 92-99. Cette affirmation appliquée au diable a été l'objet d'attaques multiples : Jérôme, *Lettre* 124, 4 et 10 ; *Contra Joannem Hieros.* 7 (d'après Épiphane) ; Théophile d'Alexandrie traduit par Jérôme, *Lettre* 92, 2 ; Augustin, *De civit. Dei* XXI, 17. Cependant nous avons déjà trouvé en *PArch.* I, 6, 3 l'hypothèse opposée qui empêche de présenter cela comme une croyance ferme d'Origène : il se demande si les démons peuvent se convertir parce qu'il leur reste le libre arbitre, ou si la malice invétérée et permanente ne se change pas en nature ; dans la note correspondante 25, nous citons plusieurs témoignages, *ComJn* XX, 21 (19) et *FragmMatth.* 141 (*GCS* XII/1), montrant que chez le démon et les démons la malice est devenue nature. *PArch* III, 6, 5, que nous expliquons, a été compris par les contemporains comme une affirmation du salut du diable et Origène a répondu par une dénégation bien plus explicite dans la *Lettre à des amis d'Alexandrie* conservée à la fois en partie par Rufin (*De adult. libr. Orig.* 7) et par Jérôme (*Apol. adv. libr. Ruf.* II, 18) qui concordent dans ce témoignage, alors qu'ils sont alors violemment opposés l'un à l'autre : c'est dire que ce passage qui se trouve chez les deux est, quoique en traduction latine, au-dessus de tout soupçon. Voici ce que dit Origène selon Jérôme, la version de Rufin étant équivalente, bien qu'un peu plus longue : « Quelques-uns de ceux qui prennent plaisir à trouver des occasions de disputes attribuent à nous et à notre doctrine un blasphème..., ils disent que le père de la malice et de la perdition de ceux qui sont exclus du royaume de Dieu peut être sauvé, ce que même pas quelqu'un à l'intelligence détraquée ne pourrait dire. » Sur cette lettre et sur le débat d'Origène avec le valentinien Candide sur le même sujet, rapporté par Jérôme à la suite de cette lettre (*Apol. adv. libr. Ruf.* II, 19, voir ce que nous avons dit dans la note 12 de

PArch. I, 8, 3) ; cf. H. Crouzel, « A letter from Origen 'to Friends in Alexandria' », dans *The Heritage of the Early Church : Festschrift G. Florovsky, Orientalia Christiana Analecta 195*, Rome 1973, p. 135-150. L'affirmation du salut du démon, telle qu'elle semble indiquée ici, reste donc dans la pensée d'Origène problématique et non certaine, puisqu'on trouve dans le *PArch.* l'autre hypothèse, la malice se changeant en nature. Ou bien il faudrait dire qu'Origène a changé d'avis quelques années plus tard : la lettre ci-dessus mentionnée date d'environ 230, du premier séjour que fit Origène à Athènes, après son ordination sacerdotale à Césarée de Palestine par Théoctiste et Alexandre et avant son retour à Alexandrie, où il fut mis en accusation par Démétrios à cause de cette ordination. R. Cadiou, *Introduction*, p. 65 note 2, cite contre le salut du démon *ComRom.* VIII, 9 : « de celui qui est dit être tombé du siècle, même à la fin du siècle il n'y aura aucune conversion ». Mais nous ne connaissons ce texte, pareillement invoqué à la fin du xve siècle par Jean Pic de la Mirandole dans sa dissertation *De Salute Origenis* (*Apologia* VII, 25), que par la traduction de Rufin, ce qui le rend moins sûr. R. Cadiou cite de même *ComJn* XIX, 14 (3), 88 : « J'en connais certains qui non seulement dans ce siècle-ci, mais aussi dans le futur sont tenus par leur propre péché. » Après avoir cité *Mc* 3, 29 sur le péché contre l'Esprit, Origène continue : (il n'y aura plus de rémission) « si ce n'est pas dans le siècle futur, même dans les siècles à venir ». La même expression, dans le même contexte, se retrouve en *PEuch.* XXVII, 15, mais là Origène ne se prononce pas sur le sort définitif du démon : « Le plus grand des pécheurs, qui a blasphémé contre l'Esprit Saint, est tenu par son péché dans tout le siècle présent, mais je ne sais comment il sera traité du commencement à la fin dans le futur. »

27. La puissance du Logos dépasse celle du péché : *CCels.* VIII, 72. Dieu ne détruit pas ce qu'il a créé et vivifié : *HomJér.* I, 16, qui insiste sur l'abolition finale du mal. Il y a là une pointe antignostique, car pour ces hérétiques l'hylique devait être anéanti. Pour Origène, seul le bien existe vraiment, le mal en est la privation : *PArch.* II, 9, 2 ; *ComJn* II, 13 (7), 92-99 ; de même *PArch.* I, 3, 8 et note correspondante 48. Le mal est donc un état accidentel, dérivant de la volonté de la créature raisonnable et destiné à disparaître, car Dieu n'anéantit pas ce faisant sa propre création puisqu'il n'est pas le créateur du mal.

28. *PArch.* II, 1, 2 ; III, 6, 3. Cela s'harmonise avec la conception origénienne de la matière : II, 1, 4 ; III, 6, 7.

29. Cette phrase manifeste l'optimisme qui caractérise la conception origénienne de Dieu. Il y a ici un écho de *Sag.* 3, 23-24 : « parce que Dieu a créé l'homme pour l'incorruptibilité et l'a fait image de sa propre nature : c'est par l'envie du diable que la mort est entrée dans le monde ».

30. Le dogme de la résurrection des corps était une des vérités les plus difficiles à faire admettre par des Grecs, comme en témoigne déjà l'insuccès de Paul à Athènes (*Act.* 17, 32). Les ignorants dont il s'agit ici ne sont pas les « plus simples » des chrétiens, car ce que reproche Origène à ces derniers c'est de se représenter la résurrection sous une forme trop matérielle (*PArch.* II, 11, 2 et la note 11 de II, 10). Il peut s'agir de chrétiens soutenant l'incorporéité finale, ou plutôt d'hérétiques, surtout de gnostiques qui tenaient l'abolition de toute la substance matérielle, comme ceux que combat le *De Resurrectione* de Tertullien, Marcion et son disciple Apelle, Basilide et Valentin.

31. *CCels.* II, 62 ; VII, 5 ; VII, 32 ; *SelPs.* 118, 25, *PG* 12, 1592 (le second fragment, car le premier est d'Évagre). La résurrection est représentée comme l'attraction des réalités inférieures vers le haut : la chair, partie inférieure de l'âme, adhère à la partie supérieure qui adhère au Seigneur pour former avec lui un seul esprit. Sur les possibilités de transformation du corps matériel : *PArch.* II, 3, 2 ; II, 10, 3. Sur la similitude des corps ressuscités avec ceux des anges : *ComMatth.* XVII, 30. Le passage que nous expliquons distingue trois stades de transformation : corps terrestre, puis cendre et terre, puis corps spirituel, ce dernier s'affinant progressivement avec la progression de l'âme dans les cieux selon *PArch.* II, 11, 7 ; III, 6, 9.

32. *PArch.* I, 6, 2-3 et notes correspondantes ; III, 1, 23. Origène pense à la longue suite de siècles nécessaires à la purification des pécheurs quand il interprète allégoriquement le calendrier hébraïque avec ses sabbats, ses années sabbatiques, ses pentecôtes d'années : *ComMatth.* XV, 31 (parabole des ouvriers de la onzième heure) ; *PEuch.* XXVII, 13-15.

33. *PArch.* II, 11, 6 ; III, 1, 17 ; III, 5, 8 : cette différence des rythmes dans la conversion contribue à créer la variété des conditions.

34. *PArch.* III, 6, 5.

35. Ici Origène présente synthétiquement la conception fortement unitaire de sa cosmologie et de son anthropologie par rapport au pluralisme gnostique des natures : il y a une seule nature pour les créatures raisonnables et une seule nature matérielle. Celle-là se diversifie par suite des usages divers que les créatures font de leur libre arbitre, celle-ci à cause des conditions diverses que les créatures se procurent librement. Sur l'identité de substance des démons avec les anges et les hommes : *ComJn* XX, 23 (20), 198-201.

36. *PArch.* III, 1, 21-24.

37. Si cette précision est d'Origène — on en trouve souvent l'équivalent chez lui, voir note 25 de I, 6 — elle est en opposition avec ce qu'il dit, selon Jérôme, en III, 6, 3 (cf. note 19), sur la possibilité de nouveaux péchés pour les bienheureux. Il n'est pas sans signification que l'hypothèse du nouveau péché soit formulée avec celle, d'origine platonicienne, de l'incorporéité finale, tandis qu'il est question d'immutabilité définitive lorsque Origène est passé à la thèse, essentiellement chrétienne, de la résurrection et de la perpétuité des corps glorieux. Chacune des deux thèses opposées discutées dans ce chapitre est présentée avec toutes ses conséquences.

38. Il s'agit du fameux cinquième élément (quintessence), l'éther, dont le jeune Aristote soutenait l'existence dans son livre perdu *Sur la philosophie* : Cicéron, *Tusculanes* I, 10, 22 ; *Académiques* I, 7, 26 ; *Doxographi Graeci* p. 288, 362, 450 s. Voir E. Zeller, *Die Philosophie der Griechen* II, 2/3 («Aristoteles und die alten Peripatetiker»), p. 437 s. Hal Koch, p. 271, trouve la même polémique contre l'éther cinquième élément dans le mésoplatonicien Atticos selon Eusèbe, *Prép. Évang.* XV, 7. Origène polémique encore contre cette doctrine dans *ComJn* XIII, 21, 123-128 et dans *CCels.* IV, 56, où il s'aligne sur l'opposition des platoniciens et des stoïciens. Il refuse ce cinquième élément, radicalement divers des quatre autres, parce qu'il ne se concilie pas avec sa conception unitaire de la matière inspirée du stoïcisme. Mais, s'il s'oppose à l'éther comme élément substantiel, il l'accepte comme qualité et il désigne fréquemment comme éthéré l'état le plus pur que puisse atteindre la nature matérielle, douée alors de l'incorruptibilité que les Aristotéliciens attribuaient au cinquième élément : *PArch.* II, 3, 7 ; II, 1, 1 et note correspondante 2. Origène applique ce terme aux lieux du ciel et à ce qu'ils contiennent, au corps glorifié de Jésus au ciel (*CCels.* IV, 56 ; VII, 5), aux corps des anges et des ressuscités (*ComMatth.* XVII, 30).

39. Là encore une pointe contre les valentiniens pour qui le psychique ne pouvait devenir pneumatique, l'un et l'autre étant ce qu'ils sont par nature : *ComJn* II, 21 (15), 137-139. M. SIMONETTI, « Eracleone e Origene », *Vetera Christianorum* 3, 1966, p. 124 s.

40. Sur l'accord du corps et de l'esprit : *ComMatth.* XIV, 3 et *CCels.* VII, 4, où cet accord est considéré comme possible dans des cas exceptionnels déjà dans la vie terrestre.

41. Les mêmes idées sont exposées par *ComRom.* VIII, 11 et sous une forme moins technique en *HomGen.* I, 2 ; la petite dissertation sur les deux οὐσίαι de *PEuch.* XXVII, 8 leur correspond. L'opposition, venant de PLATON, *Phédon* 79 ab, a été vulgarisée par le moyen-platonisme qui entendait la nature matérielle selon la conception stoïcienne d'un substrat amorphe modifié par ses qualités (H. CORNÉLIS, « Les fondements cosmologiques de l'eschatologie d'Origène », *Revue des sciences Philosophiques et Théologiques* 43, 1959, p. 51-80, 201-216). Origène, tout en se représentant la substance spirituelle à la manière platonicienne, lui confère certains caractères de la substance corporelle des stoïciens : une sorte de substrat amorphe pouvant assumer des formes diverses selon les mouvements provoqués par les diverses volontés libres (*PArch.* III, 1, 22) ; et la nature matérielle adapte les corps aux conditions diverses des êtres raisonnables. Sur le corporel, l'incorporel et leurs rapports : *PArch.* I, 7, 1 et notes correspondantes ; II, 2, 2 ; IV, 4, 8. Sur les deux natures générales : M. SIMONETTI « Note sulla teologia trinitaria di Origene », *Vetera Christianorum* 8, 1971, p. 280-281.

42. Quel est le terme que Rufin rend par *substantialem* ? Origène veut peut-être dire, d'après le contexte, que la nature matérielle peut former des corps variés. Plus bas il est parlé plus correctement des diverses formes ou apparences *(formas uel species)* de la matière.

43. Une évaluation précise de la doctrine origénienne des deux natures n'est pas facile à cause de ses oscillations et incertitudes, accrues par l'état de la transmission du texte, en ce qui concerne les conditions initiale et finale des créatures raisonnables. S'il accepte la conception platonicienne de l'incorporéité, le rapport des deux natures devient extérieur et accidentel : la nature corporelle existe par intervalles, quand c'est nécessaire pour former les corps que demande la condition où se trouvent les créatures raisonnables (*PArch.* II, 3, 3 et III, 6, 3 selon les fragments hiéronymiens dans les notes correspondantes). En revanche, si Origène suit la conception paulinienne, le rapport des deux natures est essentiel et nécessaire : la nature raisonnable est toujours douée d'un corps matériel, terrestre ou céleste, qui est comme la projection au dehors de sa mutabilité (*PArch.* II, 2, 2 ; IV, 4, 8). Dans ce sens est justifiée l'affirmation que seule la Trinité est incorporelle, car seule elle est immuable (I, 6, 4 ; II, 2, 2 ; IV, 4, 8). Il faut remarquer que parmi ses sources philosophiques platoniciennes Origène ne trouvait pas seulement l'incorporéité, mais aussi dans le néoplatonisme et peut-être déjà dans le moyen-platonisme la doctrine de l'ὄχημα, du « véhicule » qui est l'enveloppe de *pneuma* matériel entourant les âmes et il lui fait écho à deux reprises : en *Com-Matth.* XVI, 18 et dans le fragment cité par MÉTHODE en *De Resur.* III, 17-18 (voir note 7 de *PArch.* II, 2).

44. *PArch.* III, 6, 4 et note correspondante 24. A ce passage se rapporte ce que dit JÉRÔME sans citer littéralement, dans *Lettre* 124, 10 (voir *infra* note 57), que toute la substance corporelle se transformera en un seul corps resplendissant. On peut rapprocher cela de l'accusation de Justinien en 543 à propos du corps glorieux sphéroïde : voir note 17 de *PArch.* II, 10.

45. Origène fait allusion à la distinction de *PArch.* II, 3, 6-7 entre la terre de *Gen.* 1, 1 et l'aride de *Gen.* 1, 10, le ciel de *Gen.* 1, 1 et le firmament de *Gen.* 1, 8, pour interpréter le début de la *Genèse* de la création du lieu céleste où sont les créatures raisonnables à l'état initial et à l'état final ; de même II, 11, 6-7. On peut penser, et il y en a plusieurs indices, que de même qu'Origène envisage un corps éthéré pour les ressuscités et pour les anges (*ComMatth.* XVII, 30), un corps de même pour les démons (*PArch.* I, préf. 8), les intellects préexistants étaient vêtus aussi de corps éthérés. Telle était probablement dans le *ComGen.* l'exégèse de *Gen.* 2, 7, des corps qui prendront pour les hommes en *Gen.* 3, 21 la qualité terrestre et mortelle figurée par les tuniques de peau : c'est ce que montre, à partir de Procope de Gaza, M. SIMONETTI dans « Alcune osservazioni sull'interpretazione origeniana di *Genesi* 2, 7 e 3, 21 », *Aevum* 36, 1962, p. 370-381 ; voir note 7 de *PArch.* II, 2. C'est d'ailleurs la conséquence du principe que seule la Trinité est incorporelle, illustré encore par le fragment origénien cité par MÉTHODE, *De Resur.* III, 17, qui suppose même que les âmes sont vêtues d'un corps après la mort et avant la résurrection.

46. *PArch.* I, 1, 4 et notes correspondantes 13-14.

47. *HomEx.* IX, 2 ; *HomJos.* II, 2-3. Le passage de notre terre à la « vraie » est analogue à celui de la lettre à l'esprit. Le rapport de la figure (τύπος) à la réalité est de signification platonicienne : le monde inférieur est fait à l'image du monde supérieur, mais les deux sont pour Origène les deux parties d'un monde unique, non des mondes différents (*PArch.* II, 3, 6 ; III, 5, 3 et notes correspondantes). Chez les gnostiques il en est de même : *Exc. ex Theod.* 47.

48. La « vraie » terre est une étape de l'ascension vers Dieu. Les descriptions que donne Origène de la topographie céleste et des diverses *mansiones* des bienheureux selon leurs mérites (*PArch.* II, 3, 7 ; II, 11, 5) sont à interpréter à la lumière de la conception dynamique qu'Origène se fait du rapport entre Dieu et les bienheureux, qui progressent d'une étape à l'autre d'après le progrès de leur connaissance des choses divines : *PArch.* II, 11, 6-7.

49. *PArch.* IV, 3, 13. Le passage de la loi au Christ est figure de celui des bienheureux de la « vraie » terre au ciel. Pour Origène comme pour ses contemporains, le fait qu'une chose soit symbole n'exclut pas sa réalité, bien que sur un plan inférieur à ce qu'elle symbolise. L'Évangile éternel (*Apoc.* 14, 6), prêché aux anges (*ComRom.* I, 4), est la compréhension spirituelle et totale des réalités divines, correspondant à ce que le Christ a prêché ici-bas comme des images, en s'adaptant aux capacités imparfaites des auditeurs. Origène distingue ainsi, à partir de *Hébr.* 10, 1, l'Ancien Testament qui livre l'ombre des vraies réalités, l'Évangile temporel qui en donne l'image et correspond à la vision « à travers un miroir, en énigme », l'Évangile éternel qui les fait connaître parfaitement, « face à face ». De l'ensemble des textes qui mettent en rapport Évangile temporel et Évangile éternel, on peut conclure qu'ils ne diffèrent pas par l'ὑπόστασις, la substance, qu'ils sont donc un seul Évangile, et que l'Évangile temporel donne déjà la possession réelle des vraies réalités ; ils diffèrent par l'ἐπίνοια (*ComJn* I, 8 (10), 44-45), une manière humaine de voir, qui est dans la différence entre « à travers un miroir, en énigme » et « face à face » : H. Crouzel, *Connaissance*, p. 324-370. Voir *HomPs. 38*, II, 2 ; *ComJn* X, 18 (13), 108-111 ; Irénée, *Adv. Haer.* IV, 9, 2.

50. *HomNombr.* XVII, 2-3 : les étapes des Hébreux dans le désert symbolisent les *mansiones* par où devront passer les bienheureux. Cette période d'instruction sera plus ou moins longue selon le degré de connaissance déjà acquise sur terre : *HomPs. 36*, V, 1.

51. *PArch.* II, 11, 6-7 : Ici Origène décrit plus analytiquement ce qu'il avait déjà indiqué synthétiquement à la fin du paragraphe précédent sur la distinction entre terre et ciel.

52. Ce sont les anges dont il est question en *PArch.* II, 11, 3. A mesure de leur progrès, les bienheureux sont confiés à des anges de plus en plus élevés dans la hiérarchie angélique. Leur réintégration dans leur dignité perdue est un retour à l'état angélique : *HomLév.* IX, 11 ; *HomLc* XXXIX, 2 ; Clément, *Eclogae* 57 ; *Adumbr. in Jud.* 24.

53. De la tutelle des anges, le chrétien passe à la tutelle directe du Christ. Origène cite encore *Gal.* 4, 1-2 dans ce contexte : *ComCant.* II (*GCS* VIII, p. 164) ; *ComMatth.* XIII, 26-28 ; *HomNombr.* XXIV, 3.

54. *capere* et *capax* chez Rufin correspondent chez Origène à χωρεῖν et à χωρητικός avec le double sens de contenir et de comprendre : H. Crouzel, *Connaissance*, p. 394-395.

55. La Sagesse étant l'*épinoia* suprême du Fils cela suppose que l'objet de la compréhension des bienheureux dépasse le Christ dans son Incarnation, et même le Fils en tant que Logos : *PArch.* I, 3, 1 et 8.

56. Rapproché de *ComJn* I, 27 (29), 181, où Origène voit dans le Christ la porte qui mène au Père, ce passage a fait penser à W. Völker (*Das Vollkommenheitsideal des Origenes* p. 109) que, pour Origène, la médiation du Fils prendrait fin avec l'arrivée des bienheureux à leur terme parce qu'ils contemplent Dieu sans intermédiaire : *HomGen.* I, 7 et *ComJn* XIII, 3, 19, moins significatif dans ce sens. En fait la fonction du Fils ne cesse pas, mais change de mode, car les bienheureux, sans perdre leur personnalité, sont incorporés au Fils : membres de son corps, ils verront Dieu comme le Fils lui-même le voit (*PArch.* III, 5, 7 et notes correspondantes ; *ComJn* I, 16, 93 ; II, 7 (4), 57) et ils seront un seul Fils avec lui (*ComJn* I, 16, 92 ; *Fragm-*

Éphés. 9 dans *JTS* 3, p. 402). De même *ComJn* XIX, 4 (1), 23 : la connaissance est une union avec le Père et le Fils. Voir H. Crouzel, *Image*, p. 254. Le contresens que nous venons d'indiquer et une mauvaise compréhension de la conception origénienne de la soumission du Fils au Père sont à l'origine de l'accusation soulevée par Théophile d'Alexandrie contre Origène d'avoir soutenu que le règne du Christ prendrait fin : cette accusation reprenait celle qui avait été adressée, avec plus de raison, à Marcel d'Ancyre : voir les lettres de Théophile dans la correspondance de Jérôme : 92, 2 et 96, 5-8.

57. « *sit eis... statum* » (276-279) : Jérôme, *Lettre* 124, 10. Le fragment est précédé d'un résumé de ce qui est dit auparavant : « *Et post disputationem longissimam, qua omnem creaturam corpoream in spiritalia corpora et tenuia dicit esse mutandam, cunctamque substantiam in unum corpus mundissimum et omni splendore purius conuertendam, et talem, qualem nunc humana mens non potest cogitare, ad extremum intulit.* — Et après une très longue discussion, dans laquelle il dit que toute créature corporelle se changera en corps spirituels et subtils, que toute la substance se convertira en un seul corps très épuré, plus pur que toute lumière et qu'elle sera telle que maintenant l'espèce humaine ne peut la penser, il ajoute à la fin. » La citation est très courte : « *Et erit deus omnia in omnibus, ut uniuersa natura corporea redigatur in eam substantiam, quae omnibus melior est.* — Et Dieu sera tout en tous, de telle sorte que toute la nature corporelle sera amenée à former la substance qui est supérieure à toute. » La fin de la phrase est plus probablement une explication de Jérôme : « *...in diuinam scilicet, qua nulla melior est* — à savoir la substance divine, qui n'est dépassée par aucune ».

Sur ce texte, voir K. Müller, p. 625-626. Il n'est pas possible d'admettre qu'Origène ait tenu cette conception panthéiste, qui contraste avec tant de passages de son œuvre. Méthode, qui attaque si longuement et avec tant d'incompréhension dans son *De Resurrectione* la conception origénienne de la résurrection, n'a jamais soulevé une telle accusation et n'a jamais fait allusion à cet évanouissement des corps glorifiés dans la substance divine ; et cependant Méthode est un lecteur du *PArch.* qu'il combat dans son traité *Des Créatures* (Photius, *Bibl.* 235). Mais le résumé dont Jérôme fait précéder le fragment reconnaît qu'Origène a traité longuement des corps glorieux éthérés dans ce chapitre : il permet donc de rétablir l'équilibre, après les fragments précédents qui donnaient l'impression qu'Origène tenait dogmatiquement l'incorporéité finale. J. Denis, p. 385-386, ne craint pas de « déclarer inexacte cette citation de Jérôme » et de s'élever avec vigueur contre le panthéisme prêté à Origène, qu'il juge en contradiction avec toute sa doctrine.

58. Après avoir discuté des deux thèses en question, incorporéité ou corporéité finale, Origène ne conclut pas et laisse au lecteur le soin de décider.

Neuvième traité (IV, 1-3)

(Entre IV, 1 et IV, 3, 11, les notes se rapportant au texte grec sont indiquées par un chiffre, les notes se rapportant au latin par un chiffre suivi d'une lettre. De IV, 3, 12 à IV, 3, 15, les notes sont indiquées par un chiffre qui renvoie au texte latin seul existant).

Ce traité sur l'exégèse de l'Écriture est conservé presque entièrement en grec par *Philoc.* 1, 1-27 : la fin, *PArch.* IV, 3, 12-15, ne nous est parvenue que dans le latin de Rufin. La place donnée ici par Origène à l'exégèse scripturaire répond à l'importance de l'Écriture et de l'exégèse allégorique dans son œuvre : ce traité nous en présente un exposé théorique, le plus ancien que nous connaissons et dont l'influence se fera sentir jusqu'à la fin du Moyen Age, une sorte de Somme des principes qui gouvernent l'exégèse allégorique alexandrine et qui régiront largement celle des médiévaux. Ce traité a aussi une visée polémique anti-gnostique et antimarcionite : voir dans les réalités de l'Ancien Testament des symboles de celles du Nouveau, c'est affirmer la connexion étroite qui les joint et que ces hérétiques refusaient.

Ce traité n'épuise pas — loin de là ! — tout ce qu'Origène nous dit de sa doctrine des Écritures. H. de Lubac, qui a redonné aux modernes la compréhension profonde de l'exégèse spirituelle et spécialement de celle d'Origène par son livre *Histoire et Esprit* (Paris 1950), le juge (p. 33) : « très incomplet, très schématique, et ne cadrant pas toujours avec l'exégèse vécue des commentaires ou des homélies », et il étudie dans son livre « la doctrine réelle d'Origène, celle qui ressort de son exégèse même et qu'il formule tout le long de son œuvre ». Ce livre du P. de Lubac fournit le commentaire le plus complet de ce traité, car l'exégèse concrète d'Origène qu'il reconstitue permet de comprendre dans leur vrai sens certaines affirmations qui pourraient ici prêter à incompréhension. Citons en outre, parmi les livres sur l'exégèse d'Origène : Fr. Prat, p. 115-139, 174-187 ; A. Zöllig, *Die Inspirationslehre des Origenes*, Freiburg i. B. 1902 ; R. P. C. Hanson, *Allegory*.

On peut penser que H. J. Vogt exagère l'importance de ce traité sur l'Écriture dans l'économie d'ensemble du *PArch.* quand il écrit (p. 280) : « Quand on prend au sérieux ces déclarations d'Origène (blâmant ceux qui veulent prouver par l'Écriture leurs propres dogmes en s'appuyant sur certaines paroles séparées des autres), on doit bien reconnaître qu'il n'aurait pas considéré comme une louange ce qu'on répète comme un titre particulier de gloire, qu'il aurait le premier présenté une dogmatique scientifique, une synthèse de la doctrine chrétienne élaborée avec une méthode philosophique. Le *Traité des Principes* n'est pas le couronnement de son œuvre : il n'a fait au sommet de son génie aucun essai pour fournir à la communauté une dogmatique plus mûrie et plus complète, il n'a certainement pas compris son *Traité des Principes* comme une dogmatique, mais plutôt, ainsi que plus que tout le livre IV permet de s'en rendre compte, comme une aide pour s'orienter *(eine Orientierungshilfe)* dans l'étude de l'Écriture. » Vogt est en réaction — et cela est compréhensible — contre la représentation du *PArch.* qui prévalait au début de ce siècle et que nous avons critiquée dans l'introduction aux livres I-II en montrant que ce livre est essentiellement une théologie en recherche à partir de l'Écriture et de la raison, à propos des « principes », Dieu, les créatures raisonnables, le monde. Mais on ne peut y voir seulement une *Orientierungshilfe* pour l'étude de l'Écriture, qui n'est pas le but de cette recherche, mais son point de départ, non unique, mais privilégié. Depuis le début du livre il l'a prise, avec la règle de foi qui sort d'elle, comme origine de sa réflexion, sans justifier ce comportement. Maintenant, comme le montre le début du chapitre, il pense qu'il doit apporter cette justification, non seulement à l'intention des incroyants ou des hérétiques, mais aussi des croyants qui désirent percevoir les raisons de leur foi.

Première section

Le sujet de cette première section est l'inspiration divine de l'Écriture : il en fait un ensemble suffisamment délimité par rapport à la seconde, correspondant à la première partie du titre conservé par Photius et de l'argument mis par la *Philocalie* à la tête de son chapitre I.

L'argument scripturaire a joué un rôle considérable dans les recherches précédentes ; il faut cependant exposer la raison qui le fonde, l'inspiration, qui donne aux Écritures une autorité divine, et montrer pour cela l'origine divine des missions de Moïse et de Jésus. Aucun législateur, aucun sage autre qu'eux n'a pu répandre sa doctrine dans des nations étrangères, alors que par la prédication chrétienne les lois de Moïse et les paroles de Jésus sont entendues dans tout l'univers (1). Cela se produit malgré les persécutions dont les chrétiens sont l'objet : ce fait dépasse les possibilités humaines, mais il a été prédit par Jésus et ainsi est prouvé son caractère divin (2). Diverses prophéties vétérotestamentaires sont énumérées, qui n'ont été réalisées qu'en Jésus. D'abord *Gen.* 49, 10, la disparition de la dynastie royale issue de Juda, la fin de l'autonomie nationale et du culte à l'arrivée du Messie (3). Puis *Deut.* 32, 21, le rejet d'Israël et le choix des nations (4). Ensuite diverses autres prophéties portant sur la divinité du Christ et sa royauté universelle, sa vie terrestre et ses victoires sur les puissances diaboliques, tout cela étant accompli par la prédication apostolique (5). La réalisation de ces prophéties par le Christ a montré leur inspiration divine et révélé leur sens caché et le lecteur ressent en les lisant quelque chose du transport mystique qu'ont éprouvé les prophètes (6). Ce caractère surhumain des Écritures n'apparaît guère si on reste au sens littéral, de même que l'action de la Providence dans le monde n'est pas toujours claire. Mais la Providence ne doit pas être refusée à cause de son obscurité : pareillement la divinité de l'Écriture par suite des déficiences de la lettre, car les effets de conversion morale qu'elle exerce sur des multitudes sont disproportionnés à son peu de valeur. Il faut l'approfondir pour en percevoir la sublimité à la lumière de son accomplissement dans le Christ (7). On peut remarquer que la divinité de l'Écriture est pour Origène une conséquence de celle du Christ.

Peri Archon IV, 1

1. Les κοιναὶ ἔννοιαι, fondement de la connaissance d'après la logique stoïcienne : *CCels.* I, 4 ; III, 40 ; VIII, 52 ; *HomLc* XXXV, 1. Pour les stoïciens, elles ont leur fondement dans l'expérience tout en découlant de la nature humaine (*SVF* I, p. 18 ; II, p. 28, 33, 154), mais Origène tend à les considérer, d'après les platoniciens, comme innées dans l'âme : *CCels.* VII, 46 ; *ComJn* XIII, 41, 273 ; *HomLc* XXXV, 1. C'est ainsi qu'il distingue ici les conceptions communes de « l'évidence de ce qui est vu », c'est-à-dire de la connaissance sensible.

2. L'Écriture est une source de connaissance supérieure à toutes : *PArch.* I, 3, 1.

3-3a. G. Bardy (*Recherches...*, p. 43), se fondant sur le terme global employé par Rufin, se demande si la précision concernant chacun des deux Testaments n'est pas une glose. Mais Origène souligne ainsi, dans une intention antignostique et antimarcionite, l'unité des deux Testaments, de même que plus bas il associe Moïse et le Christ : de même *HomJér.* X, 1. Sur l'association de Moïse et de Jésus dans un autre contexte : *CCels.* I, 45.

4-4a. Origène juge opportun de démontrer par la raison, en partant de données historiques, l'inspiration divine des Écritures qui sont le fondement de la foi et dont il s'est servi abondamment dans les trois premiers livres : il n'en fait donc pas un présupposé. Rufin allonge. Cette démonstration doit viser principalement des païens qui s'intéressent à la doctrine chrétienne.

5. Ce traité est donc un Épitomé, un Compendium, sur les Écritures.

6-6a. Sur Jésus maître de la doctrine du salut : *CCels.* I, 32 ; 37 ; 56. Rufin raccourcit. On peut rapprocher cette introduction de celle de Clément, *Strom.* VI.

7-7a. L'opposition entre l'impuissance de l'enseignement philosophique à convertir moralement les foules et le succès humainement inexplicable de celui du Christ, soit par son extension géographique, soit dans ses effets de conversion morale, est l'argument apologétique majeur du *CCels.* : I, 27 ; I, 64 ; III, 51 ; VI, 2 ; etc. Il prouve le caractère divin de l'enseignement chrétien et des Écritures qui le contiennent. Rufin développe, mais il ne traduit pas la référence aux preuves apportées par les philosophes.

8-8a. Rufin ne traduit pas πανταχοῦ τῆς οἰκουμένης.

9-9a. τὴν (sous-entendu δίκην) ἐπὶ θανατῷ, expression consacrée. Origène distingue bien la haine que suscitent les Juifs et le martyre qui menace les chrétiens, mais cette précision disparaît chez Rufin qui ne vise que les chrétiens. Voir *CCels.* I, 26-27.

9b. « *amplectuntur... sermonem* », conclusion chez Rufin seul.

10-10a. *CCels.* III, 8 souligne que les chrétiens ne réagissent pas aux offenses qui leur sont faites. L'opinion que le christianisme tire même profit des offenses et des supplices subis par ses fidèles est ajoutée par Rufin reprenant l'idée célèbre de Tertullien, « Le sang des chrétiens est une semence » (*Apol.* 50, 13). Même traduction de Rufin dans Pamphile, *Apol.* 5.

11. Comme nous l'avons vu souvent jusqu'ici, cette Parole est le Fils de Dieu, car les différents sens de λόγος sont fréquemment tous plus ou moins présents : *ComJn* I, 5 (7), 27-28 ; *ComMatth.* XII, 38.

11a. Réminiscence virgilienne : *Énéide* 12, 427 : « *Non haec humanis opibus, non arte magistra* ».

12. *CCels.* I, 31.

13-13a. La seconde citation est chez Rufin seul. Koetschau et Bardy (p. 43) pensent qu'elle appartenait au texte primitif ; Bardy croit qu'elle a dû tomber dans un manuscrit parce que la première et la seconde citations se terminaient à une ligne de distance par ἔθνεσι, *gentibus*, ce qui est une cause fréquente d'omission par inattention. Cependant Rufin omet cette seconde citation dans sa traduction de l'*Apologie* de Pamphile, 5, qui lui est antérieure. L'omission se serait donc produite à la fois dans *Philoc.* et dans le texte grec de Pamphile.

14. Ni Dieu ni le Christ ne connaissent les pécheurs au

sens fort du terme connaître, qui exprime l'union dans l'amour : H. Crouzel, *Connaissance*, p. 514-518.

15. La réalisation des paroles du Christ est la preuve de sa divinité, donc du caractère divin des Écritures qui les contiennent, le Nouveau Testament. Quant à l'Ancien, la preuve vient de l'accomplissement de ces prophéties dans le Christ.

16. L'interprétation messianique de *Gen.* 49, 10 remonte aux Hébreux, comme en font foi la version des Septante, le fragment de la grotte 4 de Qumrân sur les *Bénédictions des Patriarches* (J. Maier, *Die Texte von Toten Meer*, I, p. 182-183), le *Talmud de Babylone* VII, 430 (L. Goldschmidt, *Der Babylonische Talmud*, La Haye 1933), le *Midrasch sur la Genèse* 484 (A. Wünsche, *Bibliotheca Rabbinica*, I, Hildesheim 1967). En parlent encore Tacite, *Histoires*, V, 13 ; Suétone, *Vespasien*, 4 ; Flavius Josèphe qui le réfère à Vespasien (*Bell. Jud.* VI, 5, 4, ed. Naber, p. 312-314). Les premières références au Christ sont *Hébr.* 7, 14 ; *Apoc.* 5, 5 ; Justin, *I Apol.* 32 ; *DialTryph.* 52 ; Irénée, *Adv. Haer.* IV, 10, 2 ; *Démonstr.* 57 ; Tertullien, *Adv. Marc.* IV, 11, 1 ; IV, 40, 6 ; Clément, *Péd.* I, 6, 47 ; Hippolyte, *Bénédictions d'Isaac et de Jacob* (*Patrologia Orientalis* XXVII, p. 68 s.). Chez Origène : *ComJn* I, 23, 142-143 ; XIII, 26, 254 ; *HomJér.* IX, 1. Origène a adapté *Gen.* 49, 10 en supprimant οὐκ, en remplaçant οὐδὲ par καὶ et ἕως par ὅταν : il cite le vrai texte aux lignes 91-93. Rufin n'a pas reproduit cette adaptation.

17. ᾧ ἀπόκειται (70) ou la variante mise plus bas τὰ ἀποκείμενα αὐτῷ (93). Sur ce mystérieux terme hébreu *schiloh*, dont ces deux expressions sont la traduction, voir Posnanski, *Schiloh*, Band I, Leipzig 1904, p. 21-22 et W. L. Moran, « *Gen.* 49, 10 and its use in *Ez.* 21, 32 », *Biblica* 39, 1958, p. 405-425.

18. Οἱ δήλοι est le terme qu'emploie plusieurs fois la

Septante pour désigner les *Urim* : les *Urim* et les *Thummim* étaient des instruments de divination fixés sur la poitrine du grand-prêtre. Voir E. A. SOPHOCLES, *Greek lexicon of the Roman and Byzantine periods*, New York 1900 ; G. W. L. LAMPE, *A Patristic Greek lexicon*, Oxford 1961.

19-19a. Origène et Rufin pensent aux patriarches appartenant au rabbinat, qui furent à partir de la destruction du Temple et encore au temps de Rufin les chefs du peuple juif. Le patriarche ou *nasi*, successeur du chef du Sanhédrin, remplaça le grand-prêtre comme chef des Juifs et fut reconnu comme tel par les autorités romaines en la personne soit de Gamaliel II, petit-fils du grand Gamaliel, lui-même petit-fils du grand Hillel, soit de son fils Juda Ier, jusqu'à leur lointain descendant Gamaliel VI qui fut déposé au ve siècle par un décret des empereurs Honorius et Théodose II. *The Jewish Encyclopedia* (en 12 volumes, 1906) ne parle de cette institution ni à l'article *Patriarch*, qui concerne seulement ceux de la *Genèse*, ni à l'article *Nasi* où il ne s'agit que du chef du Sanhédrin avant 70 ; pour glaner quelques renseignements sur ce qui nous intéresse, il faut chercher aux noms des divers titulaires, Gamaliel II-VI, Hillel II, Juda I-IV. Le patriarcat fut héréditaire de fait dans la famille du grand Hillel. Une tradition tardive fait de ce dernier un membre de la famille de David, donc de la tribu de Juda : Israël LEVI, « L'origine davidique de Hillel », *Revue des Études Juives*, 31, 1895, p. 202-211 ; 33, 1896, p. 143-144. L'interprétation qu'Origène combat était opposée par les Juifs à l'application de *Gen.* 49, 10 au Christ : l'existence du patriarche issu de la race de David montrait que n'avait pas disparu le chef sorti de Juda. Dans la *Lettre à Africanus* 14, Origène dit que le patriarche, qu'il appelle comme ici ἐθνάρχης — il emploie πατριάρχης dans *SelPs.*, *PG* 12, 1056 B —, a reçu de l'empereur une autorité pratiquement royale et des pouvoirs judiciaires qui pouvaient aller jusqu'à la condamnation à mort, mais avec l'approbation impériale

20. Sur cette seconde forme de la citation, voir note 17 ; les deux sont attestées par JUSTIN, *DialTryph.* 120.

21-21a. Interprétation analogue dans JUSTIN, *Dial-Tryph.* 119 ; IRÉNÉE, *Démonstr.* 95 ; TERTULLIEN, *Adv. Marc.* IV, 31, 6 ; CLÉMENT, *Strom.* II, 9, 43. La citation est mutilée chez Rufin ; il lui manque le début : παρεζήλωσάν με ἐπ' οὐ θεῷ et ἐπ' οὐκ ἔθνει.

21b. Rufin ne traduit pas ici non plus ἐπὶ τῷ οὐκ ἔθνει (106-107).

22. La venue du Christ, que les Juifs n'ont pas voulu reconnaître (*CCels.* II, 8), a permis à la parole divine de se répandre en Judée et dans le monde. Et les institutions juives ont perdu leur sens à la venue de Jésus-Christ (*HomLév.* X, 1). Elles sont devenues, de même que l'Ancien Testament compris à la juive, ces « mythes judaïques » qu'Origène voit dans *Tite* 1, 14, car elles sont privées de leur sens principal, le spirituel : sans qu'Origène conteste en employant cette expression, leur réalité historique, mais cette dernière n'a plus de valeur pour le chrétien : *HomGen.* XIII, 3 ; *HomEx.* V, 1 ; *HomLév.* III, 3 ; VI, 3 ; XII, 4 ; *HomNombr.* XIII, 4 ; XXVI, 3 ; *HomIRois (I Sam.)* I, 18 ; *SérMatth.* 15 ; 89 ; *CCels.* II, 4-5 ; V, 42.

22a. La seconde partie de la citation est mutilée chez Rufin ; au contraire celle qui suit est plus développée. La mutilation vient certainement d'un homéotéleuton : deux membres de phrases consécutifs finissent par ὁ θεός ; le second est omis par distraction, par la faute soit de Rufin, soit du copiste du *Lucullanus*, le manuscrit aujourd'hui disparu qui est à la base de tous ceux qui subsistent. Par ailleurs βλέπομεν (109) est traduit par *uidete* (111) conformément au texte reçu, βλέπετε ; *fratres* (112) est ajouté conformément au texte reçu ; de même *inter uos* (112). Alors que selon les conclusions de G. BARDY, « *Citations* », Rufin traduit ordinairement les citations bibliques sur le texte d'Origène, il a dû ici se référer soit au texte grec, soit à une traduction latine déjà faite.

23. L'épithalame qu'est le *Ps.* 44 était traditionnellement considéré comme messianique, déjà chez les Juifs, de même que le *Ps.* 71 qui suit.

24. Sur la diffusion de la grâce dans le monde par l'incarnation du Christ : *HomJér.* I, 12 (citant *Ps.* 44, 2) ; *ComMatth.* X, 22 ; *CCels.* V, 50 ; *ComJn* XIX, 5 (1), 28.

25. Le ministère du Christ n'aurait duré qu'un an selon les valentiniens (Irénée, *Adv. Haer.* I, 3, 3) qu'Irénée réfute (*Ibid.* II, 22, 3) ; même affirmation dans Clément, *Strom.* I, 21, 145. Origène l'accepte dans *HomLc* XXXII, 5 ; mais dans *SérMatth.* 40, il parle de la durée de trois ans déjà traditionnelle, de même dans *CCels* II, 12. Ces variations s'expliquent peut-être par les commentaires allégoriques à tirer de l'un ou l'autre texte. Le copiste du *Codex Venetus Marcianus* 47 de *Philoc.* (xie siècle) met en marge : « Remarque qu'il se trompe sur le temps de l'enseignement du Sauveur » : P. Koetschau, *Beiträge zur Textkritik von Origenes' Johanneskommentar*, *Texte und Untersuchungen*, XXVIII/2, 1905, p. 12.

26. Sur l'illumination que son ministère apporte aux nations : *HomLév.* XIII, 2 ; *CCels.* VI, 79.

27. Cette prophétie est citée comme messianique par bien des auteurs primitifs ; dans *CCels.* I, 34-35, discussion avec Celse sur le παρθένος de la Septante et le νεᾶνις des autres versions : cf. Justin, *DialTryph.* 66 ; Irénée, *Adv. Haer.* IV, 33, 11 ; Tertullien, *Adv. Iud.* 9, 1 s.

27a. Rufin ne reproduit pas la fin de la citation.

27b. Développement de Rufin qui ne dédaigne pas les expressions poétiques : « *uelut exuuiae quaedam uictoriae eius* ».

28. *CCels.* I, 51 ; JUSTIN, *I Apol.* 34 ; *DialTryph.* 78 ; IRÉNÉE, *Démonstr.* 63 ; TERTULLIEN, *Adv. Iud.* 13, 2.

29-29a. *SérMatth.* 40 ; TERTULLIEN, *Adv. Iud.* 8, 2 ; CLÉMENT, *Strom.* I, 21, 125. Rufin ne traduit pas ἑβδομήκοντα.

30. C'est-à-dire les paroles les moins aptes à attirer les païens. Celse manifeste le mépris des gens cultivés pour cette doctrine nouvelle : *CCels.* VII, 53 ; VIII, 41. Dans ses réponses à Celse, Origène souligne que les difficultés de la prédication du christianisme font ressortir la valeur de son succès : *CCels.* I, 31 ; I, 46. Dans les milieux philosophiques du temps, l'antiquité d'une doctrine est un fort argument pour sa vérité : on le constate chez Celse et aussi chez les apologistes et Origène, montrant dans le christianisme l'héritier légitime de Moïse et des prophètes (H. CROUZEL, *Philosophie*, p. 114-117). Pour le thème de la protection divine : *CCels.* V, 50.

31. θεόπνευστος : *ComJn* VI, 48 (29), 248 ; X, 39 (23), 266 ; *ScholApoc.* 25 dans *Texte und Untersuchungen* 38, p. 32. Conception traditionnelle chez Juifs et chrétiens : *PArch.* I, préf. 8 ; *CCels.* V, 60 ; *HomNombr.* XXVI, 3. Ce caractère divin se manifeste dans la prédiction d'événements qui se sont réalisés contre toute espérance : *CCels.* VI, 10 ; TERTULLIEN, *Apol.* 20, 3. Les prophéties de l'Ancien Testament montrent la divinité du Christ et leur réalisation en lui, leur caractère inspiré : *CCels.* I, 45. C'est pourquoi avant la venue du Christ on ne pouvait démontrer l'inspiration de l'Ancien Testament : voir *infra.*

32. τὸ ἔνθεον : ce mot signifie que les Écritures sont inspirées, que Dieu est en elles, mais aussi que cette inspiration est perceptible au lecteur qui ressent à leur lecture l'ἐνθουσιασμός (voir *infra*, note 34). Celse emploie ἔνθεος pour désigner l'inspiration des poètes, de ceux qui rendent des oracles, des écrits de Platon, ou il applique ce terme à certaines âmes très religieuses : *CCels.* IV, 36 ; IV, 38 ;

VI, 17 ; VI, 80 ; VII, 41 ; VIII, 45. Origène désigne ainsi l'inspiration de l'Écriture, de la législation juive, des prophètes (*CCels.* III, 7 ; VI, 46 ; VII, 10 ; VII, 11 ; VII, 30 ; VII, 41) ou même l'illumination de l'âme par Dieu dans la prière (*PEuch.* XXX, 3).

33. On constate chez Origène, à propos des rapports des deux Testaments, un balancement qui tient en partie au contexte polémique (*PArch.* II, 7, 2 et III, 3, 1). Ici il affirme que le Christ a apporté la pleine connaissance de ce qui est caché dans l'Ancien Testament, son sens spirituel (*ComMatth.* X, 5) ou la clef qui permet de passer du sens littéral au spirituel : *HomNombr.* V, 1 ; *ComJn* I, 6 (8), 32-36 ; XIII, 46, 305-306 ; Clément, *Strom.* IV, 21, 134 ; VI, 8, 68 ; Justin, *DialTryph.* 100 ; Irénée, *Adv. Haer.* IV, 26, 1. Voir *PArch.* IV, 2, 3 ; H. Crouzel, *Connaissance*, p. 324-370.

34. ἐνθουσιασμός est le transport mystique par lequel est ressenti par le lecteur le caractère inspiré de l'Écriture. Même la lettre peut le procurer : *CCels.* VI, 5. Il est communiqué par le Vin de la vraie Vigne, le Christ (*ComJn* I, 30 (33), 205-208) : c'est la version origénienne de l'oxymoron philonien de la « sobre ivresse », mais elle en diffère en ce qu'elle exclut catégoriquement toute trace d'extase-inconscience. L'« enthousiasme » est provoqué par la grâce de la connaissance de Dieu communiquée par le Fils. En effet le lecteur de l'Écriture perçoit quelque chose de l'inspiration de l'hagiographe : seul le semblable connaît le semblable. Le lecteur de Daniel ou d'Isaïe doit avoir en lui pour les comprendre le même Esprit Saint qui les a inspirés : *SérMatth.* 40 ; *Fragm. I Cor.* 11 (*JTS* IX, p. 240). De même pour comprendre l'Évangile il faut avoir le νοῦς, la mentalité du Christ (*I Cor.* 2, 16) et l'Esprit qui le donne : *ComJn* I, 4 (6), 23-24 ; X, 28 (18), 172 ; *ComMatth.* XIV, 11 ; XV, 30. Cette doctrine d'Origène est reproduite par son élève Grégoire le Thaumaturge : *Remerciement à Origène* XV, 179.

34a. Le *coturnus* (180) est le brodequin de chasse, puis d'acteur tragique : de là le style de la tragédie, de l'épopée, un style élevé. De « *et ex semet ipso* » à « *conscriptos* » (179-181), amplification de Rufin : voir G. Bardy, p. 44.

35. Celui qui cache la face de Moïse et figure la lecture juive de l'Ancien Testament : *II Cor.* 3, 12-18 renvoyant à *Ex.* 34, 33-35. Voir note 3 de *PArch.* III, 5.

36. *PArch.* I, 1, 5 ; III, 5, 1 et note 3 correspondante. Cela ne veut pas dire que le passage de l'ombre à la vérité s'opérera sans effort, mais qu'il est devenu possible (*PArch.* IV, 2, 3). A chaque chrétien de faire passer dans les faits cette possibilité en approfondissant le texte dans une plus complète adhésion au Christ : *ComJn* XX, 32 (26), 283-286. Cela explique que tant de chrétiens n'arrivent pas à dépasser le sens littéral.

37. νόημα est rarement appliqué au sens littéral (*ComJn* XXXII, 21 (13), 268), mais presque toujours au spirituel (*CCels.* VII, 60 ; *ComJn* XIII, 33, 204 et 206 ; *HomJér.* XIX, 11). Voir H. Crouzel, *Connaissance*, p. 384-385. Sur l'inaccessibilité du mystère textes nombreux : *ComJn* VI, 46 (28), 241 ; X, 40 (24), 284.

37a. « *quod quae... indignus* » (194-196) : Rufin seul, mais les idées sont origéniennes.

38-38a. καὶ γὰρ ... τὰ ὅλα θεοῦ (183-188) : Rufin a allongé : « *Nam et cum... dispensantur* » (196-205). La Providence divine n'est pas diminuée du fait que nous ne sommes pas toujours capables de voir son œuvre : de même le caractère inspiré de l'Écriture du fait que nous ne réussissions pas à en percevoir le sens (*SelPs.* 1 dans *PG* 12, 1081 ou *Philoc.* II, 4). L'idée de Providence était très répandue à cette époque dans les milieux païens : elle pouvait donc servir de point de comparaison pour l'obscurité de l'Écriture.

39. A propos de la tournure ᾗ προνοίας ἐστὶν ἔργα, une remarque grammaticale se trouve en marge du *Codex Venetus Marcianus* 47 de *Philoc.* : ἀντὶ τοῦ καθ' ὃ προνοίας, c'est-à-dire que ᾗ équivaut à καθ' ὅ. Voir P. KOETSCHAU, *Beiträge...* (cf. *supra* note 25), p. 13.

40. *HomEx.* IV, 7 et *PArch.* II, 1, 2 avec notes correspondantes.

41-41a. A οὐχ οὕτω ... σωμάτων (188-194) correspond chez Rufin un passage plus long et différent : « *Quae tamen... angelos latet* » (205-213). Il n'est pas sûr que ce soit une interpolation rufinienne, car il est possible que les Philocalistes aient omis par prudence des idées qui sont bien dans l'esprit d'Origène : la confrontation entre l'habitant de la terre et celui du ciel et l'ignorance des anges.

42. *PArch.* I, 7, 5 ; *SelPs.* 1 (*PG* 12, 1081 ou *Philoc.* II, 4). Le copiste du *Codex Venetus Marcianus* 47 de *Philoc.* (XIe siècle), faisant allusion à une doctrine d'Origène sur les astres dont il n'est pas question ici, écrit en marge : « Hérétique ! blâmable ! inconvenant ! Il dit que le soleil, la lune et les étoiles sont des êtres animés. Et pour cela je l'ai condamné comme hérétique et blâmable. » Sur quoi un lecteur du XIIIe siècle, moins passionné, ajoute en marge : « Que trouves-tu ici d'hérétique, toi qui as écrit cela ? Nous savons qu'Origène dit que les astres sont animés et raisonnables, mais ici il ne les dit ni animés ni raisonnables. » P. KOETSCHAU, *Beiträge...* (cf. note 25), p. 12.

43. Les animaux sont en effet le résultat d'une création secondaire, puisque leur existence vient du péché des créatures raisonnables : *PArch.* II, 2, 2. D'après *SelPs. 1* (*PG* 12, 1081 ou *Philoc.* II, 5), il n'est pas possible de comprendre pourquoi ont été créés tant d'animaux venimeux.

44. χρεοκοπεῖν signifie « faire banqueroute », χρεοκοπεῖσθαι doit être entendu comme un passif, « être victime d'une banqueroute », dont nos ignorances seraient la cause. Le *Codex Venetus Marcianus* 47 explique ce mot dans une note marginale : τὸ χρεοκοπεῖσθαι τὸ ὑπὸ χρέους διάξιμον γίνεσθαι, ἤτουν (ou ἤγουν ?) ἐνάγεσθαι σφοδρῶς καὶ ἀπαραιτήτως σημαίνει : ce mot « signifie « être supporté (?) en état de dette ou être accusé de façon véhémente et inexorable ». Le mot διάξιμος appartient à l'époque byzantine : Sophocles, *Greek Lexicon of the Roman and Byzantine periods* donne pour seule référence le *Code Justinien* 1, 15, 2. Voir P. Koetschau, *Beiträge...* (cf. note 25), p. 13.

45. Toute parole de l'Écriture a pour Origène un sens spirituel : *HomNombr.* XXVII, 1 ; *SelPs. 1* (*PG* 12, 1081 ou *Philoc.* II, 4). Voir Clément, *Péd.* I, 5, 15 ; I, 6, 36 ; I, 7, 60 ; *Strom.* V, 6, 36. Au contraire Tertullien, *De Resur.* 20, 7. Bien des Juifs pensaient que rien dans l'Écriture n'était inutile, ainsi Rabbi Aquiba. Voir Philon, *Leg.* III, 147.

46. Le peu de valeur de la lettre de l'Écriture fait ressortir le caractère divin du sens spirituel à cause des effets qu'il produit : *HomNombr.* IX, 6 ; *PArch.* IV, 3, 15 ; *ComJn* IV, 1-2 (*Philoc.* IV) ; *Fragm. I Cor.* 5 et 8 (*JTS* IX, p. 235 et 237). De même la discussion sur le peu de valeur littéraire de l'Écriture qui la met à la portée de tous : *CCels.* III, 39 ; VII, 59-61 ; ce n'est pas le cas de la rhétorique grecque : *CCels.* I, 2 ; I, 62.

46a. Cette allusion à l'universalité de la prédication évangélique ne se trouve que chez Rufin. Origène l'affirme souvent équivalemment, mais il n'aurait pu dire, comme Rufin croit pouvoir le faire à son époque, non cependant sans une certaine exagération rhétorique, que la Parole est reçue « par la plupart » (« *a quam plurimis* », 231).

47. Voir le commentaire du passage qui va d'ici à la fin de *PArch.* IV, 1, 7, dans R. GÖGLER, *Zur Theologie des biblischen Wortes bei Origenes*, Düsseldorf 1963, p. 193-194.

48. Il faut dépasser l'enseignement des simples pour approfondir continuellement le sens spirituel : *DialHér.* 15 ; *FragmJn* 63 (*GCS* IV, p. 534) ; *FragmProv.* 1, 6 (*PG* 13, 20 s.) ; *ComMatth.* X, 4 ; XII, 30 et 33 ; *HomGen.* VII, 4. Il faut monter du Christ crucifié au Verbe : *HomEx.* XII, 4 ; *HomLév.* IV, 6 ; *ComJn* II, 3, 21-23 ; *ComMatth.* XVI, 8 ; CLÉMENT, *Strom.* VI, 15, 132. D'après *ComJn* XIII, 5-6, 26-39, la connaissance par l'Écriture est dite inférieure à la révélation directe que fait le Christ à qui en est digne. La distinction des deux degrés est déjà chez les gnostiques et Clément, mais elle est séparée par Clément et Origène de la doctrine des natures qui est rejetée par eux : IRÉNÉE, *Adv. Haer.* I, 3, 1 ; I, 6, 1-2 ; CLÉMENT, *Strom.* II, 3, 10 ; II, 6, 30-31 ; VII, 10, 55 et 57. Voir H. CROUZEL, *Connaissance*, p. 443-495.

49. Sur la sagesse du monde : *PArch.* III, 3, 1 s. Sur sa différence avec la sagesse de Dieu : *CCels.* I, 13.

49a. Rufin transforme une réminiscence en citation explicite.

49b. « *Ex quo ostendit... mundi sapientia* » (244-246), glose de Rufin.

50. ἐντυποῦν, mettre une empreinte matérielle ou spirituelle : *ComJn* I, 28 (30), 195 ; V, 6 (3), 38 ; XIX, 7 (2), 44.

51. La liaison de *Rom.* 16, 25-26 et de *II Tim.* 1, 10 en une phrase unique est constante chez Origène : *ComJn* VI, 4 (2), 25 ; XIII, 17, 101 ; XIII, 46, 306 ; *CCels.* II, 4 ; III, 61.

52. A propos de la doxologie, voir III, 5, 8 et note correspondante 49 ; IV, 3, 14 et note correspondante 88. Il est difficile d'en expliquer la signification, car elle ne clôt pas un traité.

Deuxième section (IV, 2-3)

Il n'est pas possible de séparer IV, 2 et IV, 3, car il n'y a aucune formule de transition et le sujet de IV, 2 se poursuit et évolue sans interruption en IV, 3 : il correspond à la seconde partie du titre de Photius et de l'argument de *Philoc.*

PArch. IV, 2-3 a une triple numérotation des paragraphes. Celle de Delarue, la première qui ait été établie, porte sur *PArch.* IV, 1-3 considéré comme un chapitre unique ; c'est la même chose pour l'édition Robinson de *Philoc.*, mais la division en paragraphes n'est pas toujours la même que celle de Delarue. Koetschau divise en trois l'unique chapitre, d'où une nouvelle numérotation à partir de *PArch.* IV, 2. De même que Robinson signalait entre parenthèses la numérotation de Delarue, de même Koetschau pour celles de Delarue et de Robinson ; il indique de même, par un chiffre ajouté à l'intérieur du paragraphe, les cas où les limites des paragraphes sont différentes. Ici nous reproduisons Koetschau.

Cette section est le cœur du traité sur l'exégèse scripturaire : elle montre que l'on doit aller au-delà de la lettre, elle fixe les critères et donne des exemples de ce dépassement. Son importance atteint le domaine de la vie spirituelle, fondée elle aussi sur l'Écriture. La section précédente, en démontrant l'inspiration divine, en constitue le préliminaire indispensable, et la seconde moitié de cette section est comme l'application pratique des principes exposés dans la première moitié.

Origène énumère d'abord quelques exemples d'incompréhensions provoquées par un attachement strict à l'exégèse littérale. Les Juifs n'ont pas voulu croire au Christ parce qu'il ne réalisait pas de manière matérielle les prophéties qui le concernaient. Les hérétiques, gnostiques et marcionites, ont tiré prétexte du sens littéral pour calomnier le Dieu de l'Ancien Testament. Dans la Grande Église elle-même, les « plus simples », c'est-à-dire les anthropomorphites et littéralistes, acceptent de Dieu ce qu'on n'accepterait pas du plus cruel des hommes (1). La cause de ces incompréhensions est l'ignorance du sens spirituel. Tous les orthodoxes reconnaissent cependant que dans la lettre de l'Écriture sont cachées des économies mystérieuses, mais il n'est pas facile, il est même impossible, de savoir adéquatement ce qu'elles sont (2). Cela est vrai de l'Ancien Testament et de ses prophéties, mais aussi des Évangiles, écrits apostoliques et Apocalypse. Pour les comprendre il faut avoir la « clef de la connaissance », dont le Christ dit qu'elle se trouve chez les docteurs de la loi : d'où une petite polémique contre gnostiques et marcionites, car cette parole du Christ manifeste que l'Ancien Testament est révélation (3). La méthode à suivre est la doctrine des trois sens, selon la distinction du corps, de l'âme et de l'esprit des Écritures, correspondant à celle des commençants, progressants et parfaits : Origène la voit insinuée, selon une exégèse allégorique, par *Prov.* 22, 30 (LXX) et par le *Pasteur* d'Hermas (4). Mais parfois le sens littéral est inexistant et il faut chercher seulement deux sens : c'est montré par une exégèse allégorique du contenu des urnes aux noces de Cana (*Jn* 2, 6) (5). L'interprétation littérale (= le corps) a, certes, son utilité, de même que l'interprétation morale (= l'âme), mais seule l'exégèse spirituelle permet de monter aux réalités dont l'Écriture contient les ombres : les exégèses de ce genre, plusieurs fois indiquées par Paul, servent de preuve. Mais faut-il chercher un sens spirituel dans chaque récit historique de l'Ancien Testament (6) ? Le but de l'Esprit Saint inspirateur était surtout de faire entrevoir les réalités mystérieuses concernant Dieu, son Fils et les créatures raisonnables (7). Mais il les a cachées dans l'obscurité de la lettre pour ceux qui n'étaient pas capables d'en supporter la révélation. Ces mystères sont contenus non seulement dans les histoires, mais aussi dans la législation mosaïque. Mais le sens littéral est la plupart du temps, à lui tout seul, capable d'édifier (8). Parfois cependant l'Esprit a inséré dans la lettre des passages choquants et des impossibilités pour nous inciter à monter au sens spirituel, le but essentiel n'étant pas la logique ni même la vérité historique sur le plan littéral, mais la logique et la vérité sur le plan spirituel. Cela vaut aussi pour la législation et même pour les Évangiles et écrits apostoliques, où l'on trouve des détails qui n'ont pas de vérité historique ou ne sont pas raisonnables (9).

La seconde partie (IV, 3) contient, au moins dans son début, des exemples confirmant ce qui a été dit en IV, 2, 9 : elle présente des cas de faits bibliques impossibles et absurdes au sens littéral, tirés des premiers chapitres de la *Genèse*, de la tentation de Jésus (1), puis de la législation de l'Ancien Testament avec des allusions à la casuistique rabbinique (2), des Évangiles et des Lettres de Paul (3). Tout cela a été voulu par l'Esprit pour nous faire monter au sens spirituel. Mais ce sont des cas isolés, l'ensemble de la Bible a pleine valeur historique : le Décalogue est à observer selon la lettre, ainsi que la plupart des préceptes évangéliques (4). Comment déterminer les cas où le sens littéral est sans valeur? Par l'examen attentif des Écritures : quand la logique ne peut être établie sur le plan littéral, c'est sur le plan spirituel seul qu'il faut le faire. L'Écriture a toujours un sens spirituel, elle n'a pas toujours de sens littéral (5).

A partir de cet endroit Origène va prendre un exemple important d'exégèse spirituelle, qu'il va élargir à mesure de son développement : il y a un Israël selon la chair et un Israël selon l'esprit, le premier étant l'image du second (6). Le premier, à travers les chefs de clans, de tribus, Jacob, Isaac et Abraham remonte à Adam ; le second au nouvel Adam, le Christ, époux de la nouvelle Ève, l'Église (7). Israël est compris par le Christ de l'Israël spirituel et

Jérusalem par Paul de la Jérusalem céleste. Il y a donc parmi les sortes d'âmes un Israël spirituel, une Jérusalem et une Judée célestes, comprenant des villes homonymes de celles de la Judée terrestre (8). En conséquence, il faut entendre aussi de certaines races d'âmes, inférieures à celle-là, les nations limitrophes d'Israël, Égypte, Babylone, Tyr ou Sidon. Les prophéties qui concernent ces peuples ne permettent pas de limiter leur interprétation à des nations terrestres. La captivité d'Israël en Égypte et à Babylone figure la descente des Israélites spirituels dans des lieux inférieurs (9). Il y a pour les âmes une gradation de lieux supérieurs et inférieurs, la terre étant comme un Hadès pour celui qui descend du ciel et comme un ciel pour celui qui remonte de l'Hadès ; et sur terre même il y a une diversité de lieux supérieurs et inférieurs. Les prophéties regardant les nations sont donc à entendre de demeures célestes (10). Tout cela est insinué par l'Écriture et non clairement exposé. Le sens profond de l'Écriture est le trésor de la parabole, caché dans le champ qui représente le sens littéral. Mais le sens spirituel, le trésor, ne peut être découvert qu'avec l'aide de la grâce de Dieu (11).

Ici s'arrête le texte grec : déjà à partir de *PArch.* IV, 3, 9 les Philocalistes ont fait des coupures, à les juger par Rufin, et Rufin lui-même, à le juger par Jérôme, car certains passages concernant les migrations des âmes étaient jugés dangereux. Quant à ce qui reste, *PArch.* IV, 3, 12-15, les Philocalistes ne l'ont pas reproduit, jugeant que ces paragraphes ne traitaient plus d'exégèse scripturaire. Le texte rufinien est lacuneux, comme le montrent les fragments de Jérôme.

Jacob et ses fils descendant en Égypte figurent les âmes non pécheresses qui sont cependant descendues sur terre pour aider les pécheresses. Tout ce qui est dit du peuple d'Israël est à interpréter dans cette perspective, puisque c'est l'ombre des réalités célestes ; de même pour les préceptes, les purifications, les recensements et les guerriers recensés, les tribus qui restent en Transjordane et celles qui passent en Cisjordane, le Jourdain. Par rapport à la première législation de Moïse, le *Deutéronome*, remis par Moïse à Jésus fils de Navé, Josué, figure la nouvelle loi apportée par le Sauveur (12). Mais Origène développe une autre exégèse du *Deutéronome* : il symbolise l'Évangile éternel qui sera révélé dans les cieux, par rapport à l'Évangile temporel figuré par la première législation mosaïque (13).

Tout cela est trop élevé pour être atteint par la compréhension de l'homme, qui peut progresser indéfiniment mais n'arrive jamais au bout : on peut appliquer aussi cette affirmation aux puissances supérieures à l'homme. On ne peut connaître ni le début ni la fin des choses, mais seulement un peu le milieu (14). Il ne faut pas s'attacher aux mots, mais aux idées : par exemple en ce qui concerne les concepts *invisible* et *incorporel*, dont il a été déjà parlé à la fin de la préface au livre I. Il y a des réalités qui ne peuvent être expliquées adéquatement par le langage humain, mais qui sont cependant affirmées par un acte simple de l'intelligence (15). Ce paragraphe 15 est considéré par E. R. Redepenning, *De Princ.*, p. 367 en note, comme une « *praeuia totius operis conclusio* — une conclusion anticipée de tout l'ouvrage », *PArch.* IV, 4 étant un appendice ou plutôt une mise au point supplémentaire.

Peri Archon IV, 2

1. Les passages qui suivent étaient considérés par les Juifs comme messianiques, mais ils en attendaient la réalisation dans un sens matériel et non symbolique. Pour l'interprétation spirituelle de *Zach.* 9, 10, voir *SérMatth.* 27. Philon interprétait matériellement les textes d'Isaïe dans *Praem.* 89, bien qu'il ait assez souvent blâmé les interprétations trop grossièrement littérales du texte sacré : *Deus* 21 s. ; *Opif.* 13 ; *Quaest. Gen.* IV, 168. Origène reproche souvent aux Juifs ces interprétations grossières : *HomGen.* XIII, 2 ; *HomEx.* VII, 1 ; *HomJér.* XII, 13 ; *SérMatth.* 10 et 27.

1a. « *adstare praesepibus et* » (24-25), ajout de Rufin.

2. Cette objection est développée par Celse et Origène lui répond avec les mêmes arguments en *CCels.* VII, 18 s.

2a. La parenthèse « *in quibus... credebant* » (27-28) est une explication de Rufin.

3-3a. Rufin développe ὡς παρὰ τὸ δέον (22) en « *quin immo... fidem* » (29-30). Chez Origène ces mots sont, semble-t-il, rattachés à Χριστὸν ἑαυτὸν ἀναγορεύσαντα (22), en écho à l'interrogatoire du Christ par Caïphe en *Matth.* 26, 63-66 : quand Jésus se déclare le Christ, en réponse à l'adjuration du grand-prêtre, ce dernier y voit un blasphème. Rufin les rattache à ἐσταύρωσαν (23). Mais son interprétation peut se défendre elle aussi et il n'est pas possible de la considérer avec certitude comme un contresens.

4. *PArch.* II, 4-5. Le littéralisme excessif est surtout reproché à Marcion, qui basait sur cette manière d'interpréter l'incompatibilité du Dieu créateur de l'Ancien Testament et du Dieu bon du Nouveau. Origène fait aux gnostiques le même reproche, et cependant ils allégorisaient avec excès les Écritures pour y retrouver leurs propres doctrines : IRÉNÉE, *Adv. Haer.* I, 3, 1 s. ; I, 18, 1 s. Ici Origène leur reproche d'interpréter littéralement les anthropomorphismes de l'Ancien Testament pour distinguer son Dieu imparfait, le Démiurge, du Dieu suprême du Nouveau Testament. Sur les anthropomorphismes : *PArch.* II, 4, 4 et notes correspondantes 20 et 23.

5-5a. ἀγέννητος : *CCels.* VIII, 14 ; *ComJn* I, 27 (25), 187 ; II, 10 (6), 73 ; XIII, 25, 149. Mais ailleurs on trouve ἀγένητος : *CCels.* II, 51 ; IV, 38 ; *ComJn* I, 29 (32), 204 ; II, 2, 14. Les deux termes sont équivalents chez Origène, alors que le IVe siècle à la suite de la crise arienne spécifiera γεννητός et γενητός, le premier dans le sens d'engendré, le second dans celui de créé : sur leur confusion avant cette époque, voir *PArch.* I, préf. 4 et la note 21 correspondante, ainsi que l'introduction aux livres I-II (V, 4°). Origène relève la qualité d'inengendré/incréé parce que, selon les gnostiques, elle convenait seulement au Dieu suprême : le Démiurge avait été créé en un second temps : *Exc. ex Theod.* 47 ; IRÉNÉE, *Adv. Haer.* I, 5, 1. Rufin traduit seulement « *omnium deus* » (47), sans voir l'intention antignostique.

6-6a. Origène distingue les réalités visibles et les non visibles (*PArch.* I, 7, 1), mais il critique ici la distinction gnostique entre le monde invisible du Plérôme, créé ou plutôt émané du Dieu suprême, et le monde visible créé par le Démiurge : IRÉNÉE, *Adv. Haer.* I, 1, 1 s. ; I, 5, 1. La traduction de Rufin est ici très précise, tellement que A. ORBE, *En los albores...*, p. 45, pense que les expressions « *ab alio facta... ab alio condita* » (49-50) qui n'ont pas de parallèle dans *Philoc.* correspondent tellement à la mentalité des valentiniens qu'elles doivent provenir d'un original grec différent de celui qu'a conservé *Philoc.*

7. Y a-t-il une pointe d'ironie? Les gnostiques se considéraient comme participants du *pneuma* et reléguaient l'âme à un degré inférieur : c'était le principe dominant des psychiques.

8. Sur les « plus simples », voir note 11 de *PArch.* II, 10. Ils n'acceptent pas les divagations gnostiques et tiennent fermement l'unicité de Dieu. Mais, prenant à la lettre les anthropomorphismes divins de la Bible, ils se font de Dieu une idée aussi grossière que celle que les gnostiques avaient du Démiurge. Sur la polémique d'Origène contre leur littéralisme : *PArch.* I, 1, 1 ; II, 11, 2 ; *ComRom.* I, 19 ; *HomLév.* XVI, 4 ; *HomNombr.* XXII, 1 ; *HomIs.* VI, 4.

9. *PArch.* II, 5, 2 et *passim* ailleurs.

9a. Cette formule de modestie dont on trouve l'équivalent en *PArch.* I, 1, 9 ; I, 5, 1 ; I, 5, 4, etc., est due ici à Rufin, puisqu'elle n'est pas dans le grec, mais elle est conforme aux habitudes d'Origène dans ses œuvres grecques.

10. Toute la Trinité coopère dans l'inspiration de l'Écriture comme dans toutes les œuvres divines : le Père est l'origine, le Fils le ministre dont l'action s'opère par l'inspiration de l'Esprit Saint dans l'hagiographe : *PArch.* I, 3, 7 et notes correspondantes ; IV, 2, 7 ; IV, 4, 5. Sur l'Esprit Saint inspirateur : *HomNombr.* XXVI, 3. Un autre lien joint l'Écriture au Fils : tous deux sont ὁ λόγος τοῦ θεοῦ, la Parole de Dieu, non deux Paroles différentes mais une seule ; le Fils parle dans l'Écriture, qui constitue comme une incarnation du Verbe dans la lettre analogue à la chair, préparant (Ancien Testament) ou exposant (Nouveau Testament) l'unique incarnation : *CCels.* III, 81 ; V, 22 ; *ComJn*, V, 5-6 (*Philoc.* V) ; *HomÉz.* I, 9 ; *SérMatth.* 27 ; *HomLév.* I, 1 ; etc. Bien souvent ὁ λόγος désigne explicitement l'Écriture, mais en même temps le Verbe : c'est le Verbe incarné dans l'Écriture. Voir H. DE LUBAC, *Histoire et Esprit*, p. 336-346. Ce n'est pas propre à Origène, mais cela se trouve chez d'autres Pères : J. H. CREHAN, « The analogy between Verbum Dei incarnatum and Verbum Dei scriptum in the Fathers », *Journal of Theological Studies*, 6, 1955, p. 87-90.

11. Dans ce mot κανών, les uns voient seulement la *regula fidei* de la prédication ecclésiastique, dont Origène parle dans la préface et qui revient souvent (Origène ou Rufin) dans le cours du livre. D'autres, se fondant sur l'Église céleste dont il est question juste après et sur l'acceptation commune dans l'Église de l'interprétation spirituelle (*PArch.* I, préf. 8), y voient la méthode d'interprétation non selon la lettre, mais selon l'esprit ; ainsi

R. P. C. Hanson, *Tradition*, p. 92-93 (sur le κανών en général, p. 91-113). D'autres pensent enfin à la science supérieure des parfaits opposée à l'instruction élémentaire des « plus simples ». Les trois opinions sont exposées par D. van den Eynde, *Les normes de l'enseignement chrétien dans la littérature patristique des trois premiers siècles*, Gembloux/Paris 1933, p. 307 s. Les deux premières ne s'excluent pas, puisque l'interprétation allégorique était acceptée par la *regula fidei*. Le sens de κανών chez Origène est assez général : ici il se rapporte plutôt à la norme accessible au chrétien progressant ; en *ComJn* XIII, 16, 98, c'est l'ensemble des croyances élémentaires nécessaires aux plus simples. Dans *HomJér*. V, 14 et dans *SérMatth*. 46, fragment grec, il est question du « canon ecclésiastique » ou du « canon de l'Église », c'est-à-dire de la règle de foi sans autre précision.

12. Ce qualificatif d'« Église céleste » ne doit pas être interprété de l'Église des bienheureux distinguée de la terrestre, mais qualifier l'Église terrestre en tant que son origine est céleste, car la règle de foi et la succession apostolique sont des réalités de ce monde. La succession apostolique est désignée par διαδοχή : le valentinien Ptolémée, *Lettre à Flora*, 7, 9 ; Irénée, *Adv. Haer*. I, 27, 1 ; III, 2, 2 ; III, 3, 3 ; etc. Origène l'emploie dans le même sens. Clément l'utilise plus librement pour caractériser la « tradition gnostique » au sens qu'il donne à ce mot : *Strom*. VI, 7, 61. Voir : A. Lieske, *Die Theologie der Logosmystik bei Origenes*, Münster 1938, p. 78 note 19 ; p. 94 note 19 ; D. van den Eynde, *Les normes...* (voir note 11), p. 306-308, rapportant les interprétations de Batiffol, Bardy, et Lebreton ; J. A. Möhler, *Die Einheit der Kirche*, éd. Geiselmann, Cologne/Olten 1957 (éd. princeps 1825), p. 273-274 ; H. J. Vogt, p. 24.

13. Ce qui indispose le plus Origène à l'égard des « plus simples » n'est pas leur ignorance, mais leur présomption qui les induit en erreur.

14. *HomGen.* V, 5 : Lot symbole de la loi et ses filles de Jérusalem et de Samarie. Sur l'inceste des filles de Lot avec leur père, une explication héritée de PHILON (*Quaest. Gen.* IV, 56) et que l'on trouve aussi dans IRÉNÉE, *Adv. Haer.* IV, 31, 1-2, est donnée dans *CCels.* IV, 45, basée sur des principes de morale stoïcienne. Quant au symbolisme des événements ici rappelés : *PArch.* IV, 3, 7 ; *HomGen.* XI, 1 ; PROCOPE, *ComGen.* XXIX, 30 (*PG* 87, 433 s.), inspiré d'Origène.

15. Interprétation allégorique du Tabernacle : PHILON, *Mos.* II, 89-94 ; *Quaest. Ex.* II, 68 ; CLÉMENT, *Strom.* V, 6, 35 s. ; VI, 11, 86 ; *Exc. ex Theod.* 27 ; ORIGÈNE, *HomEx.* IX.

16. τύπος, symbole : *HomJos.* II, 3. Voir H. CROUZEL, *Connaissance*, p. 221-225.

17-17a. « ὅσον μεν ... ἀποπίπτοντες » (67-70) n'est pas traduit par Rufin, qui le remplace par une amplification de ce qui précède : « *aptare... intellectum* » (86-89). Ce qui suit est fortement développé par Rufin qui n'ajoute rien : de « ἐν δὲ τῷ τίνων » (74) et de « *Verum uel pro eo* » (94) à la fin du paragraphe.

18. Le mot σύμβολον, comme τύπος son équivalent, désigne quelque chose qui existe et signifie, mais reste inadéquat à ce qu'elle signifie ; il a le sens réaliste des chrétiens d'inspiration platonicienne et connote une participation d'ordre existentiel au modèle : R. GÖGLER *Zur Theologie des biblischen Wortes bei Origenes*, p. 50-51, évoque à ce sujet le *Cratyle* de Platon.

19. Les πράγματα désignent, dans une signification d'origine platonicienne, les « vraies » réalités d'ordre eschatologique, les mystères, par opposition aux symboles : elles sont indiquées aussi par μυστήριον et par ἀλήθεια : H. CROUZEL, *Connaissance*, p. 36.

20-20a. *Prov.* 1, 6 est invoqué dans le même sens par *CCels.* III, 45 ; VII, 10 ; *ComJn* II, 28 (23), 173 ; *Fragm-Prov.* 1, 6 (*PG* 13, 20-21). Rufin délaie un peu.

21. La pensée ou mentalité (νοῦς) du Christ (*I Cor.* 2, 16). Pour comprendre l'Écriture et plus spécialement l'Évangile, il faut avoir la mentalité du Christ qui s'y exprime, et cela évidemment par grâce : seul le semblable comprend le semblable. On ne comprend une œuvre qu'en retrouvant de quelque façon en soi la mentalité de son auteur ; or le Christ s'identifie à l'Écriture (voir note 10) et son esprit c'est l'Esprit Saint, inspirateur de l'Écriture. C'est donc cet Esprit qui communique la mentalité du Christ au lecteur. Le passage fondamental est *ComJn* I, 4 (6), 21-24 : pour comprendre l'Évangile de Jean qui a reposé sur la poitrine du Christ et est devenu en quelque sorte Jésus lui-même, ayant été donné par Jésus pour fils à Marie, il faut aussi devenir Jésus. De même *ComJn* X, 41 (25), 286 ; *ComMatth.* XV, 30 ; XVII, 13 ; et d'innombrables passages d'homélies et de commentaires. Voir H. CROUZEL, *Connaissance*, p. 119-123. L'idée que pour comprendre quelqu'un il faut se mettre dans sa mentalité est exprimée au Ier siècle avant Jésus-Christ par le grammairien Aristarque de Samothrace : R. GÖGLER, *Zur Theologie...* (cf. note 18), p. 45.

22. Il s'agit de l'*Apocalypse* et ce passage montre clairement qu'Origène la reconnaît pour Écriture inspirée et l'attribue à l'apôtre Jean, malgré les préventions qu'aura plus tard son élève Denys d'Alexandrie contre l'inspiration de ce livre et contre son attribution à Jean l'apôtre, dans son traité *Sur les Promesses* dirigé contre l'évêque millénariste Népos (EUSÈBE, *Hist. Eccl.* VII, 24-25). Dans la liste des écrits canoniques de *HomJos.* VII, 1, l'Apocalypse est indiquée par certains manuscrits et manque dans d'autres : il n'y a pas de raison sérieuse de préférer ces derniers, si on s'en tient à ce que pensait Origène.

23. ἀπόρρητοι = ineffables. Ce mot s'applique aux traditions secrètes des Juifs et des gnostiques (*ComJn* VI, 12-14 (7), 73.76.83 ; XIX, 15 (4), 92). Il désigne aussi le contenu mystérieux et inépuisable caché dans la lettre. Il ne s'agit pas pour Origène, bien qu'on lui en ait souvent prêté l'idée en s'en tenant à des apparences, de traditions secrètes comme Clément semble en connaître (*Strom.* I, 12, 55 ; V, 10, 61 ; VI, 7, 61) et qui subsisteraient à l'intérieur du christianisme. Il n'accepte pas l'exclusivisme des traditions gnostiques : *ComJn* II, 28 (23), 171 ; VI, 53 (35), 273 ; *ComMatth.* XIV, 12 ; *HomJos.* XXIII, 4. S'il répète souvent qu'il est dangereux de livrer inconsidérément les mystères, c'est pour des raisons d'ordre spirituel que l'on trouve chez bien des auteurs spirituels : la révélation faite prématurément à une âme non préparée à la recevoir peut lui faire du mal et prêter à des malentendus qui choquent et parfois se retournent contre la doctrine chrétienne elle-même (voir H. Crouzel, *Connaissance*, p. 155-156). J. Daniélou, *Message*, p. 427-460, prétend au contraire trouver chez Origène un véritable ésotérisme, mais D. van den Eynde, *Les normes...* (voir note 11), le refuse avec raison.

24. Même en comprenant le sens spirituel on s'aperçoit qu'on n'en connaît qu'une toute petite partie. L'Écriture même est peu de chose par rapport à la révélation directe que les apôtres ont eue du Christ : *PArch.* II, 6, 1 ; *ComJn* XIII, 5-6, 26-39.

25. Même image dans le même contexte : *SelPs. 1* (*PG*, 12, 1077 ou *Philoc.* II).

26-26a. Le texte rufinien ajoute « *licet per excessum quendam* » (126-127) présentant cela comme une digression dont la fin est marquée au début de IV, 2, 4 « *ut dicere coeperamus* » (135). C'est bien une digression. La *Philocalie* n'indique rien de semblable : voir *PArch.* I, 4, 2 ; II, 9, 1 ; III, 4, 3 et notes correspondantes. C'est une polémique contre les gnostiques dévaluant l'Ancien Testament par rapport au Nouveau et à leur propre tradition ésotérique. Le Christ reconnaît que les docteurs de la loi avaient la clef de la connaissance, bien qu'ils n'aient pas su s'en servir. Auparavant Origène affirmait que seul celui qui a le νοῦς du Christ peut comprendre le sens spirituel. Toujours le même balancement dans l'évaluation de l'Ancien Testament que nous avons plusieurs fois relevé (*PArch.* II, 7, 2 ; III, 3, 1 ; IV, 1, 6) : il est justifié par le souci de ne pas trop dévaluer l'Ancien Testament devant les attaques des gnostiques. Origène admet une révélation partielle du Christ dans l'Ancien Testament : *ComJn* VI, 3 (2), 15-16. Voir H. Koch, p. 52-62 ; G. Aeby, p. 164.

27-27a. Au contraire les gnostiques prétendent en avoir, avec les nombreux apocryphes qu'ils avaient écrits pour donner l'autorité des apôtres à leurs doctrines et traditions secrètes. Rufin fait un contresens. Cet emploi de γνῶσις pourrait se traduire par *gnose* au sens du gnosticisme, alors que dans les lignes précédentes il s'agissait de la connaissance religieuse orthodoxe.

28. Même exégèse de *Prov.* 22, 20-21 pour appuyer la doctrine du triple sens dans *HomNombr.* IX, 7. Dans *HomGen.* II, 6, elle est corroborée par *Gen.* VI, 15. De même *HomLév.* V, 1 et *SelLév.* dans *PG* 12, 421 ou *Philoc.* I, 30 ; *SérMatth.* 27. Sur ses antécédents quant au rapport du corps humain avec l'Écriture : Philon, *Migr.* 93 ; *Contempl.* 78 ; Clément, *Strom.* VI, 15, 132. L'interprétation spirituelle des Écritures est considérée comme la connaissance parfaite : Ps.-Barnabé 6 et 9 ; Clément, *Strom.* II, 12, 54 ; III, 12, 83 ; VI, 15, 131 ; etc.

29. La citation ne rend pas complètement le texte des

Septante pour *Prov.* 22, 20-21 : ἐν βουλῇ καὶ γνώσει au lieu de « εἰς βουλὴν καὶ γνῶσιν » et elle supprime ensuite « ἐπὶ τὸ πλάτος τῆς ψυχῆς σου. Διδάσκω οὖν σε ἀληθῆ λόγον καὶ γνῶσιν ἀγαθὴν ὑπακούειν » avant « τοῦ ἀποκρίνασθαι ». Et le grec ne rend pas bien l'hébreu.

30. Clément, *Strom.* VI, 15, 132 : les λέξεις et les ὀνόματα sont comme le σῶμα τῶν γραφῶν.

31. Note marginale du *Codex Venetus Marcianus* 47 de *Philoc.* : « Il appelle âme de l'Écriture l'ἀναγωγή morale, que certains appellent aussi tropologie. Il parle de même ainsi dans le premier livre des *Commentaires sur la Genèse* : ' Et selon une double ἀναγωγή, la première d'une part, la plus proche, qui indique la conduite actuelle de l'âme '. Et de nouveau un peu plus loin : ' Nous pensons d'autre part que les événements exposés entre la mort d'Adam et la mort de Joseph signifient d'une part, selon l'ἀναγωγή proche, les diversités des mœurs et des conduites de l'âme, comme Philon les a distinguées plus exactement » : P. Koetschau, *Beiträge...* (voir note 25 de IV, 1), p. 13. Le mot ἀναγωγή, étymologiquement « action de mener en haut », désigne pour Origène toute sorte d'exégèse spirituelle qui nous mène au-dessus de la lettre. Dans son acception courante chez Origène, il est tout à fait équivalent, bien que les images étymologiques soient diverses, de ἀλληγορία, « le fait de dire autre chose », et de ὑπόνοια, « le fait de deviner un sens sous la lettre ». Ce n'est que plus tard que l'« anagogie » sera spécialisée dans la signification des mystères eschatologiques, comme l'« allégorie » dans l'affirmation du Christ comme clef de l'Ancien Testament selon la doctrine du quadruple sens. L'annotateur parle ici, en reprenant le vocabulaire d'Origène, d'« anagogie morale », qu'il entend au sens de « tropologie », selon le terme technique de la doctrine du quadruple sens. Sur les quatre sens de l'Écriture, voir *infra* note 34.

32. Cette expression de *Rom.* 7, 14 est souvent entendue par Origène du sens spirituel caché sous la lettre de l'Ancien Testament : *ComJn* VI, 44 (26), 227 ; *HomGen.* XII, 5 ; *HomNombr.* I, 1 ; *HomJos.* IX, 8 ; XVIII, 2. Origène suit davantage le sens paulinien dans *ComRom.* VI, 9 ; *Fragm-Rom.* 41 (*JTS* 14, p. 15).

33. *Hébr.* 10, 1 : voir note 46 de *PArch.* III, 6 : l'Ancien Testament est ombre, l'Évangile temporel image, l'Évangile éternel réalité. D'après *HomLév.* V, 1, le corps de l'Écriture est pour ceux qui nous ont précédés, c'est-à-dire l'Ancien Testament ; l'âme, interprétation morale, pour nous qui sommes des progressants ; l'esprit pour ceux qui hériteront de la vie éternelle dans le siècle futur. Mais ce texte montre implicitement que le sens spirituel est aussi un peu pour ceux qui progressent ici-bas vers la perfection : sans cela Origène n'essaierait pas si souvent de le suggérer. De même *HomJos.* VI, 1. Sur la distinction débutants/progressants/parfaits chez Philon : *Mut.* 19 ; *Agric.* 157 ; *Leg.* III, 249. On la trouve encore chez Origène : *HomLév.* I, 4 ; *ComMatth.* XII, 20. Dans *HomJos.* IX, 9, il y a quatre catégories. Il ne faut pas surévaluer l'importance de ces classifications, ni oublier que la distinction fondamentale entre simples et parfaits (*PArch.* IV, 1, 7 ; *ComJn* VI, 51 (32), 264-265 ; XIII, 37, 239-246 ; XIX, 9 (2), 55-56 ; *ComMatth.* XII, 32) est relative et que la véritable perfection n'existera que dans la vie future. Aucun homme ici-bas ne peut être parfait et ce concept n'a de valeur que relative (*ComRom.* X, 10). Autant que les simples croyants, les parfaits d'ici-bas peuvent être comparés, par rapport aux bienheureux, à des petits enfants ou même à des animaux, et cela est aussi vrai quand il s'agit, dans leur vie terrestre, de ceux qui sont considérés comme les sommets de la grandeur humaine, Moïse, Jean-Baptiste, Pierre ou Paul (*HomIs.* VII, 1 ; *HomJér.* I, 8 ; *HomEx.* III, 1 ; *ComMatth.* XV, 7 ; XVI, 16). Le progrès dans la connaissance par l'approfondissement de l'Écriture contient bien des niveaux : *PArch.* IV, 4, 10 ; *ComMatth.* XII, 15 ; *HomÉz.* XIV, 2 ; *ComJn* VI, 43 (26), 222-226.

34. Il semble que cette doctrine du triple sens ne corresponde pas tellement à la pratique d'Origène et soit plus théorique que réelle : H. DE LUBAC (*Histoire et Esprit*, *passim; Exégèse Médiévale*, I/1, p. 198-219) voit dans Origène l'initiateur de la doctrine du quadruple sens, formulée pour la première fois par JEAN CASSIEN, *Collationes* XIV, 8, et qui aura au Moyen Age un grand succès, dont témoigne le fameux distique d'Augustin de Dacie : les sens littéral, allégorique, tropologique et anagogique.

35. Voir *PArch.* I, 3, 3 et la note 12 de *PArch.* I, préf. Ce livre est cité comme inspiré par Irénée qui considère comme γραφή le *Précepte* I (26, 1), et fréquemment par Clément. Quels sont ces « certains » qui méprisent le *Pasteur* ? Origène a-t-il en vue Tertullien devenu montaniste dans *De Pudicitia* X, 12, livre qui devait avoir été écrit assez récemment lorsque le *PArch.* fut composé ? Mais Origène ignore le latin et nous n'avons aucun indice qu'il ait connu Tertullien.

36. S'agit-il dans le *Pasteur* de Clément de Rome ? Cela supposerait qu'au moins le début du livre, les quatre visions, soit du temps de Clément, comme le pense Stan. GIET, *Hermas et les Pasteurs*, Paris 1963, p. 294 ; ou qu'il soit antidaté, procédé fréquent des apocalypses.

37. Sont donc traitées de veuves des femmes dont l'époux n'est pas mort, mais qui en sont séparées, sans s'être remariées. Pareillement dans *De Patientia* XII, 5 et *De Pudicitia* XVI, 17, Tertullien appelle *uiduitas*, veuvage, l'état d'un conjoint séparé et non remarié. L'époux inique est évidemment le diable, époux adultère de l'âme qui a abandonné son seul époux légitime, le Christ. Sur le péché comme adultère spirituel, représentation qui est comme l'envers de la signification individuelle du mariage mystique, où l'Épouse est l'âme et non seulement l'Église, voir H. Crouzel, *Virginité*, p. 39-44.

38. Il y a là un jeu de mots sur le double sens de πρεσβύτεροι, presbytres ou anciens de l'Église, et vieillards. La plupart du temps, Origène se limite à une double interprétation, littérale et allégorique. Et le rapport précis entre exégèse morale (= âme) et exégèse spirituelle ou mystique n'est pas toujours clair. Certains modernes, essayant de mettre de l'ordre dans l'exégèse origénienne, risquent d'augmenter la confusion, notamment par la distinction, qui a eu de nos jours un certain succès, mais qui est complètement ignorée des anciens et des médiévaux, d'une exégèse dite « typologique », à dimension horizontale — l'incarnation aboutissement de l'Ancien Testament et prophétie de la béatitude eschatologique — et d'une exégèse dite « allégorique », à dimension verticale — elle suppose l'existence d'un monde supérieur par-dessus le monde actuel —. On peut voir la critique de cette distinction, quant à son existence historique et au jugement de valeur qu'elle porte — la « typologique » est chrétienne, l'« allégorique » est étrangère au christianisme —, dans H. de Lubac, « Typologie et allégorisme », *Recherches de Science Religieuse* 34, 1947, p. 180-226, et H. Crouzel, « La distinction de la ' typologie ' et de l'' allégorie ' », *Bulletin de Littérature Ecclésiastique* 65, 1964, p. 161-174. La plus fondamentale est la distinction d'un sens littéral, nourriture des commençants, et d'un sens spirituel qui peut prendre la forme allégorique au sens médiéval — affirmation du Christ comme centre de l'histoire, ce que, pour augmenter la confusion, certains modernes nomment « typologique » et opposent à « allégorique » autrement conçu —, la forme morale ou tropologique, la forme anagogique, c'est-à-dire eschatologique. C'est ainsi qu'Origène est l'auteur, par sa pratique et non par sa théorie, de la doctrine du quadruple sens. Sur ces questions : J. Danié-

LOU (partisan de la distinction typologie/allégorie), *Origène*, p. 145-198 ; *Message*, p. 249-264 ; H. DE LUBAC, *Histoire et Esprit*, p. 139-194 ; *Exégèse Médiévale* (voir note 34) ; R. GÖGLER, *Zur Theologie* (voir note 18), p. 299 s.

39. Le sens corporel ou littéral d'Origène n'a pas la même signification que le sens littéral des modernes. Pour les modernes il s'agit du sens qu'avait en vue l'auteur sacré : quand l'Écriture parle un langage figuré ou parabolique, le sens littéral est ce que veut exprimer la figure ou la parabole. Dans ce cas le sens littéral des modernes correspond au sens spirituel d'Origène. En effet, pour lui, le sens corporel ou littéral est constitué par la matérialité brute des mots. C'est pourquoi, si on la comprend bien, l'affirmation que l'Écriture n'a pas parfois de sens littéral ne mérite pas les scandales qu'elle a suscités : dans sa mentalité une figure qui manque de cohérence sur le plan corporel n'a pas de sens littéral, et cela n'est pas sans exemples dans la version des Septante. Nous avons examiné dans les *Homélies sur l'Hexateuque et les Juges* chacun des cas où Origène affirme l'inexistence du sens littéral : cela porte sur des détails de peu d'importance, souvent des incohérences de la Septante — qui reste pour tous les Pères jusqu'à Jérôme le texte inspiré et canonique — ou de passages qu'Origène comprend mal, car il n'en a pas saisi le contexte sur le plan littéral, littéraire, historique ou psychologique. Souvent aussi, sans contester l'historicité du récit, il considère le sens littéral comme insignifiant, parce qu'il ne peut servir à l'édification des fidèles : H. CROUZEL, « Pourquoi Origène refuse-t-il parfois le sens littéral dans les *Homélies sur l'Hexateuque* ? », *Bulletin de Littérature Ecclésiastique* 70, 1969, p. 241-263. Origène, en fait, croit beaucoup plus que n'importe quel exégète contemporain à l'historicité des récits bibliques. Qui aujourd'hui défendrait comme il le fait, en faisant appel à des procédés d'arpenteurs égyptiens, l'historicité de l'Arche de Noé, contre les objections du marcionite Apelle, déclarant que ces dimensions ne permettaient pas d'y loger une telle quantité d'animaux? Voir *CCels.* IV, 41 ; *Hom-Gen.* II, 2 avec fragment grec. Pareillement PHILON, *Abr.* 119 ; CLÉMENT, *Péd.* I, 6, 47.

40. *HomGen.* II, 6 : les deux ou trois étages de l'Arche de Noé figurent l'absence ou la présence du sens littéral.

41. αἰνίσσομαι : terme employé fréquemment pour indiquer une exégèse allégorique : *ComJn* II, 5 (4), 46 ; VI, 30 (15), 157 ; X, 28 (18), 173 ; *ComMatth.* XI, 2.

42. C'est-à-dire les chrétiens selon l'opposition que fait Paul en *Rom.* 2, 28-29, du Juif « à découvert » et du Juif « dans le secret » : *PArch.* IV, 3, 6 ; *ComJn* I, 1, 1 ; I, 35 (40), 259 ; XIII, 17, 103 ; *FragmJn* 8 et 114 (*GCS* IV) ; *HomJér.* XII, 13 ; *ComRom.* VI, 5 et *FragmRom.* (Scherer, p. 206 s.).

43. Cette expression « qui peut édifier » montre que le sens littéral est considéré comme inexistant ou insignifiant, non seulement parce qu'il serait inconséquent ou inacceptable historiquement, mais parce qu'on ne pourrait tirer de lui aucune leçon valable ou qu'il serait scandaleux. Le souci pastoral est un des éléments essentiels qui guide l'exégèse d'Origène : voir H. CROUZEL, article cité dans la note 38. Dans beaucoup de cas l'absence de sens littéral ne signifie pas que le passage n'ait pas été vrai historiquement, mais qu'il n'est pas édifiant dans sa lettre : or l'Écriture nous est donnée pour nous instruire.

44. Arithmétique symbolique d'inspiration pythagoricienne. Par les six jours de la création est figuré le monde pécheur : CLÉMENT, *Strom.* VI, 16, 139 ; ORIGÈNE, *ComMatth.* XIV, 5 ; *HomJos.* X, 3 ; *HomJug.* IV, 2. De même chez les gnostiques, le six est le chiffre du monde matériel : Héracléon d'après Origène, *ComJn* X, 38 (22), 261 ; XIII,

11, 71-72. Mais il a aussi chez eux une valeur positive : selon IRÉNÉE, *Adv. Haer.* I, 14, 4, il est pour Marcos le Mage le nombre des lettres du nom Ἰησοῦς. PHILON, *Opif.* 13 et *Leg.* I, 3 (cf. I, 15) développe les raisons de la perfection du chiffre 6 : parce qu'il est égal à la somme de ses facteurs (1+2+3 = 6), parce qu'il est le produit du nombre mâle 3 multiplié par le nombre femelle 2.

45. *SérMatth.* 9 ; *CCels.* III, 37 ; IV, 9 ; V, 16. Habituellement Origène est plutôt négatif quant à cette manière de comprendre : *SérMatth.* 66 ; *Fragm. I Cor.* I (*JTS* IX, p. 232).

45a. « *nec multa... patet* » (205-206) : ajout de Rufin, transition.

46. De même *CCels.* IV, 49. *Deut.* 25, 4 : « Tu ne musèleras pas le bœuf quand il foule le grain » était déjà allégorisé par les Juifs. Voir I. HEINEMANN, *Altjüdische Allegoristik : In Bericht des jüdisch-theologischen Seminars* (Fraenkelsche Stiftung) für das Jahr 1935, Breslau 1936, p. 40 : « Ce commandement est mis en rapport avec le précepte du lévirat qui suit, entendu comme un avertissement de ne pas faire pression sur la veuve d'une manière inadmissible. » L'interprétation paulinienne de *I Cor.* 9, 9 est d'ordre moral, rapportée à l'« âme » de l'Écriture.

47. Au sujet de l'interprétation spirituelle, Origène revient à sa terminologie préférée : *PArch.* I, 1, 4.

48. En *HomEx.* XI, 2, dans une splendide exégèse à deux degrés, Moïse frappant le rocher qui est le Christ pour en faire couler de l'eau (*I Cor.* 10, 4) est rapproché du centurion perçant le côté du Christ en croix d'où coulent le sang et l'eau (*Jn* 19, 34), les fontaines du Nouveau Testament.

49. *PArch.* IV, 2, 2 et note correspondante 15.

50. Pour Origène, τύπος est le symbole (notes 16 et 18), mais dans ce texte d'*Ex.* 25, 40 (*Hébr.* 8, 5) il a le sens opposé, celui de modèle, qui ne se trouve pas chez Origène : il désigne en effet, suivant l'interprétation allégorique, le Tabernacle céleste à la ressemblance duquel est construit celui de Moïse. Il est donc du côté du mystère, non de celui de l'image. Mais dans *HomEx.* IX, 2, Origène (et Rufin) fait allusion à ce même texte en faisant revenir *figura* = τύπος au sens origénien habituel : « *aeterni Tabernaculi... cuius figura per Moysen adumbratur in terris* — le Tabernacle éternel dont Moïse a esquissé la figure sur la terre ».

51. Sur l'allégorie, les autres termes désignant la même réalité chez Origène, son sens médiéval et celui de certains modernes, voir notes 31 et 38.

52. Même citation dans le même contexte : *HomNombr.* XI, 1. Dans *HomGen.* VI, 2 et XI, 2, Sara et Cettura ont l'interprétation courante de Sara et d'Agar chez PHILON, Sara étant la Vertu-Sagesse, Agar la culture propédeutique, dialectique et rhétorique : *Congr.* ; *Leg.* III, 244 ; *Cher.* 3 et 6 ; *Abr.* 206.

53. Interprétation subtile dans un sens antignostique, tendant à sauvegarder la valeur de l'ancienne loi comme symbole de la nouvelle : les Juifs veulent vivre sous la loi, mais ils ne peuvent le faire, car vivre sous la loi c'est en pénétrer le sens spirituel.

54-54a. L'expression ἐν μέρει ἑορτῆς est entendue par Origène, dans *CCels.* VIII, 23 ; *HomNombr.* XXIII, 11 et XXVII, 8, dans le même sens que la connaissance et la prophétie ἐκ μέρους de *I Cor.* 13, 9-10 : le caractère partiel, « à travers un miroir, en énigme » caractérise l'Évangile temporel par opposition au caractère parfait, « face à face », de l'Évangile éternel (voir H. CROUZEL, *Connaissance*, p. 345-351). Les fêtes d'ici-bas sont ἐν μέρει, seules les fêtes de l'au-delà sont parfaites. Origène lit *Col.* 2, 16 s.

dans ce sens pour signifier le caractère partiel et symbolique des fêtes juives. Mais ce n'est pas facile à rendre dans la traduction. Rufin escamote le ἐν μέρει quand il traduit la citation. Exégèse semblable de ἐν τούτῳ τῷ μέρει de *II Cor.* 3, 10 dans *ComMatth.* X, 9.

55. Sur l'*Épître aux Hébreux*, voir note 3 de *PArch.* I, préf.

56. Pointe vraisemblable contre les marcionites, qui ont Paul en particulière vénération : ainsi TERTULLIEN disant à Marcion, en *Adv. Marc.* IV, 34, 5, « ton apôtre ». Or, malgré ce que dit leur apôtre, ils voient dans l'Ancien Testament l'œuvre du Dieu qui n'est pas bon, le Créateur.

57. La question posée est importante pour la doctrine origénienne de l'exégèse allégorique : cette interprétation de la loi était fondée sur une tradition déjà assurée chez les chrétiens depuis le Ps.-Barnabé et appuyée sur des témoignages néotestamentaires, surtout de Paul et de *Hébr.*, mais aussi des autres auteurs. Ajoutons ici cette remarque élémentaire : ce n'est pas parce qu'Origène allégorise un fait qu'il ne croit pas à son historicité, de même que Paul en *Gal.* 4, 21-31 ou *I Cor.* 10, 1-11.

58. Sur ce σκοπός de l'Esprit Saint pour Origène et la reprise de cette notion par Athanase, voir H. J. SIEBEN, « Herméneutique de l'exégèse dogmatique d'Athanase », dans Ch. KANNENGIESSER, *Politique et Théologie chez Athanase d'Alexandrie*, Paris 1974, p. 205-214.

59. Sur la coopération intertrinitaire dans l'interprétation de l'Écriture : *PArch.* IV, 2, 2 et note correspondante 10.

60. L'interprétation de *Jn* 1, 1 par Origène dans *ComJn* I, 19 (22), 109-118 est la suivante : le « principe » est la Sagesse, l'*épinoia* principale et initiale du Fils, d'une antériorité de raison ; le Logos, Parole-Raison, est une *épinoia* seconde, donc contenue en elle.

60a. Ici une petite lacune détectée d'après le sens : elle est suppléée par Koetschau, voir apparat critique.

60b. « *Quae illi mysteria... exposita* » (276-280) : ce passage qui manque dans *Philoc.* peut difficilement passer pour une interpolation rufinienne, vu son caractère bien origénien et le lien satisfaisant avec le contexte. L'allusion à *Matth.* 7, 6 est constante chez Origène pour signifier qu'il ne faut livrer à quelqu'un que ce qu'il est capable de comprendre ; autrement la révélation lui fera du mal et ses contresens calomnieront la Parole : *PArch.* III, 1, 17 ; *HomJos.* XXI, 2 ; *HomÉz.* I, 11 ; XII, 1 ; *ComCant.* III (*GCS* VIII, p. 218) ; *HomGen.* X, 1 ; *HomEx.* XIII, 1 ; *HomLév.* VI, 6 ; XII, 7 ; etc. Le passage qui suit : « *sed qui... fieret* » (281-286) est plus développé que le grec : « ἵν' ὁ δυνάμενος ... δογμάτων » (224-227).

61. L'homme est essentiellement âme déchue, la fonction du corps est instrumentale : *PArch.* II, 6, 4 ; *CCels.* VII, 38 ; *HomJug.* VI, 5. Le but essentiel de la révélation contenue dans l'Écriture est de faire revenir l'homme à la béatitude, état initial et final. Mais l'homme ne peut progresser vers elle sans accroître sa connaissance de Dieu, et c'est l'Écriture qui la procure.

62. Le sens (νοῦς) des paroles, la signification la plus profonde cachée dans la lettre : *PArch.* IV, 2, 9 ; *ComJn* I, 31 (34), 224.

63. Ce sont les doctrines qui constituent l'approfondissement de la foi commune, celle de la règle de foi (*PArch.* I, préf. 3). Énumération de doctrines semblables : *HomJér.* V, 13 ; *SérMatth.* 33.

64-64a. Les raisons de l'Incarnation : Celse dans *CCels.* IV, 2 ; Irénée, *Adv. Haer.* I, 10, 3 ; II, 14, 7. Rufin traduit ce passage avec des réminiscences de *Jn* 1, 14 et *Phil.* 2, 7, peut-être par prudence, pour éviter des expressions qui, dans le contexte de son temps, pourraient être interprétées dans un sens apollinariste.

64b. « *ut diximus... protulerunt* » (292-293) conclusion ajoutée par Rufin.

65-65a. συγγενῶν : Rufin ne rend pas ce mot. La distinction parmi les êtres raisonnables des plus divins et de ceux qui sont tombés de la béatitude semble montrer encore que les premiers n'ont pas participé à la chute, bien que la plupart des connaisseurs d'Origène pensent que seule l'âme du Christ en fut indemne : *PArch.* I, 5, 5 et note correspondante 31 ; I, 6, 2 ; II, 9, 2 et 6 et notes correspondantes.

65b. « *ex diuinis... fuit* » (300-301), conclusion de Rufin.

66. Origène explique maintenant pourquoi ces vérités sont cachées sous le voile de la lettre : il s'agit de vérités qui ne doivent pas être livrées à ceux qui ne sont pas capables de les porter. Il y a donc entre le chrétien et l'Écriture un rapport qui n'est pas statique ni univoque, comme celui d'un contenu donné indistinctement et impersonnellement à tous, mais personnel et dynamique : le texte révèle de plus profonds mystères d'après le niveau de connaissance plus approfondie du chrétien qui s'y applique.

66a. *figmentum* (311) correspond à πλάσμα. Origène distingue souvent, à la suite de Philon, à propos des deux créations de *Gen.* 1-2, la ποίησις de l'homme spirituel de la πλάσις de l'homme corporel : voir H. CROUZEL, *Image*, p. 148-153. Mais cette distinction n'est pas ici dans *Philoc.* et Rufin doit l'employer sans autre raison que de redondance, dans ses redoublements habituels.

67. A la fin de *PArch.* IV, 2, 6, Origène a posé la question de savoir s'il faut allégoriser aussi les livres historiques en dehors du Pentateuque. Les premiers chapitres de la

Genèse étaient depuis longtemps l'objet d'interprétations allégoriques, parmi les orthodoxes et les hérétiques, et même parfois les païens (ainsi pour les écrits hermétiques) : l'affirmation d'Origène sur leur contenu caché était admise. Il n'en était pas tout à fait de même des écrits historiques, et c'est pourquoi Origène insiste à leur sujet, les mettant sur le même plan que la *Genèse.*

68. L'interprétation allégorique des livres historiques n'était pas trop difficile à accepter pour des esprits formés par l'allégorie hellénique : autre chose était d'interpréter spirituellement le corpus juridique de la loi mosaïque avec ses observances morales et rituelles.

69. Le sens littéral et le sens spirituel d'un texte sont liés l'un à l'autre de telle sorte que les détails de l'un se retrouvent dans l'autre : *ComJn* X, 18 (13), 103-111. Voir en *ComJn* 14 (8), 100-101, le reproche d'interprétation forcée qu'Origène fait à Héracléon et le commentaire de M. Simonetti, « Eracleone e Origene », *Vetera Christianorum* 3, 1966, p. 13 s.

70. La Sagesse de Dieu est le Fils inspirant les hagiographes par le moyen de l'Esprit Saint ; c'est pourquoi ils sont des sages : *CCels.* III, 45 ; VI, 7 ; VI, 49 ; VII, 50 ; *ComJn* X, 13 (11), 67.

71. ἔνδυμα : sur cette image et d'autres de même genre désignant le sens littéral : *PArch.* III, 5, 1 (voile) et note correspondante ; *ComMatth.* XII, 38 ; *HomNombr.* XXVI, 3. Sur la valeur de la lettre du texte sacré : *SérMatth.* 50 ; *CCels.* IV, 47 ; *HomNombr.* XX, 1 ; XXII, 2 ; *HomLév.* III, 2 ; *HomJug.* V, 2 ; *HomPs.* 36, III, 6.

72. Voilà un des critères de la doctrine exégétique d'Origène : si des expressions du texte sacré présentent quelque chose d'invraisemblable ou d'incompatible avec la dignité divine, elles sont insérées là par l'Esprit Saint dans le but d'attirer l'attention du lecteur et de le pousser à rechercher le sens spirituel sous-jacent sous la lettre. L'origine de ce principe est hellénistique et était appliqué à l'exégèse allégorique des mythes païens, où la divinité était représentée de façon inconvenante : J. PÉPIN, « A propos de l'histoire de l'exégèse allégorique : l'absurdité, signe de l'allégorie », *Studia Patristica* I, *Texte und Untersuchungen* 63, 1957, p. 395-413. De là il était passé chez PHILON qui l'avait appliqué à l'Ancien Testament : *Deter.* 13 ; H. WOLFSON, *Philo*, Cambridge Mass., 1948, I, p. 123 s. Peut-être sous l'influence de l'exégèse rabbinique attentive à la moindre nuance du texte, ce critère dès avant Origène était appliqué avec un examen beaucoup trop minutieux du sens littéral compris de la façon la plus rigide : ainsi Héracléon d'après *ComJn* XIII, 11, 67 ; CLÉMENT, *Péd.* I, 6, 47 ; *Strom.* VII, 16, 96. Origène a accueilli ce critère sous cette forme aiguë jusqu'à réduire parfois le sens littéral à l'absurde, en l'interprétant trop littéralement pour pouvoir l'allégoriser : exemples dans H. DE LUBAC, *Histoire et Esprit*, p. 99-101 ; H. CROUZEL, article cité note 38. Augustin parle comme Origène sur ce point : *Enarr. in Ps. 103*, I, 18 : « *Quare quaedam in rebus uisibilibus quasi absurda miscet Spiritus sanctus, nisi ut ex eo quod non possumus accipere ad litteram, cogat nos ista spiritaliter quaerere*? — Pourquoi l'Esprit Saint a-t-il mêlé comme des absurdités dans les choses visibles, si ce n'est afin de nous forcer à les rechercher spirituellement, puisque nous ne pouvons les comprendre selon la lettre ? » Sur ce texte d'Augustin, voir l'article de J. Pépin cité dans cette note. Sur le principe que le sens doit être digne de Dieu : *HomJér.* XII, 1, « ὀφείλει ἄξιον εἶναι τοῦ θεοῦ — il doit être digne de Dieu ». Pareillement *HomNombr.* XXVI, 3 : « *conueniens uidetur haec secundum dignitatem, immo potius secundum maiestatem loquentis intellegi* — il faut les comprendre selon la dignité, bien mieux selon la majesté de celui qui parle ».

73-73a. Alors qu'Origène mentionne dans cette phrase d'abord la législation, puis l'histoire, Rufin voit dans l'histoire le sens littéral de la législation et réfère à la loi seule ce qu'Origène disait de l'une et de l'autre.

74-74a. A « ἵνα μὴ πάντη ... μάθωμεν » (269-272) correspond chez Rufin une libre périphrase : « *ut interruptio... pandat* » (337-343).

74b. « *per angusti callis ingressum* » (341-342), réminiscence de VIRGILE, *Énéide* 4, 404 s. : « *It nigrum campis agmen, praedamque per herbas || Conuectant calle angusto.* »

75. Deux critères sont énoncés pour passer du sens littéral au spirituel : se fonder sur l'analogie qui unit les deux sens ; s'il n'y en a pas, relever ce qu'il y a d'inacceptable dans le sens littéral pour passer au spirituel.

76. Pareillement *ComJn* X, 5 (4), 18-20 : quand les évangélistes ne pouvaient pas « dire la vérité à la fois spirituellement et corporellement », ils ont préféré « le spirituel au corporel en sauvegardant la vérité spirituelle dans ce qu'on pourrait appeler un mensonge corporel ». Voir H. DE LUBAC, *Histoire et Esprit*, p. 200. Sous ce langage, qui peut nous paraître très maladroit, se cache une conception de l'histoire biblique qui n'est pas éloignée de celle des exégètes contemporains : folklore populaire, récits à intention théologique, stylisation, etc. On peut prendre pour exemple la remarque que fait Origène à propos de la tentation de Jésus : *PArch.* IV, 3, 1 ; *HomLc* XXX, 2 ; *FragmLc* 97 (*GCS* IX²) ; *FragmMatth.* 66 (*GCS* XII/1) : « Il est déraisonnable d'entendre de façon sensible la montagne, l'ascension et les royaumes » (*Fragm Matth.* 66) ; en effet « comment pouvait-il réunir les lieux situés aux extrémités du monde en un seul lieu pour les montrer corporellement ? » (*FragmLc* 97).

77. On peut rapprocher de cela le valentinien PTOLÉMÉE,

Lettre à Flora 4-5, mais avec des conclusions bien différentes.

78. Des exemples sont donnés dans les paragraphes qui suivent.

79-79a. εὔλογον qui s'oppose à ἄλογον de *PArch.* IV, 3, 3. De même *HomJér.* XII, 1. Rufin allonge, mais ne traduit pas « οὐδὲ τὴν νομοθεσίαν ... ἐμφαίνοντα » (297-298).

Peri Archon IV, 3

1a. Introduction ajoutée par Rufin (G. Bardy, p. 44).

2. A propos de ce passage d'Origène et du scandale assez étonnant qu'il a causé, même à l'époque moderne où cependant les exégètes considèrent les premiers chapitres de la *Genèse* comme une parabole et non comme une histoire, voir H. de Lubac, *Exégèse Médiévale* I/2, p. 388-395. « Τίς γοῦν ... ἀστέρων » (1-3), passage conservé par Justinien (Mansi IX, 533) avec la variante ὁρίσεται pour οἰήσεται : il est introduit par « ἐκ τοῦ αὐτοῦ λόγου — du même tome », c'est-à-dire du quatrième. Justinien reproche à Origène de ne pas interpréter de façon rigidement littérale les premiers chapitres de la *Genèse* et leurs anthropomorphismes : cela manifeste bien l'étroitesse des préjugés qui ont été trop souvent à la base des querelles origénistes. A l'époque d'Origène, le littéralisme naïf des « plus simples » favorisait la critique gnostique et marcionite tendant à séparer le Dieu de l'Ancien Testament de celui du Nouveau. La raison de l'interprétation origénienne de ces passages est fondée, même si l'interprétation elle-même est parfois trop personnelle. Contre l'exégèse littérale et pour l'exégèse allégorique du début de la *Genèse*, voir *PArch.* III, 5, 1 ; *CCels.* IV, 40 ; VI, 60 s. ; VII, 50 ; *PEuch.* XXIII, 3 s. Voir chez Philon : *Leg.* I, 1 s. Ainsi : « Il est tout à fait sot de croire que le monde est né en six jours, ou en général dans le temps » (2) ; « Puisse en effet la pensée humaine ne pas être envahie d'une si grande impureté pour croire que Dieu travaille la terre et plante des jardins » (43, trad. Mondésert).

3. Par opposition à des « dents spirituelles », c'est-à-dire à la réalité spirituelle figurée par les dents : voir *FragmPs. 1* dans MÉTHODE, *De Resur.* I, 24 ou ÉPIPHANE, *Panarion*, 64, 16.

4-4a. Origène semble confondre l'arbre de la connaissance du bien et du mal avec l'arbre de vie ; mais Rufin rectifie.

5. La signification de la « face de Dieu » était surtout posée à Origène par *Matth.* 18, 10 : *PArch.* I, 8, 1 ; II, 10, 7 et note correspondante 39. De même PHILON, *Poster.* 1 s.

6. En marge du *Codex Venetus Marcianus* 47 de *Philoc.* à propos de πρόσωπον, face, il est écrit : « ἀφ' οὗ κρυβῆναι οὐκ ἔνι — dont il n'est pas possible de se cacher » : P. KOETSCHAU, *Beiträge...* (voir *PArch.* IV, 1 note 25), p. 12.

7. εἶδος = *species* = espèce. Origène sait distinguer les divers genres littéraires dans lesquels s'expriment les hagiographes, avec leurs caractères spécifiques : *ComCant.* prol. (*GCS* VIII, p. 77) ; *CCels.* IV, 39 ; V, 29 ; V, 31. Le lieu scripturaire essentiel est *Prov.* 1, 6 ; *FragmProv.* 1, 6 (*PG* 13, 20 C s.). Le *ComMatth.* contient nombre de remarques sur la parabole, la similitude, etc. : X, 2 ; X, 4 ; X, 15 ; etc. Sur l'application de tout cela à l'Évangile : H. DE LUBAC, *Histoire et Esprit*, p. 195-245.

8. Toujours au sujet des Évangiles : *ComJn* X, 5 (4), 18-20.

9. La critique d'Origène à l'observance littérale des préceptes légaux de l'Ancien Testament, et aussi en *PArch.* IV, 3, 3 de certaines directives évangéliques, est fondée dans l'ensemble sur une compréhension trop rigide du texte : elle s'explique par la différence de signification entre le sens littéral d'Origène et celui des modernes (note 38 de *PArch.* IV, 2). Pour l'Ancien Testament, Origène a pour excuse le fait que les Juifs exagéraient aussi souvent dans le sens d'un littéralisme rigoureux. Et la dureté excessive de certains préceptes pris à la lettre, comme *Gen.* 17, 14 ici cité, semblait incompatible avec la bonté de Dieu dans le climat que créait la critique gnostique et marcionite. *HomLév.* VII, 5 : si on doit prendre les lois de Dieu au sens littéral, les lois de bien d'autres peuples paraîtront supérieures. *HomNombr.* XI, 1 : Origène distingue divers genres littéraires juridiques et discute s'il faut les observer de façon seulement allégorique ou à la fois littérale et allégorique.

9a. L'introduction de Rufin « *Sed et... inueniuntur* » (40-41) est plus courte que celle du grec « Ἐὰν δὲ καὶ ... ἀδύνατον » (34-36). Et Rufin n'a pas traduit ce qui concerne l'interdiction de manger des vautours : « τὸ μὲν ἄλογον ... φθάσαι » (37-39) ; peut-être en percevait-il moins l'illogisme qu'Origène !

10. Le tragélaphe est un animal fabuleux, mi-bouc, mi-cerf. Il en est question parmi les animaux qui peuvent être mangés dans la Septante de *Deut.* 14, 4, selon le *Codex Alexandrinus* et le *Codex Ambrosianus* qui ajoutent après δορκάδα (chevreuil, gazelle ou antilope) καὶ βούβαλον (buffle) καὶ τραγέλαφον. Le mot τραγέλαφος doit désigner là — ce qui explique le texte que nous citons *infra* — une sorte d'antilope ou de gazelle à barbe de bouc. Le griffon est un oiseau fabuleux : le mot est employé dans la Septante de *Lév.* 11, 13 et doit y désigner une sorte de vautour, bien qu'il soit question en 11, 14 du γύψ, le vautour ou milan. Dans le *Codex Venetus Marcianus* 47 de *Philoc.* (XIe siècle) se trouve à cet endroit un scolion qui contredit Origène : « Et nous, nous avons vu un tragélaphe de Thrace venant de la maison du César Bardas : c'est l'animal qu'on appelait *zombros*. Du cerf il avait la face et du bouc la barbe ; sa peau était jaune et sa taille d'un bœuf. Pourquoi le griffon serait-il un sujet (ὑποχείριον) infidèle de l'homme, alors que des dragons (serpents) parvenant à une longueur de trente coudées ont été apprivoisés, ceux qu'acquit la prodigalité des Ptolémées en Égypte. Si cela leur était venu à l'esprit, ils auraient acquis aussi des griffons. Mais, si cela n'est pas fabuleux, on disait qu'Alexandre de Macédoine, ayant attelé des griffons à son char, avait été élevé par leur vol très haut dans l'air. » Bardas gouverna l'empire byzantin pour son neveu Michel III qui le fit assassiner en 866 : ce scolion n'est donc pas l'œuvre du copiste du manuscrit qui est plus tardif ; il lui est antérieur et a été copié par lui à cet endroit. Voir P. Koetschau, *Die Textüberlieferung der Bücher des Origenes gegen Celsus in den Handschriften dieses Werkes und der Philocalia*, *Texte und Untersuchungen* VI/1, Leipzig 1889, p. 120-121 ; répété dans *Beiträge...* (voir *PArch* IV, 1 note 25), p. 15.

10a. « *quem nullus unquam meminit uel audiuit* » (52), ajout de Rufin.

11. Origène tire parti soit du fait que les Juifs gardaient ces prescriptions malgré l'impossibilité de les réaliser, soit du fait que, pour rester fidèles à la lettre, ils en arrivaient parfois à des subtilités trop minutieuses ou à des conclusions si déraisonnables que cela en infirmait la validité. L'Alexandrin en fait ne s'adresse pas seulement aux Juifs, mais aux chrétiens littéralistes (*PArch.* II, 10, note 11) et à ceux qui gardaient des coutumes juives de façon superstitieuse et qu'il tance parfois dans ses homélies : H. Crouzel, *Connaissance*, p. 320-322.

12. Origène rapporte parfois des traditions juives, interprétations, rites, usages, doctrines secrètes : *CCels.* II, 52 ; *ComJn* XIII, 27, 162 ; XIX, 5 (1), 28 ; XIX, 17 (4), 104 ; *ComMatth.* XI, 9 ; *SérMatth.* 17. Voir G. Bardy, « Les traditions juives dans l'œuvre d'Origène », *Revue Biblique*,

34, 1925, p. 217-252 ; J. DANIÉLOU, *Origène*, p. 176-179. Il faut distinguer ces traditions juives des enseignements à caractère judéo-chrétien, comme ceux de l'*Hebraeus magister* de *PArch.* I, 3, 4, dit *Hebraeus doctor* en IV, 3, 14.

13. Pour se faire une idée des subtilités concernant le repos sabbatique, voir J. BONSIRVEN, *Textes rabbiniques*, Rome 1955, p. 764 s. Pour les deux milles coudées : Louis GINZBERG, « Die Haggada bei den Kirchenvätern : Exodus » dans *Livre d'hommage à la mémoire du Dr. Samuel Poznanski*, Varsovie/Leipzig 1927, p. 211.

14. Dosithée est le fondateur d'une secte ascétique en Samarie qui dura plusieurs siècles ; Origène dit cependant dans *CCels.* VI, 11 que le nombre de ses adhérents ne devait pas atteindre trente à son époque. Voir *ComJn* XIII, 27, 162 ; *CCels.* I, 57 ; *SérMatth.* 33 ; Pseudo-CLÉMENT, *Recogn.* II, 8 ; ÉPIPHANE, *Panarion* 13.

14a. « *id est... iaceat* » (70-72), explication de Rufin.

15-15a. « διόπερ ... ὤμων » (65-70) : Rufin, « *ex his... onus* » (73-79) délaie, mais ne traduit pas le premier terme de l'alternative du texte grec : « βάσταγμα ... καὶ τὸ τοιόνδε » (66-67).

16. Dans le même ordre d'idées : *ComMatth.* XV, 2.

16a. Cf. VIRGILE, *Géorgiques* II, 263 : « *Id uenti curant gelidaeque pruinae.* » La phrase « *Sed et illud... debeat* » (84-87) est certainement un ajout de Rufin quant à la réminiscence virgilienne, mais l'est-elle pour le reste ? Le choix de la citation, *Matth.* 10, 10, est dans l'esprit d'Origène, et Koetschau, approuvé par Bardy, p. 44, suppose une lacune dans le grec qui serait : « ἀλλὰ καὶ τὸ μήτε δύο χιτῶνας ἔχειν μήτε ὑποδήματα πῶς δυνατόν ἐστι φυλαχθῆναι ; — mais la défense d'avoir deux tuniques et des chaussures, comment peut-elle être observée ? » Mais pourquoi les Philocalistes auraient-ils supprimé cela ? On ne pourrait penser qu'à une inattention de copiste. Il est possible cependant que ce soit un ajout de Rufin habitant un pays plus froid que l'Alexandrie d'Origène. Selon Eusèbe, *Hist. Eccl.* VI, 3, 10, le jeune Origène avait observé à la lettre ce précepte où il ne voyait donc pas une impossibilité.

17-17a. C'est dire qu'il est gaucher : la précision manque chez Rufin.

18-18a. *ComMatth.* XV, 2. Ce qui est allusion dans le grec est citation chez Rufin. Dans le *Codex Venetus Marcianus* 47 se trouve une note marginale d'un lecteur peu porté à la critique : « Mais nous, ô bon et cher Origène, écoutant notre Dieu et Sauveur qui dit : ' Quiconque regarde de quelque façon une femme pour la désirer a déjà commis un adultère dans son cœur ', et ajoute : ' si ton œil droit te scandalise ', etc., nous comprenons que cela est dit comme des réalités (πράγματα) ». P. Koetschau, *Beiträge...* (voir *PArch.* IV, 1 note 25), p. 12.

18b. « *Aut quis... manus* » (95-97) : Rufin ne traduit pas la référence à *Matth.* 5, 28 : distraction peut-être.

19. Origène développe de même dans *Fragm. I Cor.* 37 (*JTS* IX, p. 506) l'idée que la mention de la circoncision en *I Cor.* 7, 18-20 n'a de signification qu'allégorique au milieu d'un chapitre traitant uniquement du mariage et de la virginité : le circoncis représente le célibataire et l'incirconcis le marié (voir H. Crouzel, *Virginité*, p. 85-87). Ces versets sont en effet une digression. Origène demande en *ComJn* XIII, 17, 102, de ne pas perdre de vue le contexte dans l'interprétation, mais il n'a pas toujours tenu compte de cette règle d'or. Dans le *Fragm. I Cor.* 37, il le fait à contresens. Ici, il n'a pas tort de supposer en *I Cor.* 7, 18-20 une certaine intention allégorique de l'Apôtre, qui ne vise pas littéralement la circoncision, ni l'opération faite pour la recouvrir, mais dit simplement aux chrétiens d'origine juive : Tu es d'origine juive, ne cherche pas à le dissimuler.

20. Pour se soumettre à l'opération à laquelle Paul fait allusion en *I Cor.* 7, 18, μὴ ἐπισπάσθω (l'ἐπισπασμός), il y avait le motif de fuir les vexations et persécutions que la circoncision attirait aux Juifs qui fréquentaient bains et gymnases au temps d'Antiochus Épiphane : *I Macc.* 1, 15 ; JOSÈPHE, *Antiq. Jud.* XII, 5, 1, 241 ; MARTIAL, *Épigrammes* VII, 35 ; VII, 82, nous renseignent sur un temps plus proche d'Origène.

20a. Cet ajout de Rufin correspond à l'incise εἰ δυνατόν (89), mais c'est un contresens, car Origène ne prétend pas nier la possibilité de l'opération : voir les témoignages à la note précédente.

21-21a. « Ταῦτα δὲ ἡμῖν ... νομοθεσία » (92-98) : Rufin développe un peu pour raison de clarté, sans rien ajouter : « *Haec autem... proferunt legem* » (107-116).

22. Origène avait conscience du risque d'une application sans discrimination du principe indiqué : il a toujours en vue les gnostiques, qui se prévalaient de l'allégorie pour manifester la discontinuité entre ce monde inférieur et les réalités du Plérôme. Il défend donc dans la plupart des cas la valeur du sens littéral, impliquant une analogie entre la réalité historique et la réalité spirituelle ; c'est seulement dans des cas bien déterminés que le sens littéral manque de réalité : voir note 38 de *PArch.* IV, 2, 8. Ailleurs, dans un contexte encore plus polémique, il demandera, s'appuyant sur *I Cor.* 4, 6, que l'on ne dépasse pas ce que l'Écriture veut dire : *Fragm. I Cor.* 19 (*JTS* IX, p. 357) ; *ComJn* XIII, 5, 32-33 ; *PArch.* IV, 2, 8 et notes correspondantes. En règle générale, le sens littéral est pour Origène la base du sens spirituel et il faut l'étudier pour cela dans tous ses détails, avec l'aide de toute la science du temps, grammaticale, lexicologique, philosophique, historique, géographique, avant d'en tirer l'allégorie : cela ne veut pas dire qu'on ne puisse pas relever dans l'œuvre d'Origène des infidélités à ce principe, mais il l'observe cependant très largement. L'exégète est comparé à un botaniste qui connaît les vertus de chaque plante pour l'utiliser, à un anatomiste qui sait la nature de chaque membre du corps : *Fragm. HomJér.* XXXIX, 2 (*Philoc.* X, 2). Les pains de la Parole de Dieu sont à couper en petits morceaux, comme l'ont fait les apôtres à la multiplication : il faut examiner et analyser minutieusement la lettre avant de mettre le sens spirituel à la disposition des fidèles : *HomGen.* XII, 5.

22a. « *Ne qui... quam plurima* » (116-150) : le passage est cité aussi dans la version rufinienne de l'*Apologie* de Pamphile (chap. VI) et ainsi introduit : « Il nous reste à répondre à l'accusation calomnieuse qui lui reproche de tourner toute l'Écriture en allégories. A partir des livres mêmes que ses détracteurs accusent le plus, c'est-à-dire du livre IV du *Peri Archon*, nous montrons qu'il ne nie pas que ce qui est rapporté par les Écritures s'est passé aussi selon la lettre. »

23. κατὰ τὸ αἰσθητόν, expression qui désigne souvent le sens littéral : voir le mot αἰσθητός en ce sens dans *CCels.* VI, 70 ; *ComJn* I, 4 (6), 24 ; I, 8 (10), 44. Son correspondant pour le sens spirituel est κατὰ τὸ νοητόν.

24. R. Cadiou, *Jeunesse*, p. 112, pense qu'Origène a visité personnellement ce lieu : son premier séjour en Palestine est en effet antérieur à la rédaction du *PArch.*, quand il dut quitter Alexandrie, livrée vers 215 aux représailles de l'empereur Caracalla qui, pour se venger des moqueries des Alexandrins, avait fait du carnage dans la ville et chassé ses intellectuels ; c'est alors qu'Origène séjourna pour la première fois à Césarée (Eusèbe, *Hist. Eccl.* VI, 19, 15-19). Il y repassa vers 230 en se rendant en Grèce et y fut ordonné prêtre par Théoctiste de Césarée et Alexandre de Jérusalem, ce qui provoqua contre lui une tempête à Alexandrie (*Ibid.* VI, 23, 4). Après le procès que lui fit alors Démétrios, obligé de quitter l'Égypte, il s'y établit définitivement vers 233 (*Ibid.* VI, 26).

25. Origène s'appuie donc sur le fait que le Décalogue est repris par Paul pour en montrer la valeur au sens littéral. Dans une perspective différente, le même jugement favorable est porté par le valentinien PTOLÉMÉE (*Lettre à Flora* 5). Le précepte de l'amour des parents est pour Origène le cinquième (*FragmÉphés.* 31, *JTS* III, p. 568 ; *ComMatth.* XI, 9). En effet il suit littéralement *Ex.* 20, 3-17 et *Deut.* 5, 7-21 et voit le second commandement dans la défense de faire des images, qui conserve toute sa valeur pour lui et pour plusieurs Pères postérieurs : ainsi l'histoire d'Épiphane déchirant une image du Christ dans une église de village en Palestine (*Lettre d'Épiphane à Jean de Jérusalem*, 51, 9, dans la correspondance de Jérôme).

26-26a. De « ἐγὼ δὲ » (119) et de « *Ego autem* » (144) à la fin du paragraphe, *Philoc.* et Rufin diffèrent : le grec omet *Matth.* 5, 28, Rufin *Matth.* 5, 22 et le dernier membre de phrase du grec, à partir de « εἰ καὶ παρὰ » n'a pas de correspondant chez Rufin, qui ajoute seulement « *et alia quam plurima* » (149-150). Or la version rufinienne de l'*Apologie* de Pamphile présente le même texte que celle du *PArch.* On ne peut penser à une omission voulue par Rufin de *Matth.* 5, 22 dans les deux traductions, ni à une insertion arbitraire dans les deux textes de *Matth.* 5, 28. 1) L'absence de *Matth.* 5, 28 dans *Philoc.* peut venir d'une omission involontaire soit des Philocalistes, soit du manuscrit qu'ils utilisaient. 2) Sur l'absence de *Matth.* 5, 22 chez Rufin, on peut formuler trois hypothèses : ou bien les Philocalistes ou d'autres avant eux jugeant, par suite de la chute de *Matth.* 5, 28, qu'une seule citation était insuffisante, ont ajouté *Matth.* 5, 22 sous une forme abrégée ; ou bien Rufin a omis involontairement ce passage dans sa traduction de l'*Apologie* et, comme il a repris sans grand changement dans sa version du *PArch.* ce qu'il avait déjà traduit pour l'*Apologie*, il ne s'est pas aperçu alors de l'omission ; ou bien l'omission de *Matth.* 5, 22 par Rufin ou par un copiste (celui du *Lucullanus*, ancêtre commun de tous les *codices* actuels) peut provenir d'une distraction venant du fait que les deux citations de *Matth.* 5, 22 et de 5, 34 commencent toutes deux par « ἐγὼ δὲ » (BARDY, p. 44-45). 3) L'absence dans les deux versions de Rufin de la petite conclusion du grec remplacée par « *et alia quam plurima* » renforce plutôt la seconde hypothèse du 2). Dans sa traduction de l'*Apologie*, Rufin devait achever ainsi le texte, parce que Pamphile qui n'en donnait qu'un extrait l'achevait de même. Il aurait repris dans sa traduction du *PArch.* sa traduction de l'*Apologie*, sans s'apercevoir qu'il ne traduisait pas ce faisant le dernier membre de phrase du grec.

27. Voir *SérMatth.* 110 sur le serment.

28. Après avoir affirmé la valeur du sens littéral, Origène s'empresse d'expliquer que cela ne dispense pas les plus zélés de passer au sens spirituel.

29. Origène se préoccupe ici de discerner les cas où des expressions scripturaires n'ont pas de sens littéral pour mettre un frein aux procédés désinvoltes de certains gnostiques. Pour comprendre la signification d'expressions peu claires il faut se reporter aux autres endroits où elles se trouvent, suivant le principe traditionnel de la philologie alexandrine d'expliquer Homère par Homère : méthode qui viendrait selon Porphyre du grammairien Aristarque de Samothrace (R. GÖGLER, *Zur Theologie des biblischen Wortes bei Origenes*, p. 44-46). Il faut trouver pareillement le sens spirituel d'un texte en l'examinant dans son ensemble et dans ses buts, sans isoler arbitrairement telle ou telle expression. Expliquer la Bible par la Bible, Origène le fait constamment, affirmant que l'Esprit Saint est le vrai auteur de tout l'ouvrage et ne tenant guère compte de l'auteur humain : là est le point faible de la méthode. Dans *Fragm. Ps. 1* (*PG* 12, 1080 ou *Philoc.* II, 3), Origène rapporte un apologue qu'il tient d'un rabbin. La Bible est une maison aux nombreux appartements ; chaque salle a sa clef, mais ces clefs sont brouillées, dispersées dans toute la maison. La clef d'un passage se trouve donc dans d'autres passages. Ainsi dans *ComCant.* III (*GCS* VIII, p. 206-216), Origène va chercher la signification de *Cant.* 2, 9 : « Mon bien-aimé est semblable à la gazelle et au faon des cerfs » en rassemblant les passages bibliques où il est question de ces animaux.

30-30a. Ici Rufin présente une lacune assez considérable correspondant à « διὰ τοῦτο ... σωματικόν » (131-145). Koetschau dit que Rufin a « fortement abrégé » ; Robinson (p. xxxiii) que la première phrase du passage a sauté et a été remplacée par une platitude ; Butterworth, dans les notes de sa traduction anglaise, que Rufin a supprimé un passage qu'il ne comprenait pas ; quant à Bardy, cette lacune lui a échappé. Avant de rendre Rufin responsable de la lacune, on pourrait se demander s'il n'y a pas une autre explication : les idées de la dernière phrase du paragraphe dans le grec « διόπερ ... φαίνεται » (145-148) sont traduites — Robinson ne l'a pas remarqué — par les deux dernières phrases de Rufin « Propter quod... arbitramur » (155-160) ; Rufin n'a rien ajouté de lui, mais un peu délayé. La lacune se trouve chez lui entre « *...necne* » et « *Propter quod...* » (155). Or les deux premiers mots du texte grec correspondant à la lacune sont διὰ τοῦτο (131) et le premier mot après la lacune διόπερ, qui est traduit par Rufin en *propter quod* (155), ce qui est aussi la traduction normale de διὰ τοῦτο. Rufin a dû traduire intégralement le grec, mais le copiste du *Lucullanus* ou d'un manuscrit antérieur a fait à cet endroit une des fautes les plus classiques des copistes : deux phrases commençant par *Propter quod* à quelques lignes de distance, il a involontairement sauté la première.

30b. *quatenus* = « pour que, afin que », selon E. Benoist et H. Goelzer, qui donnent comme témoins de cet usage : Jurisconsultes, Rufin (ce passage et *ComRom.* V, 1), Macrobe, le Pape Innocent, Cassiodore (très souvent) et des auteurs africains.

31. Ici commencent des interprétations spirituelles données comme exemples des critères exégétiques exposés plus haut : sur la connexion du sens littéral et du sens spirituel, sur les invraisemblances du sens littéral, sur les interprétations d'ensemble correspondant à une symbolique déterminée, constituée par le rapprochement de plusieurs expressions se rapportant à un point particulier. Au premier plan se trouve l'opposition de l'Israël selon l'esprit et de l'Israël selon la chair, d'une Jérusalem céleste et d'une Jérusalem terrestre : de là, l'existence d'un Israël dans le ciel, dont celui de la terre est l'image. La perspective s'élargit en y incluant les passages prophétiques sur les peuples voisins d'Israël entendus de diverses catégories d'âmes, selon les doctrines de la préexistence et des péripéties qui ont suivies la chute. Cette interprétation grandiose est influencée par la mentalité platonicienne d'Origène avec ses idées chères sur la préexistence et la topographie céleste.

31a. Rufin a fait un léger contresens. Là où Origène cite trois tribus (Juda et Siméon, plus Lévi) gouvernées par les rois davidiques, Rufin met quatre entités en faisant des descendants de David une quatrième entité. Parmi les dix autres tribus, il faut compter les descendants de Joseph comme répartis en deux tribus, Éphraïm et Manassé.

32. C'est-à-dire Josué, toujours désigné par Ἰησοῦς dans la Septante.

33. διανοητικόν, équivalent de νοῦς, ἡγεμονικόν et καρδία pour la partie supérieure de l'âme : *ComJn* I, 30 (33), 206 ; XXVIII, 4, 24.

34. L'opposition Israël selon la chair / Israël selon l'esprit est la clef qui donne l'interprétation spirituelle de l'ancienne économie dans son ensemble ; l'image est paulinienne. Si Origène insiste plus sur la ligne verticale Jérusalem céleste / Jérusalem terrestre que sur la ligne horizontale Ancien Testament / Nouveau Testament, la première aussi est paulinienne ; *Gal.* 4, 26 : « la Jérusalem d'en-haut est libre, elle qui est notre mère ». Jean fait aussi appel fréquemment à l'existence d'un monde supérieur. La dimension verticale n'est pas seulement platonicienne, elle est scripturaire. Les partisans de la distinction « typologie » / « allégorie » (voir note 38 de *PArch.* IV, 2) identifient la « typologie » à la dimension horizontale, qui seule serait chrétienne, l'« allégorie » à la dimension verticale, qui serait platonicienne ou apocalyptique d'origine et non chrétienne ; ce que nous venons de dire montre que ce jugement de valeur n'est pas acceptable. Il tient d'ailleurs à une conception trop étroite du « temps chrétien » qui n'est pas seulement linéaire et irréversible — dimension horizontale — par opposition au temps cyclique des stoïciens ; en effet le temps de l'Église est caractérisé par le sacramentalisme, c'est-à-dire par la possession dès ici-bas, « à travers un miroir, en énigme » des réalités eschatologiques : c'est ce qu'exprime la dimension verticale attribuée par les partisans de la distinction à l'« allégorie ». Comme toute réalité chrétienne, le temps chrétien est caractérisé par deux aspects antithétiques. La conception sacramentelle, qui s'exprime chez Origène par les rapports de l'Évangile éternel et de l'Évangile temporel, un par leur substance, différents seulement par la manière dont l'homme les considère dans l'au-delà et dans l'ici-bas, est intimement liée à ce que les partisans de la distinction appellent son usage de l'« allégorie ». Il est aussi fondé que sa « typologie » dans la tradition chrétienne et scripturaire.

35-35a. Cette citation est omise par Rufin ou par le

copiste du *Lucullanus* par mégarde, car elle commence par une négation, οὐ, οὐδέ, comme la suivante (G. Bardy, « Citations », p. 117-118).

36-36a. De nouveau une longue lacune de Rufin, qui englobe la fin de IV, 3, 6 et tout IV, 3, 7. Koetschau (p. civ) émet l'hypothèse d'un passage tiré d'ailleurs et qui aurait été mis ici par les Philocalistes, mais il la rejette, car la phrase « Καὶ ἵνα ... 'Ισραηλίτου » (180-182) fait le lien entre ce qui est avant et ce qui suit et montre la cohérence du passage dans le grec. Il pense alors que Rufin a laissé de côté ce morceau comme apparemment inutile ou comme choquant à cause de l'interprétation mystique qui s'y trouve. Bardy (p. 45) répète Koetschau, mais reste sceptique à l'égard de ce qui est dit dans cette dernière phrase : « A-t-il jugé que le morceau était superflu, ou l'a-t-il supprimé à cause de l'emploi qu'y fait Origène de la méthode allégorique ? Autant vaut peut-être ne pas insister sur cette question insoluble ? » Robinson (p. xxxiii) signale l'omission sans tenter la moindre explication. Pour Butterworth dans les notes de sa traduction anglaise, Rufin a omis ce passage parce qu'il ne l'a pas compris.

Aucune de ces explications n'est satisfaisante. La cause de l'omission est-elle la prudence ? Mais il n'y a rien de vraiment dangereux dans ce passage omis qui s'appuie directement sur Paul, et Rufin est moins précautionneux à cet égard que les Philocalistes, car il a laissé dans ces chapitres bien des choses qu'ils ont omises. Le souci de brièveté et d'éviter les répétitions inutiles ? Mais il y a dans *PArch.* IV, 3, 7 des idées originales, dont l'interprétation d'Adam par le Christ et d'Ève par l'Église que l'on ne trouve pas ailleurs dans le *PArch.* Cela dépasse-t-il les conceptions ecclésiologiques de Rufin ou lui paraît-il trop subtil ? Koetschau émet l'hypothèse, qu'il rejette avec un bon argument, qu'il n'y aurait pas là lacune de Rufin, mais ajout par les Philocalistes d'un passage venant d'ailleurs :

ils semblent parfois faire cela, insérant, quelquefois sans l'annoncer, au milieu d'un paragraphe du *CCels.*, quelques lignes prises à un autre endroit du même livre, ou même en *Philoc.* XV, 19, au milieu de passages du *CCels.*, un fragment sur la Transfiguration dont l'origine est problématique. Mais ce n'est pas le cas ici, car la lacune de Rufin commence brutalement, au milieu d'une série de citations de même nature.

On ne peut donc donner aucune raison suffisante pour laquelle Rufin aurait volontairement sauté ce texte. On ne peut s'appuyer non plus sur une omission de copiste postérieur, comme nous l'avons fait pour la lacune de *PArch.* IV, 3, 5 (note 30-30a), car Rufin a modifié la première phrase de IV, 3,8 pour l'adapter aux citations précédant la coupure, en laissant de côté l'allusion aux tribus et aux clans d'Israël renvoyant à IV, 3, 7 omis. Nous proposons donc la solution suivante : dans le *codex* dont se servait Rufin manquait une feuille qui avait été arrachée. Cela explique la manière abrupte dont finit IV, 3, 6. Rufin, ne pouvant combler la lacune, a seulement tenté de la dissimuler en adaptant la première phrase de IV, 3, 8 au sujet traité avant la lacune. Dans le texte grec de l'*HomJér.* XVII, 3-4, un passage manque pareillement par suite de l'arrachement d'un feuillet, un passage dont nous avons la traduction hiéronymienne.

37. Voilà un autre motif de l'interprétation spirituelle dans un sens antijudaïque : il est incompréhensible que l'économie de l'Ancien Testament se soit limitée selon le sens littéral aux événements terrestres de la vie d'un petit peuple ; elle ne pouvait avoir une signification plus vaste que par l'exégèse spirituelle.

38. Les δήμαρχοι, chefs des δῆμοι ou clans en lesquels se partageaient les tribus : dans les recensements du *Livre des Nombres* le mot δῆμος est employé pour les clans des diverses tribus (*Nombr.* 1, 20-47 ; pour la tribu de Lévi 4, 1).

Les « démarques » sont les fils des patriarches, eux-mêmes fils de Jacob. Le mot δῆμος avait un sens semblable dans le langage administratif grec : ainsi à Athènes les tribus se divisaient en « dèmes ». Butterworth, dans les notes de sa traduction anglaise, donne à ce passage une interprétation ingénieuse, qui se heurte cependant au fait qu'il voit dans les « démarques » les rois de Juda, alors que l'allusion aux tribus et aux clans au début de IV, 3, 8 montre bien qu'il s'agit des chefs de clans. D'après lui, il s'agirait des deux généalogies du Christ, celle de *Matth.* 1, 2-17 et celle de *Lc* 3, 23-38. Origène aurait appliqué la première aux Israélites selon la chair et les démarques seraient alors les rois de Juda, « *the rulers of the people* ». La seconde serait celle des Israélites spirituels qui, par Jacob, Isaac et Abraham, remontent à Adam qui est le Christ. Mais le rapprochement avec les deux généalogies du Christ n'a pas de support dans le texte. Sur ce problème chez Origène : *HomLc* XVII, 1 avec fragment grec ; XXVIII, 1-4 ; *FragmMatth* 3-10 (*GCS* XII/1). L'exposé le plus complet est celui de l'*HomLc* XXVIII, conservée à peu près tout entière en grec, outre la version latine de Jérôme. Matthieu descend, Luc monte. Matthieu présente celui qui vient au monde, Luc le baptisé. Matthieu descend à travers les pécheresses, montrant que le Christ revêt notre péché ; Luc remonte jusqu'à Dieu, non par le pécheur Salomon, mais par Nathan confondu avec le prophète de ce nom. Matthieu écrit : « engendra », Luc : « fils de ». Luc indique cette généalogie quand Jésus a trente ans, l'âge de Joseph le patriarche dominant l'Égypte, comme un Joseph spirituel accumulant le blé de la parole. La génération selon Matthieu est corporelle et se produit à travers le péché ; la génération selon Luc est spirituelle, à partir du baptême.

39. Entre les réalités du monde matériel et celles du monde spirituel, il n'y a pas pour Origène la discontinuité des gnostiques, car le premier est l'image du second, et s'il n'en est pas la vérité complète, il n'est pas mensonger, mais image de la vérité : *ComJn* I, 26 (24), 167 ; *FragmJn* 6 (*GCS* IV, p. 488) ; *ComCant.* II (*GCS* VIII, p. 160) ; PHILON, *Migr.* 40. Les valentiniens Ptolémée et Héracléon restreignent ce rapport d'image au monde psychique par rapport au pneumatique, excluant le matériel : Héracléon dans *ComJn* X, 33 (19), 210 ; XIII, 19, 115-116 ; PTOLÉMÉE *Lettre à Flora*, 5-6 ; *Exc. ex Theod.* 47.

40. Il s'agit de Jacob, père des Israélites spirituels, car il est Israël, celui « qui voit Dieu », selon l'étymologie du mot la plus courante chez Origène. Pour la naissance de Jacob, *Gen.* 25, 21-23 : les deux enfants se heurtent dans le sein de leur mère et Iahvé prédit qu'ils seront deux peuples ; *HomGen.* XII. Sur la dualité des noms Jacob/Israël : *HomGen.* XV, 4 ; *HomNombr.* XV, 2-4 ; XVI, 5-7 ; XVII, 3-4 ; XVIII, 4 ; etc. Jacob est le nom de l'ancêtre des Israélites charnels, Israël de celui des spirituels.

41. Dans le contexte paulinien de ce passage, Origène considère Adam comme l'ancêtre de l'humanité ; de même *ComJn* XX, 3, 11-12. Ailleurs, en relations avec la préexistence des âmes il voit en lui le symbole de toute l'humanité : *CCels.* IV, 40 ; *ComJn* I, 18 (20), 108. Dans *ComRom.* V, 1 et 4, il dit que tous les hommes étaient « dans les reins d'Adam », mais n'approfondit pas le sens de cette affirmation.

42. L'*Apologie* anonyme lue par PHOTIUS, *Bibl.* 117, mentionne l'accusation suivante : « que l'âme du Sauveur était celle d'Adam ». G. BARDY, p. 27, ne voit pas sur quoi cette accusation s'appuie. On peut penser à ce passage.

43. Il est curieux de voir ici Caïn symboliser toute la postérité d'Ève, alors que la *Genèse* la fait remonter surtout à Seth.

44. ROBINSON, p. XXXIII, renvoie au témoignage de l'historien SOCRATE, *Hist. Eccl.* III, 7, sur Origène allégorisant Adam et Ève du Christ et de l'Église. Malgré ce que dit Robinson, Socrate ne se réfère pas à ce passage, mais, explicitement, à *ComGen.* IX, aujourd'hui perdu, qu'il lit dans l'*Apologie* écrite par Pamphile et Eusèbe : ces derniers disent « qu'Origène n'a pas inventé le premier cette explication, mais qu'il l'a trouvée dans la tradition mystique de l'Église ». Ce passage de l'*Apologie* ne se trouve pas dans le tome I, le seul qui subsiste dans la traduction de Rufin. Nous sommes ici dans un contexte paulinien avec le rapport Adam-Ève / Christ-Église. Mais Origène transfère cela dans la préexistence avec l'union de l'âme préexistante du Christ et de l'Église préexistante, formée de l'ensemble des créatures raisonnables ; il l'oppose à l'origine de la corporéité terrestre de l'homme : *ComMatth.* XIV, 17. Sur l'Église préexistante : J. Chênevert, p. 13-43. Sur l'Église mère d'après ce passage : H. J. Vogt, p. 225.

45-45a. A la mention des tribus et des clans d'Israël dont parle IV, 3, 7, vraisemblablement absent par accident du *codex* dont se servait Rufin (note 36-36a), ce dernier substitue celle de l'Israël selon la chair et de l'Israël selon l'esprit dont il était question à la fin de IV, 3, 6, là où commence la lacune, pour masquer la lacune et donner au texte latin une cohérence qui manquait à celui qu'il avait en mains.

46-46a. Les ébionites, secte hérétique d'origine judéo-chrétienne, tenaient à une interprétation rigidement littérale de l'Écriture. Origène ironise sur leur nom, où il voit la pauvreté de leur intelligence de l'Écriture. En *CCels.* II, 1, il dit que, vivant selon la loi, ils doivent leur nom à la pauvreté de leur interprétation de la loi. Il en parle encore en *CCels.* V, 61 (certains admettent la conception virginale, d'autres non) ; V, 65 ; *ComMatth.* XI, 12 (ils observent la loi littéralement) ; *HomJér.* XIX, 12 (ils calomnient Paul) ; *FragmTite* (*PG* 14, 1303) ; voir

Irénée, *Adv. Haer.* I, 26, 2 et Eusèbe qui en parle plusieurs fois : *Hist. Eccl.* III, 27 ; V, 8, 10 ; VI, 17. Le nom d'ébionite venait de ce que, du moins au début, ils pratiquaient une pauvreté stricte à la suite d'*Act.* 2, 44-45. Déjà au temps d'Origène s'était répandue une fausse étymologie de leur nom, qu'on faisait dériver d'un fondateur prétendument appelé Ébion : Tertullien, *De Praesc.* 10, 8 ; 33, 5 ; *De carne Christi* 14, 5 ; 18, 1 ; 24, 2 ; *Élenchos* VII, 35 ; Épiphane, *Panarion*, 30, 1. Rufin n'a pas bien traduit ; la pointe du texte d'Origène — ils s'appellent pauvres, mais c'est en compréhension qu'ils sont pauvres — disparaît chez lui, et on ne voit pas pourquoi il parle de l'étymologie du nom.

47-47a. Rufin a omis « ὥστε ... τοῦ θεοῦ » (210-212), donc la citation de *Rom.* 9, 8 ; il l'a remplacée par « *qui terrena sapiunt* » (186). En revanche « *sed intellegimus... interpraetatur* » (189-192) n'est pas une interpolation de Rufin, mais une omission des Philocalistes, pour raison de prudence, parce qu'apparaît une allusion à la préexistence. A partir de ce passage que seul Rufin a conservé, Origène transpose le concept paulinien de l'Israël selon l'esprit pour symboliser un monde de lieux et d'habitants célestes caractérisés topographiquement, dans la perspective de la préexistence des âmes. Sur les étymologies diverses du mot Israël, voir la note 44 de *PArch.* III, 2, 5.

48-48a. Symbolisme topographique semblable de la Judée dans *HomNombr.* XXVIII, 2. Sur le rapport des lieux terrestres et des lieux célestes : *HomJos.* XXIII, 4. A propos de la propension d'Origène à discuter de la topographie symbolique du ciel : *PArch.* II, 3, 7 ; III, 6, 8-9. A partir d'ici, entre Ἰουδαίᾳ et ὅσα (221), lacune de *Philoc.* pour raisons de prudence : le texte est conservé par Rufin, « *de qua putamus... accidisse* » (203-207). G. Bardy, p. 45, dit à ce propos : « Ce membre de phrase ajoute quelque chose de nouveau et constitue, à ce qu'il paraît, un élément indispensable pour la suite des idées. Il ne saurait donc être une paraphrase de Rufin et l'on devra admettre ici l'existence d'une nouvelle lacune dans la citation de la *Philocalie*, bien qu'aucun signe extérieur n'avertisse de l'existence de cette lacune. »

48b. Les prophéties de guerre et de dévastation sont l'image de mystères du monde céleste : par exemple dans les *HomJos.* pour les guerres de Josué.

49-49a. Les manuscrits de *Philoc.* portent : « Dieu comme de Dieu » : la correction « Paul comme de Dieu » est suggérée par Koetschau à partir de Rufin. « καὶ σοφίαν φθεγγομένου », non traduit par Rufin, est un écho probable de *I Cor.* 3, 6 : « nous parlons de sagesse parmi les parfaits ».

50-50a. La récompense que le maître donne aux serviteurs zélés symbolise le commandement qu'ils obtiendront dans l'héritage céleste : *HomJos.* XXIII, 4. Dans l'interprétation du même passage (*Lc* 19, 17-19), en *HomLc* XXXIX, 7, Origène dit de manière plus générale que Dieu donnera à ceux qui l'auront mérité les biens du ciel à la place de ceux de la terre. Rufin est plus clair que le grec.

50b. Rufin oublie, par distraction, Tyr et les Tyriens de la première liste, sans omettre Tyr de la seconde.

51. Origène développe avec cohérence, conformément aux critères exposés plus haut, le symbolisme des nations voisines, d'après ce qu'il a dit de l'existence d'un Israël céleste, à partir des prophéties concernant les peuples limitrophes. Il entend de façon rigidement littérale le langage imagé par lequel les prophètes avaient décrit les calamités qui s'étaient abattues sur leurs gouvernants et leurs terres, pour comprendre cela non d'hommes terrestres, mais de puissances célestes. Son critère exégétique est renforcé par le fait que ce passage d'Isaïe sur Nabuchodonosor était déjà interprété de Satan par le Nouveau

Testament : *Lc* 10, 18 ; *Jn* 12, 31 ; *Apoc.* 8, 10 ; 9, 1 (voir *PArch.* I, 5, 5 et notes correspondantes) ; et sur le Prince de Tyr : I, 5, 4 et notes correspondantes. Sur l'interprétation symbolique de l'Égypte et de Babylone : *HomGen.* XV, 5 ; *ComMatth.* XII, 1 ; *HomNombr.* XI, 4 ; *HomJér.* latine II, 2 ; *HomÉz.* XI, 4 ; XII, 2-3 ; XIII, 1-4.

52-52a. « εἰ γὰρ ... Βαβυλωνίους » (237-238) est omis par Rufin entre « *... prophetatas* » et « *Neque enim...* » (225), probablement par distraction.

53. Ce passage est une reprise rapide de *PArch.* I, 5, 4-5.

54-54a. Réminiscence poétique? Le passage qui suit chez Rufin : « *Sed uidendum... dispersae* » (243-254) est omis intentionnellement par les Philocalistes, qui signalent l'omission en introduisant la suite par « *καὶ μεθ' ἕτερα* — et après d'autres choses ». En effet le texte conservé par Rufin ne s'explique que par l'hypothèse de la préexistence des âmes et de la chute précosmique : cf. G. BARDY, p. 46.

54b. Les créatures raisonnables symbolisées par les Israélites avaient dans le monde céleste une position d'éminence, instable certes, car elles pouvaient déchoir par suite des mouvements du libre arbitre. Ici et dans *PArch.* IV, 3, 10, Origène ne veut pas décrire le péché initial (voir *PArch.* II, 9, 2), mais donner une idée de ce qui se passe dans un monde spirituel déjà différencié à la suite de ce péché : il y a là divers degrés de dignité et de lieux qui leur correspondent. Et les comportements variés de leurs habitants provoquent des montées ou descentes de l'un à l'autre. La captivité historique des Hébreux en Égypte ou à Babylone devient le symbole de la descente des créatures raisonnables d'un lieu plus élevé, Israël, en un lieu plus bas, Égypte ou Babylonie. Tout cela est étudié en détail par J. A. ALCAIN dans la première partie de son livre, qui est intitulée « Captivité et esclavage de l'homme ».

55-55a. « Τάχα δὲ ... χειρόνων » (255-262), « *Fortassis... descendunt* » (255-261) : Jérôme, *Lettre* 124, 11. Passage introduit comme suit : « *In quarto quoque libro, qui operis huius extremus est, haec ab ecclesiis Christi damnanda interserit.* — Dans le livre quatre, qui est le dernier de cette œuvre, il insère ces affirmations qui doivent être condamnées par les Églises du Christ. » Voici la citation : « *Et forsitan quomodo in isto mundo qui moriuntur separatione carnis et animae iuxta operum differentiam diuersa apud inferos obtinent loca, sic qui de caelestis Hierusalem, ut ita dicam, administratione moriuntur, ad nostri mundi inferna descendunt ut* <*pro*> *(add. Koetschau) qualitate meritorum diuersa in terris possideant loca.* — Et peut-être, de même que dans ce monde-ci ceux qui meurent par la séparation de la chair et de l'âme, selon la diversité de leurs œuvres occupent dans l'Hadès des lieux différents, ainsi ceux qui meurent étant sous l'administration de la Jérusalem céleste, pour ainsi dire, descendent dans l'Hadès qui est notre monde pour, d'après la qualité de leurs mérites, occuper sur la terre des lieux divers. »

Dans ce passage de Jérôme, comme dans le texte correspondant de Rufin, nous traduisons *inferus* ou *infernus* par le mot grec Hadès utilisé dans *Philoc.* pour éviter la confusion avec l'enfer, lieu de supplice des damnés, alors qu'il s'agit ici de quelque chose d'analogue à la notion vétéro-testamentaire du *schéol*, lieu des morts, qu'on appelle parfois en français au pluriel « les enfers », par exemple lorsqu'on parle de la descente du Christ aux enfers. En *ComJn* VI, 35 (18), 174, Origène dit de l'Hadès « quoi qu'il faille entendre par Hadès » : la notion reste incertaine. Pour lui, comme pour Tertullien, l'enfer est Γέεννα, *Gehenna*. L'Hadès est pour Origène une des nombreuses expressions de la doctrine des purifications eschatologiques.

Voici un des rares passages que nous possédons à la fois dans *Philoc.*, Rufin et Jérôme et qui permet ainsi de juger la littéralité des deux traducteurs. Les trois textes concordent en substance. Rufin paraphrase un peu, ajoute la mention du sein d'Abraham (259), omet « τόπων ... ἁμαρτημάτων » (258-259). Mais Jérôme n'est pas plus littéral, malgré sa prétention d'avoir fait une version exacte : *Lettre* 85 *à Paulin de Nole*, 3 ; *Apol. adv. libr. Ruf.* I, 6-7. Il traduit « κατὰ τὸν κοινὸν θάνατον » (255-256) par « *separatione carnis et animae* », faisant disparaître la distinction sous-jacente des trois sortes de morts. Le « οἱ ἐκεῖθεν » (259) est paraphrasé : « *qui de caelestis Hierusalem, ut ita dicam, administratione* ».

56. La mort commune (κοινός), qui est indifférente, c'est-à-dire ni bien ni mal (ἀδιάφορος, μέσος), est distinguée de la mort au péché qui est bonne et de la mort du péché qui est mauvaise : ainsi entre autres textes *DialHér.* 25-27. La mort de « ceux de là-haut » dont il est question peu après, n'est pas la mort commune, mais la mort mauvaise, le péché.

57-57a. Sur notre traduction de ᾅδης et *inferus*, voir note 55-55a.

58. Nous avons là une formulation de la doctrine selon laquelle la peine assignée au pécheur — ici il s'agit du lieu — est en proportion du péché.

59. Le rapport terre-ciel-Hadès est représenté sous forme relative : ce qu'est notre terre par rapport à l'Hadès qui est plus bas, le ciel l'est par rapport à la terre, qui devient relativement à lui comme l'Hadès où descendent les âmes pécheresses : *ComJn* XIX, 20 (5), 127-137.

59a. « *Nam ille inferus... inferiori* » (261-265) n'a pas de correspondant dans *Philoc.*, où il se situerait au milieu de la première phrase du grec entre « καταβαίνουσιν » et « κρινόμενοι » (260). Robinson (p. XXXIII) pense à un ajout de Rufin, Koetschau à une omission de *Philoc.*, Bardy (p. 46) à une omission du copiste. Ce n'est pas un ajout de Rufin :

l'idée est trop originale, et très origénien est le littéralisme qui conclut de l'existence d'un Hadès inférieur à celle d'un Hadès supérieur (voir *PArch.* II, 9, 5-7). Il y a donc une omission des Philocalistes, qui auraient remanié la phrase pour supprimer un texte où l'idée de la préexistence et de la chute est trop explicite. A propos de la citation du *Ps.* 85 (86), 13, la Septante porte en réalité un superlatif : « ἐξ ᾅδου κατωτάτου — de l'Hadès le plus bas, du tréfonds de l'Hadès ». Il est vraisemblable qu'Origène lisait le comparatif que traduit Rufin : *SérMatth.* 69 et ses fragments grecs ; cf. l'abîme de *HomGen.* I, 1.

60-60a. De « *unusquisque* » à « *generari* » (265-269), Rufin correspond en plus développé à *Philoc.*, « κρινόμενοι ... πατράσιν » (260-263). Rufin a peut-être un peu paraphrasé, mais *Philoc.* doit avoir modifié pour rattacher cela à la phrase précédente à cause de l'omission de ce qui les sépare.

61. L'exemple de l'Israélite est clair, car le Scythe représente une classe d'âmes très basse. Mais on ne voit pas comment Origène peut dire que l'Égyptien, inférieur à l'Israélite, *descend* en Judée. Certes descendre est préférable à tomber, ce qui est le cas de l'Israélite précipité en Scythie. La *descente* de l'Égyptien céleste, puissance adverse, en Judée ne peut représenter qu'une récompense et amélioration de sa condition. A partir de IV, 3, 10, interfèrent deux schèmes différents. Le premier présente le monde terrestre comme image du monde céleste avec des lieux privilégiés (Israël) et des lieux inférieurs (Égypte, Babylonie). Ce sont deux plans de réalités distinctes : la déportation des Hébreux à Babylone est la dégradation d'âmes plus hautes qui vont à un lieu plus bas du ciel à cause de leur mauvaise conduite. Le second schème fait du monde terrestre la partie la plus dégradée du monde céleste, où sont envoyées les créatures raisonnables pécheresses. En outre, malgré des incertitudes et des tendances à allégoriser (*ComJn* VI, 35 (18), 174-175 ; XIX, 20 (5), 130-137), Origène considère les lieux infernaux comme situés plus bas que la terre (*HomGen.* XV, 5 ; *HomEx.* VI, 8), alors qu'il voit les démons à l'œuvre sur la terre et dans le ciel (*PArch.* III, 2-3 ; *HomNombr.* XI, 4). Tout cela peut avoir occasionné quelques changements de perspective dans les descriptions d'Origène. On peut donc comprendre la descente en Judée de l'Égyptien spirituel comme la descente en ce monde-ci de celui qui, dans la préexistence, s'est fait un Égyptien spirituel et qui, s'étant retourné et converti, va occuper ici-bas une catégorie d'âmes supérieure à celle qu'il aurait mérité en tant qu'Égyptien spirituel.

62. C'est-à-dire les créatures raisonnables tombées de la condition la plus haute dont les Israélites terrestres sont le symbole.

62a. A cet endroit, une longue lacune de *Philoc.*, s'étendant sur la fin de IV, 3, 10 et le début de IV, 3, 11, entre « *Unde consequens* » (275) et « *quae omnia* » (294). Mais Rufin lui-même est lacuneux, car au milieu de ce passage semble devoir être mis un texte conservé par Jérôme, à la fin de IV, 3, 10, après « *putandae sunt* » (284) : voir note 62c. Les idées qui y sont exprimées se retrouvent *HomNombr.* XI, 4.

62b. *HomNombr.* XXVII, 2, sur les étapes des Hébreux dans le désert référées au voyage spirituel de ce monde aux demeures célestes.

62c. Entre « *putandae sunt* » (284) et « *Si uero* » (285) semble devoir s'insérer un passage de JÉRÔME, *Lettre* 124, 11. Introduit par : « *Et iterum* — Et de nouveau ». Citation : « *Et quia conparauimus de isto mundo ad inferna pergentes animas his animabus, quae de superiori caelo ad nostra habitacula uenientes quodammodo mortuae sunt, prudenti inuestigatione rimandum est an hoc ipsum possimus* *etiam in natiuitate dicere singularum: ut quomodo quae in ista terra nostra nascuntur animae uel de inferno rursum meliora cupientes ad superiora ueniunt et humanum corpus adsumunt, uel de melioribus locis ad nos quoque descendunt, sic et ea loca, quae supra sunt in firmamento, aliae animae possideant, quae de nostris sedibus ad meliora proficiant, aliae quae de caelestibus ad firmamentum usque delapsae sunt nec tantum fecere peccati, ut ad loca inferiora quae incolimus truderentur.* — Et puisque nous avons comparé les âmes qui vont de ce monde-ci dans l'Hadès à ces âmes qui venant du ciel supérieur aux lieux que nous habitons sont de quelque façon mortes[1], il faut examiner par une recherche prudente si nous pouvons parler de même à propos de la naissance de chacune : de même que les âmes[2] qui naissent sur notre terre que voici, ou bien reviennent de l'Hadès dans des lieux supérieurs parce qu'elles désirent le meilleur, ou bien descendent jusqu'à nous à partir de lieux meilleurs, de même des âmes qui,

1. Il s'agit de la mort du péché.

2. Ici on remarque la fusion des deux schèmes exposés note 61. La terre est une zone intermédiaire, lieu de dégradation pour les créatures pécheresses qui descendent du ciel, lieu de progrès pour les âmes qui se trouvent dans l'Hadès et recommencent une progression qui de la terre les mènera au ciel (*PArch.* I, 6, 2-3 ; II, 8, 3). Mais d'autre part à ces descentes ou montées qui ont la terre pour but correspondent des montées et descentes analogues, qui trouvent place au-dessus de la terre, dans le firmament, le ciel inférieur lié à notre terre (*PArch.* II, 3, 6). Là descendent du ciel supérieur les créatures pécheresses et montent de la terre celles qui ont commencé déjà leur progression et se trouvent ainsi en chemin vers le ciel supérieur. On peut alors représenter l'univers origénien en quatre stades : ciel-firmament-terre-Hadès et considérer le second et le troisième comme des lieux de passages entre le premier et le quatrième, entre la perfection suprême et l'abjection la plus profonde et inversement. Mais à l'intérieur même de ces quatre stades, il faut imaginer d'autres variations innombrables dans les conditions des êtres raisonnables. Voir encore *ComJn* XX, 4 (1), 17-31.

partant de là où nous résidons, progressent vers le mieux, occupent ces lieux qui sont au-dessus de nous dans le firmament, et d'autres qui sont tombées du ciel dans le firmament n'ont pas commis assez de péchés pour être repoussées jusqu'aux lieux inférieurs que nous habitons. »

Jérôme commente : « *Quibus dictis nititur adprobare, et firmamentum, id est caelos, ad comparationem superioris caeli esse inferos, et hanc terram, quam incolimus, conlatione firmamenti inferos adpellari, et rursum ad comparationem inferorum, qui sub nobis sunt, nos caelum dici : ut quod aliis infernus est, aliis caelum sit.* — Par ces paroles[1], il s'efforce de prouver que le firmament, c'est-à-dire les cieux, par comparaison avec le ciel supérieur, est l'Hadès, et que cette terre que nous habitons, par comparaison avec le firmament, est appelée l'Hadès et de nouveau par comparaison avec l'Hadès qui est au-dessous de nous, nous sommes appelés ciel : ainsi ce qui est Hadès pour les uns est ciel pour les autres. »

62d. Origène semble admettre que son interprétation a peu de preuves : voir note 65 de IV, 2.

62e. *HomGen.* IV, 5.

62f. La diversité des conditions terrestres des hommes est elle-même la conséquence des différentes gravités des péchés commis.

1. A cause de cette conclusion de Jérôme, SCHNITZER (p. 281) et BARDY (p. 196) supposent que la lacune était encore plus longue avant la reprise de Rufin en IV, 3, 11, puisque, selon Jérôme, Origène cherchait à montrer que le firmament était comme un Hadès par comparaison au ciel et un ciel par rapport à l'Hadès situé sous la terre. Mais la conclusion de Jérôme ne semble pas faire allusion à un autre passage qu'il ne traduit pas, mais constituer une déduction que Jérôme croit pouvoir tirer du passage d'Origène qu'il vient de traduire, déduction qui ne semble pas arbitraire à partir du caractère relatif du rapport ciel-terre-Hadès. H. CORNÉLIS, p. 223, note 214, rapproche ce passage de Jérôme de *SérMatth.* 51.

63. *Matth.* 13, 44 est interprété de même dans *ComMatth.* X, 6 ; le champ, outre l'Écriture, symbolise aussi le Christ.

64. Seul Dieu peut révéler à l'âme les mystères de sa sagesse : *SelJob* 22, 2 (*PG* 12, 1036) ; *Fragm. HomJér.* (*GCS* III, p. 195 ou *Philoc.* I, 28) ; *FragmÉphés.* 5 (*JTS* 3, p. 240) ; *HomJos.* IX, 6 ; XXVI, 1 ; *HomLév.* V, 5 et d'autres affirmations innombrables.

65. La distinction nette faite par Origène entre terre et ciel et la conception de la terre comme lieu de captivité se répercutent sur la promesse faite par Dieu à Abraham en *Gen.* 22, 17, qui ne fait pas de différence entre les étoiles du ciel et le sable de la mer. Mais en *PArch.* IV, 3, 19, Origène distinguera les étoiles, âmes élues qui descendent sur terre sans faute de leur part, mais pour aider les autres, et le sable de la mer, celles qui sont descendues par suite de leur transgression. Sur la valeur péjorative donnée au sable a influé la conception de la mer comme lieu des puissances adverses : *HomJér.* XVI, 1 ; *ComMatth.* XIII, 17 ; XVI, 26. Une interprétation analogue des étoiles et du sable dans un contexte plus simple se trouve en *HomGen.* IX, 2. Origène fait ici allusion aux chap. 10-11, 25, 36, 46 de la *Genèse.*

66. Ici s'arrête le texte grec de *Philoc.* : la fin du chapitre ne se trouve que dans Rufin avec quelques fragments de Jérôme et de Justinien ; les appels de notes indiqués par des chiffres seuls renvoient donc au texte rufinien.

67. Sur les créatures raisonnables qui viennent sur terre, dans des corps terrestres, sans faute de leur part, mais pour aider les pécheurs, voir *PArch.* I, 7, 5 ; II, 9, 7 ; III, 5, 4 ; *HomÉz.* I, 1. Voir aussi *PArch.* III, 2, 5 et note 44 correspondante ; IV, 3, 8 selon Rufin.

68. Une des étymologies d'Israël : voir *PArch.* III, 2, 5 et note correspondante 44 ; IV, 3, 8 (Rufin).

69. Les points énumérés coïncident avec ceux de *PArch.* II, 11, 5, à propos des mystères dont les bienheureux auront pleine connaissance quand ils parviendront dans les lieux célestes ; l'interprétation spirituelle permet d'en entrevoir quelque chose : *HomEx.* IV (les plaies d'Égypte) ; IX (le Tabernacle) ; *HomLév.* VI (le vêtement sacerdotal) ; VIII (les purifications) et d'autres passages de ces deux recueils d'homélies. Sur *Hébr.* 8, 5 : *PArch.* I, 1, 4 ; III, 6, 8 ; IV, 2, 6.

70. La « vraie terre » opposée à l'aride : *PArch.* III, 6, 8-9.

71. Cette affirmation est en contradiction avec l'idée que les saints dans la béatitude pourraient encore tomber : cette dernière correspond à une question ou à une hypothèse dont nous trouvons ici l'antithèse. Certes ce passage est conservé par Rufin seul, mais Rufin conserve aussi l'autre aspect : *PArch.* II, 3, 3.

72. Les âmes recensées sont celles qui sont supérieures : dépendantes d'elles sont les autres, symbolisées par les enfants et les femmes ; de même dans l'interprétation du recensement, *HomNombr.* I, 1 ; IV, 1. Les luttes des Hébreux sont référées aux combats célestes : *HomNombr.* VII, 5 ; XXVI, 1-2. Les interprétations allégoriques d'Origène expriment souvent une supériorité du masculin sur le féminin : *HomGen.* I, 15 ; IV, 4 ; V, 2 ; VIII, 10 ; *HomEx.* II, 2 ; *HomLév.* I, 2-3 ; VIII, 4 ; *HomNombr.* XI, 7 ; *SelEx.* 23, 17 (*PG* 12, 296 D). Évidemment cela n'est qu'allégorie : que de femmes possèdent des âmes viriles, que d'hommes sont féminins ! (*HomJos.* IX, 9). Il ne s'agit pas de sexe, mais d'âmes (*HomNombr.* XI, 7). Mais l'allégorie elle-même traduit une certaine misogynie. Voir l'explication de *I Cor.* 11, 5 obligeant les femmes à porter un voile sur la tête dans l'Église : *HomÉz.* III, 3.

73. « *Praecipue... subuertat* » (353-359) : à cet endroit, quoique la correspondance ne soit pas évidente, Koetschau place ce passage de Jérôme, *Lettre* 124, 11. Introduit par : « *Nec hac disputatione contentus, dicit* — Ne se contentant pas de cette discussion il dit ». C'est un renvoi au fragment précédent, rapporté dans la note 62c. Citation : « *In fine omnium rerum, quando ad caelestem Hierusalem reuersuri sumus, aduersariarum fortitudinum contra populum dei bella consurgere, ut non sit eorum otiosa uirtus, sed exerceantur ad praelia et habeant materiam roboris, quam consequi non possint, nisi fortes primum aduersariis restiterint, quos ratione et ordine et sollertia repugnandi in libro Numerorum legimus esse superatos.* — A la fin de toutes choses, quand nous serons en train de retourner à la Jérusalem céleste, les puissances adverses feront la guerre au peuple de Dieu, pour que ses membres n'aient pas une vertu oisive, mais qu'ils soient exercés à combattre et qu'ils aient sujet d'acquérir la vigueur qu'ils ne pourraient obtenir sans résister d'abord courageusement aux adversaires ; mais nous lisons dans le *Livre des Nombres* (31, conjecture de Koetschau) que ces derniers ont été dépassés par la méthode, la discipline et l'habileté de la riposte. »

Voir *HomNombr.* VII, 5. La correspondance avec Rufin est lâche. Jérôme lui ajoute l'idée que des guerres contre les puissances adverses se produiront dans notre retour vers la Jérusalem céleste et se réfère au *Livre des Nombres*. Il n'est pas possible de dire si Jérôme rapporte là des traits du texte origénien omis par Rufin ou s'il s'agit de ses propres interprétations faites à partir du texte dont Rufin aurait donné une traduction exacte : on ne peut d'ailleurs avoir la certitude que ce fragment soit ici à sa place. On a vu à de multiples reprises qu'après la mort se situe tout un temps de purification, d'épreuve et d'instruction avant d'atteindre la béatitude.

74. Ces expressions pauliniennes, *Éphés.* 6, 16 ; *I Thess.* 5, 8, ont eu une grande fortune dans la période patristique où elles coïncidaient avec des images mises à la mode par la Seconde Sophistique. *Éphés.* 6, 14 s. est cité dans un contexte de lutte contre les puissances diaboliques en *HomNombr.* VII, 6.

75. *PArch.* II, 11, 5 ; *DialHér.* 22 ; *HomNombr.* I, 1 en relation avec *Jug.* 16, 17, les cheveux de Samson.

76. *HomNombr.* XXVI, 3-4 : ceux qui s'établissent en Transjordane figurent le peuple premier-né, Israël, alourdi par son animalité (les bestiaux) et restant hors de la terre promise, où s'établissent les cadets, les chrétiens. Origène semble ici envisager une interprétation plus générale, dans le même ordre d'idées que *HomNombr.* XXI, 1 : dans le royaume des cieux les meilleures places seront à ceux qui auront le moins possédé sur terre, qui seront le moins appesantis par la matérialité du monde. Idée évangélique, certes, mais aussi platonicienne : Platon mettait au plus haut les philosophes moins appesantis que les autres hommes par la matérialité : *Rép.* IX, 591.

77. Le Jourdain est le symbole du baptême : *ComJn* VI, 43-44 (26), 222-232 ; *HomJos.* IV ; et aussi du Christ s'incarnant, « descendant de notre descente » (*ComJn* VI, 46 (28), 240), à cause de son étymologie, « celui qui descend », nom qui n'est pas très original pour un fleuve. Ici Origène pense à un sens plus élevé que le baptême, probablement au Christ lui-même, un sens lié à la vie des âmes dans le ciel. A partir de cet endroit, Origène revient à des interprétations de type horizontal.

78. La double rédaction de la loi mosaïque pouvait être interprétée du passage de l'ancienne loi à celle du Christ et interférer avec la transmission de pouvoir de Moïse à Josué, à Jésus fils de Navé selon la Septante, figure traditionnelle du Christ. Origène signale ces interprétations à la fin de *PArch* IV, 3, 12 pour passer en IV, 3, 13 à une autre plus personnelle. Sur Josué figure du Christ : Ps.-

Barnabé, 12, 8 s. ; Justin, *DialTryph.* 79 ; Clément, *Péd.* I, 7, 60 ; Tertullien, *Adv. Marc.* III, 16, 3-4 ; Origène, *HomNombr.* XXVIII, 2 et partout dans les *HomJos.* Le *Deutéronome*, confondu avec la copie de la loi (τὸ δευτερονόμιον) que Josué inscrit sur l'autel qu'il élève sur le Mont Hébal, est interprété comme l'Évangile et aussi la loi intérieure que l'Esprit inscrit dans le cœur (*HomJos.* IX, 3-4). Pour l'Évangile appelé seconde loi, voir Commodien, *Instructiones* I, 25, 11 ; I, 35, 8 ; I, 36, 11 ; I, 38, 5 ; et ailleurs en des termes équivalents.

79. Avec l'Évangile éternel d'*Apoc.* 14, 6, Origène explique d'une manière plus personnelle le rapport entre la première et la seconde rédaction de la loi mosaïque : la première est le symbole de la venue du Christ dans la chair, de l'Évangile temporel ; la seconde de la réalisation complète de ce qui restait encore obscur et imparfait dans la première venue par la seconde venue du Christ en gloire, quand les saints vivront selon la loi de l'Évangile éternel : *PArch.* III, 6, 8 et note 49 correspondante ; IV, 2, 4 et note 33 correspondante ; *ComMatth.* XII, 29-30 ; *ComRom.* I, 4 ; IV, 8. La première venue du Christ a donc un double rôle : elle réalise ce dont la loi mosaïque était l'ombre, mais elle est elle-même image, d'après *Hébr.* 10, 1, de la réalisation complète de la seconde venue. Pour la distinction ombre/image/réalité tirée de *Hébr.* 10, 1, voir : *HomPs.* 38 II, 2 ; *ComRom.* V, 1. Ailleurs *Lam.* 4, 20 est interprété en ce sens que nous vivons parmi les nations à l'ombre du Christ, c'est-à-dire sous son âme humaine qui s'est incarnée : voir note 39 correspondant à II, 6, 7. Tantôt l'Évangile temporel est image, tantôt il est ombre du Christ opposée à l'ombre de la loi : *ComJn* I, 7 (9), 39-40 ; II, 6 (4), 48-50 ; *ComCant.* III (*GCS* VIII, p. 182). Sur le problème du rapport Évangile temporel/Évangile éternel : H. de Lubac, *Histoire et Esprit*, p. 217-227 ; H. Crouzel, *Connaissance*, p. 324-368. Selon *Hébr.* 10, 1 appliqué à ce problème, l'« image » qu'est l'Évangile temporel, distinguée de l'« ombre » qu'est alors l'Ancien Testament, connote, avec la « réalité » qu'est l'Évangile éternel, une identité de substance (ὑπόστασις) et une différence dans la manière humaine de les voir (ἐπίνοια), qu'expriment les oppositions pauliniennes de *I Cor.* 13, 9-10 et 12 : la vision « à travers un miroir, en énigme » ou « en partie », correspond à l'Évangile temporel — ces termes ne sont pas appliqués à l'Ancien Testament —, la vision « face à face » ou « parfaite » à l'Évangile éternel. Ils forment tous deux un unique Évangile.

80. « *et sicut... designauit* » (402-410) et probablement lacune de Rufin entre « *designauit* » et « *Verum* » (410-411) : Jérôme, *Lettre* 124, 12. Le fragment est précédé d'une longue introduction : « *Cumque dixisset iuxta Iohannis Apocalypsin euangelium sempiternum, id est futurum in caelis, tantum praecedere hoc nostrum euangelium, quantum Christi praedicatio Legis ueteris sacramenta, ad extremum intulit, quod et cogitasse sacrilegium est, pro salute daemonum, Christum etiam in aere et in supremis locis esse passurum. Et licet ille non dixerit, tamen quod consequens sit intellegitur : sicut pro hominibus homo factus est, ut homines liberaret, sic et pro salute daemonum Christum* (Deum *codd., correxi*) *futurum quod sunt hi, ad quos uenturus est liberandos. Quod ne forsitan de nostro sensu putemur adserere, ipsius uerba ponenda sunt.* — Lorsqu'il a dit selon l'*Apocalypse* de Jean que l'Évangile éternel, c'est-à-dire celui qui existera dans les cieux, dépassera d'autant notre évangile que voici, que la prédication du Christ dépasse les mystères de l'ancienne loi, il ajoute à la fin — penser cela est sacrilège ! — que pour le salut des démons le Christ souffrira encore dans l'air et dans les lieux supérieurs. Et bien qu'il ne le dise pas, il faut le comprendre comme une conséquence : de même que pour les hommes il a été fait homme pour libérer les hommes, de même pour le salut des démons le Christ sera ce que sont ceux qu'il viendra libérer. Pour qu'on ne pense pas peut-être que nous affirmons cela de nous-mêmes, il faut citer ses paroles. » La correction de *Deum* en *Christum* semble s'imposer : elle correspond à l'idée que le Christ prend la forme de chaque ordre de créatures raisonnables qu'il est venu sauver : voir *infra.*

La citation comprend deux parties que nous séparons par //. « *Sicut enim per umbram euangelii umbram legis impleuit, sic quia omnis lex exemplum et umbra* (*Hébr.* 8, 5) *est cerimoniarum caelestium, diligentius requirendum utrum recte intellegamus legem quoque caelestem et cerimonias superni cultus plenitudinem non habere sed indigere euangelii ueritate quod in Iohannis Apocalypsi euangelium legimus sempiternum* (*Apoc.* 14, 6) *ad comparationem uidelicet huius nostri euangelii, quod temporale est et in transituro mundo ac saeculo praedicatum.*// *Quod quidem si etiam usque ad passionem domini saluatoris uoluerimus inquirere, quanquam audax et temerarium sit in caelo eius quaerere passionem, tamen si spiritalia nequitiae in caelestibus* (*Éphés.* 6, 12) *sunt et non erubescimus crucem domini confiteri propter destructionem eorum, quae sua passione destruxit: cur timeamus etiam in supernis locis in consummatione saeculorum aliquid simile suspicari, ut omnium locorum gentes illius passione saluentur?* — De même que par l'ombre de l'Évangile il a accompli l'ombre de la loi, de même, puisque toute loi est l'image et l'ombre de cérémonies célestes, il faut rechercher avec plus de diligence si nous comprenons bien que même la loi céleste et les cérémonies ne possèdent pas la plénitude du culte d'en-haut, mais qu'elle a besoin de la vérité de l'Évangile que nous voyons appelé dans l'*Apocalypse* de Jean Évangile éternel, évidemment par comparaison avec notre évangile que voici qui est temporel et est prêché dans un monde et un siècle qui doivent passer.// Si nous voulons aussi pousser notre recherche jusqu'à la passion du Seigneur et

Sauveur, bien qu'il soit audacieux et téméraire de chercher dans le ciel une passion de lui, cependant s'il y a dans les régions célestes des esprits de perversité, et si nous ne rougissons pas de confesser la croix du Seigneur pour la destruction de ceux qu'il a détruit par sa passion, pourquoi craindrions-nous aussi de soupçonner quelque chose de semblable dans les lieux supérieurs, à la consommation des siècles, afin que les nations de tous les lieux soient sauvées par sa passion. »

A la seconde partie du fragment hiéronymien, donc à la lacune de Rufin, correspond un texte de Justinien (Mansi IX, 532). Il est ainsi introduit : « Ἐκ τοῦ τετάρτου λόγου τοῦ αὐτοῦ βιβλίου ὅτι καὶ ὑπὲρ δαιμόνων δεῖ τὸν Χριστὸν σταυρωθῆναι, καὶ πολλάκις τοῦτο εἰς τοὺς ἐσομένους αἰῶνας. — Du quatrième tome du même livre : il faut que le Christ soit crucifié pour les démons, et ceci plusieurs fois dans les siècles futurs. » Voici le texte : « Ἀλλὰ κἂν μέχρι τοῦ πάθους τις ζητήσῃ, τολμηρὸν δόξει ποιεῖν περὶ τὸν οὐράνιον τόπον αὐτὸ ζητῶν. Ἀλλ' εἰ ἔστι πνευματικὰ τῆς πονηρίας ἐν τοῖς ἐπουρανίοις (*Éphés.* 6, 12), ὅρα εἰ, ὥσπερ ἐνθάδε οὐκ αἰδούμεθα σταυρούμενον ὁμολογεῖν ἐπὶ καθαιρέσει ὧν καθεῖλε διὰ τοῦ πεπονθέναι, οὕτω κἀκεῖ τὸ παραπλήσιον διδόντες γίνεσθαι καὶ εἰς τὸ ἑξῆς ἕως τῆς συντελείας τοῦ παντὸς αἰῶνος (*Matth.* 28, 20) οὐ φοβηθησόμεθα. — Et même si quelqu'un étend sa recherche jusqu'à la passion, il paraîtra agir audacieusement en se demandant la même chose au sujet du lieu céleste. Mais s'il y a des esprits de perversité dans les cieux, vois si, de même que nous n'avons pas honte de le (= le Christ) reconnaître crucifié ici-bas pour détruire ce qu'il a détruit par sa passion, de même en accordant que quelque chose de semblable se produise là-haut, nous ne craindrons pas aussi (de reconnaître le Christ crucifié) dans la suite jusqu'à la consommation de tout le siècle. »

A propos de ce texte H. de Lubac, *Histoire et Esprit*, p. 291-292, écrit : « Peut-être le texte recueilli par Justinien : ἕως τῆς συντελείας τοῦ παντὸς αἰῶνος, est-il fautif, et devrait-on lire ἐπί, au lieu de ἕως comme y invite la version latine du même passage que la lettre de saint Jérôme à Avitus nous a conservée. » C'est-à-dire l'expression *in consummationem saeculorum.* Et le même auteur dans la note 241 indique que cette correction a été proposée par Huet et approuvée par Delarue, que Bardy pense au contraire que le texte de Jérôme est fautif et que ces passages sont d'interprétation très difficile (p. 187), sans nier cependant que le texte de Justinien ne soit corrompu (p. 148). A notre avis, il est possible que le texte originaire ait porté l'ἐπί que suppose la version de Jérôme, mais les compilateurs du florilège de Justinien ont certainement lu ἕως, car sans cela ils n'auraient certainement pas mis dans l'introduction du fragment : « et ceci plusieurs fois dans les siècles futurs ». Nous allons maintenant comparer les trois textes :

1) Rufin et la première partie de Jérôme. Le rapport des deux textes n'est pas clair. Si nous admettons qu'ils représentent le même passage d'Origène, il faut supposer que l'un ou l'autre, à moins que ce ne soit l'un et l'autre, l'a fortement remanié. Les idées de Rufin sont origéniennes et ce que dit Jérôme n'est pas plus choquant que ce que dit Rufin. On pourrait penser aussi que les deux textes se complètent, donc se succédaient dans l'original. Après avoir, selon Rufin, interprété le rapport de l'Évangile temporel et de l'Évangile éternel dans le sens horizontal, Origène, selon Jérôme, le transporterait sur le plan vertical : l'Évangile terrestre en tant que loi et qu'accomplissement de l'ancienne loi est symbole d'un Évangile éternel, qui complète et achève la loi céleste, dont celle de l'Ancien Testament était figure. Ce passage aurait été omis par Rufin par souci de brièveté en tant que répétant le précédent, bien qu'il se situe sur un autre plan.

2) Justinien et la seconde partie de Jérôme. Les deux

textes coïncident substantiellement, avec une petite différence dans la finale. Ils sont à l'origine de l'accusation faite à Origène, d'après des auteurs anciens et modernes, d'avoir admis la répétition dans le ciel du sacrifice du Christ. C'est dans ce sens que les compilateurs de Justinien le lisent d'après l'argument qui précède le fragment, de même que Jérôme selon l'interprétation qu'il en donne avant de le citer ; de même Théophile d'Alexandrie, *Lettre* 92, 4 dans la correspondance de Jérôme. Cependant, au milieu de son interprétation initiale, Jérôme reconnaît honnêtement : « bien qu'il ne le dise pas ». En effet, tant le texte cité par Justinien — si on met ἐπί et non ἕως qui entraîne l'idée d'une multiplicité de sacrifices — que celui que traduit Jérôme — malgré de petits gauchissements possibles dus à la conviction qu'il avait de son interprétation — peuvent s'entendre plus simplement, en harmonie avec ce que disent d'autres textes d'Origène. Le plus important est *ComJn* I, 35 (40), 255, exactement contemporain du *PArch.* : le Christ a été la victime offerte *une seule fois* (τὴν ἅπαξ θυσίαν) pour les êtres terrestres et pour les célestes. L'unicité du sacrifice est donc fortement affirmée, avec la double efficacité. La « *duplex hostia... conueniens terrestribus et apta caelestibus* », selon la traduction rufinienne de *HomLév.* I, 3, ne désigne pas non plus un double sacrifice, mais une double efficacité de l'unique sacrifice. D'autres textes insistent sur l'effet céleste du sacrifice du Christ : d'après *Éphés.* 1, 10, *HomLév.* II, 3 ; d'après *Col.* 1, 20, *HomLév.* IV, 4 ; *ComRom.* I, 4 ; V, 10 ; de même *CCels.* VII, 17. Origène veut affirmer la valeur universelle, cosmique et hypercosmique, du drame de la Croix. Il ne dit rien de plus dans ce que citent Jérôme et Justinien, et encore sur un ton très précautionneux, car affirmer que la Passion du Christ était rédemptrice même pour les créatures célestes était déjà assez hardi. Il faut donc voir des interprétations gratuites dans ce qu'ajoutent Jérôme et les compilateurs du florilège de Justinien. Il n'est d'ailleurs pas à exclure que l'interprétation du premier ait influencé ces derniers, comme nous l'avons vu à propos des fragments de I, 3, 5-8 ; voir aussi II, 3, 5 ; III, 3, 2 et les notes correspondantes.

Il n'y a guère d'accord parmi les auteurs sur ce que nous venons de dire. E. R. REDEPENNING (*De Princ.*, p. 364 en note) tire les mêmes conclusions que nous. G. BARDY, p. 147-148, ne sait que penser. A. ORBE, *Los primeros herejes...*, p. 236-240, prend en considération ce que dit Jérôme et voit une correction de la pensée d'Origène dans *ComRom.* V, 10 qui refuse l'idée d'un nouveau sacrifice, mais il n'a pas remarqué *ComJn* I, 35 (40), 255, qui montre que telle était déjà son opinion à l'époque même où il rédigeait le *PArch.* J. LOSADA, « El sacrificio de Cristo en los cielos segun Origenes », *Miscelanea Comillas* 50, 1968, p. 5-19, essaie de sauver ce que disent Jérôme et Justinien par des explications qui tiennent insuffisamment compte des vrais rapports entre Ancien Testament, Évangile temporel, Évangile éternel. Voir aussi M. SIMONETTI, « La morte di Gesù in Origene », *Rivista di storia e letteratura religiosa* 8, 1972, p. 9-13.

Nous avons trouvé dans l'introduction de Jérôme l'idée origénienne que le Christ s'est fait homme parmi les hommes, ange parmi les anges. On la trouve explicitement dans *HomGen.* VIII, 8 et *ComJn* I, 31 (34), 216-218, mais dans un contexte qui l'explique, celui des théophanies : le Fils est l'agent de toutes les théophanies de l'Ancien Testament, apparaissant parfois sous forme d'homme ou d'ange, c'est-à-dire, nous semble-t-il, dans son âme qui n'ayant pas péché a gardé l'indistinction primitive humano-angélique : voir la note 2 de *PArch.* III, 2, 1.

81. SCHNITZER, p. 286-287 en note, voudrait mettre ici ce qu'il croit être encore un passage du *PArch.* cité par *Philoc.* et qu'aurait oublié Delarue. Il s'agit de *Philoc.* I, 28 qui suit immédiatement *Philoc.* I, 1-27 c'est-à-dire le texte grec de *PArch.* IV, 1-3. Mais ce passage, sans titre dans les manuscrits, vient d'une *HomJér.*

82. Peut-être est-ce ici Rufin qui en rajoute, mais il reste dans l'esprit d'Origène qui veut rester fidèle à la foi de l'Église et fixe lui-même des limites à ses hypothèses : *PArch.* I, 6, 1 ; I, 8, 4 ; II, 2, 2 ; II, 3, 7 ; II, 8, 5 ; II, 9, 5 ; etc.

83. *ComJn* I, 4 (6), 24 ; IV, 1-2 (*Philoc.* IV) ; *PArch.* IV, 1, 7. Origène se préoccupe de distinguer le contenu de l'Écriture de la forme dans laquelle elle est exprimée, pour surmonter les défiances des païens et même de chrétiens cultivés qui la jugeaient trop éloignée des normes habituelles du style : *CCels.* VII, 59-61 ; *Fragm. I Cor.* V (*JTS* IX, p. 235).

84. La citation de *Ps.* 44, 14 est arrangée pour la circonstance, car il ne s'agit pas du roi, mais de sa fille dans la Septante : πᾶσα ἡ δόξα αὐτῆς θυγατρὸς βασιλέως Ἐσεβών, avec au lieu d'Ἐσεβών une variante, ici traduite, ἔσωθεν. L'arrangement est d'Origène lui-même puisque cela est appliqué au Roi qui est Dieu.

85. De « *Paulus* » (419) à la fin de *PArch.* IV, 3, 14, le passage se trouve dans l'*Apologie* de Pamphile où il est ainsi introduit : « Que, comme le Père connaît les débuts et les fins de tout ce qui est, de même le Fils le sait, de même l'Esprit Saint, parce qu'il est possible à Dieu de connaître toute créature. » Pamphile, citant ce passage dans un livre où il veut justifier Origène contre les accusations dont il est l'objet, ne voit donc aucune hétérodoxie, ni le signe d'une inégalité dans la Trinité, dans l'allégorie des deux Séraphins qui exaspère tellement Jérôme : voir note 23 de *PArch.* I, 3, 4.

86. Sur la nécessité de l'illumination divine pour comprendre : *ComJn* XIII, 23, 135-137 ; *HomNombr.*

XXVI, 3 ; *HomJos.* XX, 4. Mais, même avec cette aide, l'homme n'a qu'une possibilité limitée de connaître les réalités divines : *PArch.* II, 6, 1. Et certains mystères restent inconnus non seulement aux hommes, mais même à tout être créé : H. Crouzel, *Connaissance*, p. 85-95, 98-101.

87. Sur le caractère illimité de cette recherche : *PArch.* II, 3, 7, mais surtout le magnifique texte d'*HomNombr.* XVII, 4, correspondant de près à celui-ci, en plus développé et plus éloquent.

88. Hébreu, c'est-à-dire judéo-chrétien, car son exégèse est chrétienne. Origène répète ici ce qu'il a déjà dit en *PArch.* I, 3, 4 : voir note correspondante 23. Mais il développe davantage pour expliquer qu'on ne peut connaître ni le début ni la fin dans les réalités divines : *HomIs.* I, 2 et IV, 1. On peut se faire quelque idée de la fin seulement par conjecture à partir de ce milieu : *ComCant.* III (*GCS* VIII, p. 210). Sur d'autres traditions judéo-chrétiennes : *HomNombr.* XIII, 5 ; *HomLc* XXXIV, 3 ; *HomJér.* XX (XIX), 2.

89. A propos de la face de Dieu, voir M. Simonetti, « Due note... », p. 176-179. De même *PArch.* I, 8, 1 ; II, 10, 7 et note correspondante 39.

90. Sur l'ignorance des créatures supérieures aux hommes : *ComCant.* II (*GCS* VIII, p. 186) ; *CCels.* VI, 62 ; *ExhMart.* 13. Voir note 86.

91. Cette doxologie qui n'achève pas un traité pose un problème : à moins que IV, 3, 15 soit à considérer comme un ajout, mais il correspond dans le plan général à la discussion sur ἀσώματον qui clôt la préface du livre I. De même pour les deux autres doxologies : III, 5, 8 (note correspondante 49) ; IV, 1, 7 (note correspondante 52).

92. E. R. Redepenning (*De Princ.*, p. 367 en note) considère ce paragraphe 15 comme une conclusion préliminaire de tout l'ouvrage, la « récapitulation » n'étant qu'un appendice ou mise au point supplémentaire. Il l'approuve d'attirer l'attention sur les manières de parler qui ne sont pas encore fixées en termes théologiques : ce sera la cause de conflits considérables dans la suite. Il montre qu'Origène est loin du latitudinarisme de protestants du XIXe siècle, rejetant tout usage des formules dogmatiques, car s'il avait tenu une position de ce genre, il n'aurait pas tant polémiqué contre les hérétiques de son temps.

93. Cependant Origène admet pour les noms propres un lien entre le nom et les caractéristiques de celui qu'il désigne : *HomJos.* XXIII, 4. C'est la raison des étymologies symboliques, qui jouent un grand rôle dans son exégèse à la suite de Philon. Il s'intéresse aux discussions des philosophes sur l'origine des noms et tire prétexte, pour affirmer leur origine naturelle, des exorcismes et aussi des incantations magiques, qu'il condamne sans leur refuser une certaine efficacité démoniaque : *CCels.* I, 24-25 ; V, 45-46. Voir H. CROUZEL, *Connaissance*, p. 254-258.

94. Origène n'attache guère d'importance à l'art du bien dire : H. CROUZEL, *Philosophie*, p. 125-133.

95. Sur l'égalité incorporel = invisible : *PArch.* I, préf. 8-9 ; I, 7, 1. Origène distingue l'incorporéité au sens strict et l'incorporéité au sens large appliquée aux corps aériens et subtils.

96. *CCels.* VI, 71 ; VII, 32 ; *PArch.* I, 7, 1 ; II, 2, 2 ; IV, 4, 10.

97. *PArch.* I, 6, 4 ; II, 2, 2.

98. Origène, qui souligne ailleurs la coopération de toute la Trinité dans l'inspiration de l'Écriture (*PArch.* IV, 2, 2 ; IV, 2, 7), la rapporte ici spécifiquement à l'Esprit Saint selon la Tradition : *PArch.* I, préf. 4 ; *CCels.* V, 60. Pour le rapport du Verbe et de l'Esprit dans l'inspiration : *ComJn* XX, 29 (23), 263 ; *HomLc* XXII, 1.

« **Récapitulation** » (IV, 4)

Ce chapitre, qui achève le *PArch.*, n'est pas signalé par Photius dans sa notice. On ne peut douter cependant de son authenticité origénienne, car des fragments conservés par plusieurs auteurs s'y rapportent : les uns sont antérieurs à Rufin, comme Pamphile d'après la traduction de Rufin, Marcel d'Ancyre d'après Eusèbe de Césarée et Athanase ; d'autres sont de ses contemporains, Théophile d'Alexandrie d'après Jérôme et Théodoret de Cyr, et Jérôme ; d'autres, postérieurs à Rufin, sont de Justinien.

Le titre que ce chapitre porte dans les éditions latines est *anacephaleosis*, transcription latine du grec ἀνακεφαλαίωσις, c'est-à-dire « récapitulation ». Il ne correspond pas au contenu : plutôt qu'une *recapitulatio* il s'agit d'une *retractatio*, c'est-à-dire, non une rétractation au sens français, mais un nouveau traitement du sujet, une mise au point, un « retour » sur ce qui a été traité, comme le dit le fragment conservé par Marcel d'Ancyre. Origène parcourt une troisième fois, beaucoup plus brièvement, le chemin déjà parcouru deux fois, de I, 1 à II, 3, puis de II, 4 à III, 6, celui des trois groupes d'ἀρχαί, les trois personnes divines, les créatures raisonnables, le monde, mais il fait ici passer le monde avant les créatures raisonnables. Il introduit de nouvelles précisions très importantes sur des questions déjà débattues, pour lesquelles il avait déjà proposé des solutions novatrices par rapport à la tradition. On risque toujours de le comprendre unilatéralement, dans un sens ou dans l'autre, comme le montrent d'une part les précautions de Rufin, de l'autre les citations fréquentes de Jérôme et de Justinien.

Le titre *anacephaleosis* vient-il de la tradition grecque? On peut le croire, puisque ἀνακεφαλαίωσις y est resté sous une forme latinisée dans les éditions latines. Mais le silence de Photius empêche de l'affirmer fermement : voir cependant note 1. La première numérotation indiquée pour les paragraphes est celle de Koetschau, qui fait de la « récapitulation » un chapitre indépendant. La seconde, mise entre parenthèses, est de Delarue pour qui tout le livre IV est un seul chapitre.

Une première partie traite donc de la Trinité. Le Père n'a pas engendré le Fils à la manière d'une génération humaine, comme si une partie de sa substance en avait été séparée. Cette génération s'est faite de toute éternité : aucune expression temporelle ne convient aux personnes de la Trinité (1). La divinité du Verbe n'est pas enfermée dans un lieu, et c'est pourquoi il peut se trouver dans tous les saints, à proportion de leurs mérites (2). Le Verbe et l'Esprit ont collaboré avec le Père dans la création. L'Incarnation du Verbe en Jésus n'affirme pas davantage que la présence du Verbe se soit limitée à l'homme Jésus, comme s'il n'était pas aussi partout ailleurs (3). Cependant il n'y avait pas seulement dans l'homme Jésus une partie de la divinité du Verbe : elle y était tout entière, car la divinité ne se partage pas. Le Verbe ne s'est pas joint seulement à un corps humain, mais d'abord à une âme, qui adhérait totalement au Verbe et était pour cela incapable de pécher : elle est nommée des mêmes vocables que le Verbe. A travers elle, le Verbe se propose à l'imitation des croyants et se fait tout à tous (4). Certains appliquent à cette âme ce que dit *Phil.* 2, 6-11 de la kénose du Verbe. La participation au Fils de Dieu fait de nous des fils adoptifs et nous communique les *épinoiai* du Fils : participer à une des personnes de la Trinité est participer à toutes. Cela n'est pas vrai seulement des hommes, mais des anges.

Origène passe alors aux problèmes du monde visible et spécialement de la matière (5). Le mot matière ne se lit pas dans les Écritures, mais on peut en tirer un certain enseignement à ce sujet. Origène expose alors de nouveau sa conception de la matière d'origine stoïcienne, substrat amorphe capable de recevoir des qualités diverses, donc de prendre des formes différentes (6). Mais dans la réalité la matière ne se distingue pas de ses qualités et seul le pouvoir abstractif de l'intelligence l'en discerne : pour cette raison, certains ont prétendu réduire la matière à ses qualités et ont voulu surmonter ainsi l'opinion qui considère que la matière est increéée, puisque tous affirment que les qualités sont créées. Cependant on doit considérer la matière séparément de ses qualités, de la même manière qu'on envisage tel homme indépendamment de l'attitude qu'il a à un moment donné (7). Quelques textes de l'Écriture permettent d'expliquer cela. Dieu a fait des créatures en nombre déterminé pour qu'elles puissent le comprendre dignement et recevoir ses bienfaits. Origène revient alors brièvement à un problème déjà traité plusieurs fois dans l'ouvrage : la corporéité est-elle un élément essentiel de la créature, signe de sa condition accidentelle et changeante ? Ou faut-il la considérer comme liée au péché des créatures raisonnables, appelée à disparaître quand le péché est surmonté, quitte à exister de nouveau si une nouvelle chute se produit (8) ?

Enfin Origène traite de l'immortalité de la créature raisonnable, qui n'a pas encore fait l'objet d'un examen attentif dans cet ouvrage. Il la démontre par deux arguments reposant sur la notion de participation. L'âme humaine participe aux mêmes réalités intelligibles et divines que les puissances angéliques ; elle est donc immortelle comme elles. Les unes et les autres participent à la nature divine de la Trinité, donc à son incorruptibilité et immortalité. Cela n'exclut pas qu'il n'y ait dans cette participation du plus ou du moins. Mais le péché ne peut supprimer fondamentalement la participation de l'âme humaine à Dieu (9). Prétendre que la corruption pourrait atteindre l'âme humaine dans sa substance, c'est blasphémer contre le Fils de Dieu, Image de Dieu selon laquelle l'homme a été créé. Ce n'est pas le corps qui est le porteur de cette image, mais les vertus qui sont dans l'âme et qui, immuables en Dieu, sont susceptibles en l'homme de progrès et de régressions. Elles fondent la parenté de l'homme avec Dieu et sa faculté du connaître qui, omnisciente chez Dieu, doit chez l'homme progresser des réalités sensibles aux réalités spirituelles par le moyen d'une sensibilité spirituelle analogue aux sens corporels (10).

Peri Archon IV, 4

1. « *Tempus est... prolatus est* » (3-12) : ce début est conservé en grec par Marcel d'Ancyre, cité par Eusèbe de Césarée dans son *Contra Marcellum* I, 4 (*GCS* IV, p. 21, lignes 16-22 ou fragment 32 de Marcel). Marcel cite lui-même une lettre de Paulin de Tyr qui a cité Origène : « Ὥρα, ἐπαναλαβόντα περὶ πατρὸς καὶ υἱοῦ καὶ ἁγίου πνεύματος, ὀλίγα τῶν τότε παραλελειμμένων διεξελθεῖν · περὶ πατρός, ὡς ἀδιαίρετος ὢν καὶ ἀμέριστος υἱοῦ γίνεται πατήρ, οὐ προβαλὼν αὐτόν, ὡς οἴονταί τινες. Εἰ γὰρ πρόβλημά ἐστιν ὁ υἱὸς τοῦ πατρὸς καὶ γέννημα ἐξ αὐτοῦ, ὁποῖα τὰ τῶν ζῴων γεννήματα, ἀνάγκη σῶμα εἶναι τὸν προβαλόντα καὶ τὸν προβεβλημένον. — C'est le moment, en revenant sur ce qui concerne le Père, le Fils et le Saint Esprit, de discuter sur quelques points qui ont été laissés de côté : au sujet du Père, puisque tout en étant indivisible[1] et inséparable il devient père du Fils, sans cependant le faire par prola-

1. Sur ἀδιαίρετος qui supposerait *indiuisibilis* et non *inuisibilis*, voir note 2.

tion[1], comme certains le pensent. En effet, si le Fils est une prolation du Père et un rejeton qu'il engendre de la même façon que les petits des animaux, il faut nécessairement que celui qui a mis au jour et celui qui a été mis au jour soient corps. »

Le début, « *Tempus est... repetere* » (3-6), est cité en latin dans la version rufinienne de l'*Apologie* de Pamphile sous une forme différente de celle du *PArch.* : « *Tempus est decursis his quae de Patre et Filio et Spiritu sancto disseruimus, de illis quoque quae a nobis relicta fuerant, pauca repetere.* — C'est le moment, après avoir parcouru tout ce dont nous avons disserté en ce qui concerne le Père, le Fils et le Saint Esprit, de revenir sur ce que nous avons laissé de côté. »

La version rufinienne de l'*Apologie* correspond d'assez près au texte conservé par Marcel, à la différence de la version rufinienne du *PArch.* Pourquoi donc Rufin a-t-il changé son texte la seconde fois ? Il semble vouloir souligner davantage l'aspect de *recapitulatio* indiqué par le titre, alors que les deux autres textes montrent bien qu'il s'agit d'une *retractatio*. Le titre *anacephaleosis* était donc connu de Rufin et il l'avait reçu probablement de la tradition manuscrite, puisqu'il essaie d'adapter à ce titre le début de son texte. Les autres éléments du titre selon les éditions latines viennent de cette première phrase sous les trois formes qui la conservent.

Selon Eusèbe, dans le passage qui suit immédiatement la citation dans le *Contra Marcellum*, Marcel comprenait Origène comme s'il faisait du Fils une seconde substance au sens nicéen, δευτέραν ὑπόθεσιν, à côté du Père, et c'est pourquoi il le trouvait répréhensible. Sur ce fragment : A. Orbe, *Hacia la primera...*, p. 624 s.

1. Sur le sens et l'emploi de ce mot pour προβολή = *prolatio*, voir note 3.

2. Le texte de Marcel porte ἀδιαίρετος que Rufin aurait dû traduire en *indiuisibilis* et non en *inuisibilis* : les deux traductions rufiniennes, celle de l'*Apologie* et celle du *PArch.* portent cependant *inuisibilis.* Il est difficile de penser à une erreur d'un copiste postérieur, car elle aurait dû se produire à la fois dans la tradition manuscrite de l'*Apologie* et dans celle du *PArch.* Peut-être est-ce une erreur de Rufin dans sa traduction de l'*Apologie*, qu'il aurait reprise sans s'en apercevoir dans celle du *PArch.* Sur tout le passage : A. ORBE, *Hacia la primera...*, p. 674-678.

3. Comme on l'a vu en *PArch.* I, 2, 6 et notes correspondantes, Origène entend par προβολή, *prolatio* chez Rufin, une génération qui, comme celle de l'homme et des animaux, impliquerait une scission dans la substance divine, donc la corporéité de Dieu, et séparerait le Fils du Père, alors que le Fils reste dans le Père comme le Père est dans le Fils : *ComJn* VI, 48 (29), 249 ; XX, 18 (16), 152-159. Cela est remarquablement exprimé par GRÉGOIRE LE THAUMATURGE dans son *Remerciement à Origène*, IV, 36-37 : le Fils est dans le Père « ne faisant naturellement qu'un avec lui » ; il n'est pas « un être séparé de l'unité avec le Père » et en retour, « le Père qui l'a fait un avec lui (qui), pour ainsi dire, s'enveloppe de lui par la force de son Fils tout à fait égale à la sienne propre ». De même CLÉMENT, *Strom.* VII, 2, 5. Le Fils n'est donc pas un πρόβλημα du Père, le produit d'une προβολή à partir de lui. Rufin traduit tous ces mots par *prolatio.* Dans l'impossibilité de trouver un équivalent français qui rende exactement ces termes, nous avons francisé *prolatio* en « prolation » : « émanation » ne conviendrait pas dans son acception philosophique et théologique, car ce mot ajoute une idée supplémentaire, celle d'une génération qui n'est pas un acte libre du géniteur, mais le résultat d'un processus indépendant de sa volonté, venant de sa nature ; or ce n'est pas cet aspect qu'Origène combat. Dans l'*Apol. adv. libr. Ruf.* II, 19, Jérôme parle d'un dialogue d'Origène avec le valentinien Candide, qu'il a lu (voir note 12 de *PArch.* I, 8, 3). Candide professe la προβολή dans la génération du Fils par le Père. Mais à Origène Jérôme fait un reproche, suivant le contresens qu'il fait souvent sur la signification de κτίσμα ou de γενητός chez Origène (voir l'introduction à *PArch.* I-II (V, 4°) et la note 21 de *PArch.* I, préf.) : « Candide dit que le Fils est de la substance *(substantia)* du Père, mais il se trompe en ce qu'il affirme une προβολή, c'est-à-dire une *prolatio.* Au contraire Origène, suivant Arius et Eunomius, refuse qu'il soit proféré *(prolatum)* ou né, de peur de diviser en morceaux Dieu le Père, mais dit qu'il a reçu l'existence de la volonté du Père de même que les autres créatures, comme une créature sublime et la plus excellente. » Si on se représente la volonté divine de manière anthropomorphique, on conclura du fait que le Fils soit né de la volonté libre du Père qu'il aurait pu ne pas exister. Mais si la génération du Fils n'est pas l'œuvre de la volonté libre du Père, on ôte au Père sa divinité en le soumettant à une nécessité qui le domine. Impossible d'éviter les antinomies qui ressortent de conceptions anthropomorphiques, ou pour employer le langage de Gabriel Marcel d'une dégradation du mystère en problème et en faux problème ! En tout cas, que le Fils ait reçu pour Origène son existence de la volonté du Père (*PArch.* I, 2, 6) ne veut pas dire, comme le déduit Jérôme, qu'il soit une créature, car un autre mode de génération enlèverait au Père sa divinité.

4. Selon la doctrine valentinienne.

5. La création du Logos à partir de rien était une affirmation basilidienne : *Élenchos* VII, 22, 2 s. Le texte latin, liant l'affirmation d'une création du Logos à partir de rien avec sa non-éternité, vise une problématique typiquement arienne : on peut penser que Rufin a infléchi ce passage dans un sens antiarien, alors qu'Origène visait les gnostiques. Mais, même si la forme a été un peu modifiée par Rufin en ce sens, le contenu est origénien.

6. Si nous considérons ces quelques mots comme interpolés par Rufin, il faut les entendre de manière antiarienne : le Fils dérive de la substance du Père et est de la même substance. Si au contraire ils sont authentiques, leur signification n'est pas claire, car on ne peut savoir si le *substantia* de Rufin correspond à οὐσία ou à ὑπόστασις. Origène, tout en affirmant que le Fils est dans le Père et le Père dans le Fils, présente souvent le Fils distinct du Père non seulement par l'ὑπόστασις mais même par l'οὐσία, les deux termes étant alors équivalents et exprimant en fait la personne : Origène insiste alors, contre les modalistes, sur la personnalité propre du Fils (*PArch.* I, 2, 2 ; I, 2, 6 ; I, 2, 9 et notes correspondantes). Peut-être l'expression serait-elle alors à entendre dans le sens que le Fils ne dérive pas de rien, parce qu'il est de nature divine, et que, distinct du Père, il reste cependant en lui.

7. Sur cette image qu'Origène préfère, car elle est plus éloignée d'une représentation corporelle, voir *PArch.* I, 2, 6 ; I, 2, 9 ; A. ORBE, *Hacia la primera...*, p. 398 s. Nous avons traduit « *absque ulla corporali passione* » par « sans que rien ne se produise corporellement », c'est-à-dire sans que le Père ne pâtisse quoi que ce soit corporellement. On pourrait traduire aussi « sans aucune passion corporelle », à la différence de la procréation humaine dans laquelle intervient la passion au sens psychologique du terme, passion pour les réalités corporelles.

8. H. A. WOLFSON, *The Philosophy of the Church Fathers*, p. 226, pense à une influence du stoïcisme, pour qui l'ἀγάπησις était une forme de la βούλησις ; en sens contraire : A. ORBE, *Hacia la primera...*, p. 398 s.

9. A cet endroit, après « *putetur* » (l. 20), on loge habituellement deux fragments, l'un de Justinien, mais sa place est problématique, l'autre d'Athanase qui correspond à Rufin. Le fragment de JUSTINIEN (Mansi, IX, 525) est ainsi introduit : « Ὅτι κτίσμα καὶ γενητὸς ὁ υἱός, ἐκ τοῦ αὐτοῦ δ' λόγου — Que le Fils est créature et fait, du même quatrième livre ». Nous avons traduit ici κτίσμα et γενητός suivant le sens qu'on leur a donné après la crise arienne, sens qui n'est pas celui d'Origène : voir Introduction des livres I-II (V, 4°) et note 21 de *PArch.* I, préf. Mais nous traduisons ces mots, dans le fragment qui suit, selon le sens d'Origène en indiquant entre parenthèses celui de Justinien : « Οὗτος δὴ ὁ υἱὸς ἐκ θελήματος τοῦ πατρὸς ἐγενήθη, ὅς ἐστιν εἰκὼν τοῦ θεοῦ τοῦ ἀοράτου (*Col.* 1, 15) καὶ ἀπαύγασμα τῆς δόξης αὐτοῦ χαρακτήρ τε τῆς ὑποστάσεως αὐτοῦ (*Hébr.* 1, 3), πρωτότοκος πάσης τῆς κτίσεως (*Col.* 1, 15), κτίσμα, σοφία. Αὐτὴ γὰρ ἡ σοφία φησίν · Ὁ θεὸς ἔκτισέ με ἀρχὴν ὁδῶν αὐτοῦ εἰς ἔργα αὐτοῦ (*Prov.* 8, 22). — Le Fils a été produit (« créé » selon Justinien) de la volonté du Père, lui qui est l'image du Dieu invisible, le rayonnement de sa gloire et l'empreinte de sa substance, le premier-né de toute production (« création » selon Justinien), production (« créature » selon Justinien), Sagesse. Car la Sagesse dit elle-même : Dieu m'a produite (« créée » selon Justinien) comme principe de ses voies en vue de ses œuvres. »

Sur ce texte, voir H. GÖRGEMANNS, « Die ' Schöpfung ' der ' Weisheit ' bei Origenes : Eine textkritische Untersuchung zu *De Principiis* Fr. 26 », *Studia Patristica* VII, *Texte und Untersuchungen* 92, 1966, p. 194-209 : le κτίσμα serait une interpolation et cela est montré par l'analyse littéraire du fragment et de ses citations bibliques, ainsi que par l'exégèse de *Prov.* 8, 22 dans *PArch.* I, 2, 1-3 et *ComJn* I, 17, 101 ; I, 19 (22), 111 ; I, 34 (39), 244. F. PRAT, *Origène*, p. 58 en note, voit dans κτίσμα σοφία une note marginale passée dans le texte. J. RIUS-CAMPS, *El dinamismo...*, p. 131 note 132, propose de modifier ces mots en κτισθεῖσα σοφία. Ch. W. Lowry, « Did Origen style the Son a κτίσμα ? », *Journal of theological studies* 39, 1938, p. 39-42, défend l'authenticité de κτίσμα σοφία

Mais le fragment est-il ici à sa place et l'indication de l'introduction du morceau le plaçant au livre IV est-elle valable ? G. Bardy le verrait mieux en *PArch.* I, 2. En effet toute correspondance avec Rufin manque, mais il y en a une certaine avec le fragment d'Athanase que nous allons étudier et qui correspond à Rufin. Origène a appliqué au Christ κτίζειν et les mots de même racine à cause de deux versets scripturaires ici cités, *Prov.* 8, 22 et *Col.* 1, 15, mais, comme nous l'avons souvent dit, il ne leur donnait pas le sens de créer, mais il signifiait seulement par là que le Fils tirait du Père son origine. Le terme ποίημα, autour duquel se déroulera l'affaire des deux Denys, est celui qui exprime clairement pour Origène la créature. La lettre de Denys de Rome à Denys d'Alexandrie (Athanase, *De decretis Nicaenae synodi* 26, 5) témoigne de la multiplicité des sens du verbe κτίζειν : voir M. Simonetti, *Studi sull' Arianesimo*, Rome 1965, p. 9-87 (Sull'interpretazione patristica di Proverbi 8, 22). A partir de la crise arienne, κτίζειν prendra le sens exclusif de créer. Si donc ceux qui ont rassemblé le florilège de Justinien citent ce texte comme scandaleux, c'est qu'ils le jugent sans esprit historique, ne connaissant pas le langage d'Origène et l'entendant dans le sens de leur temps. Photius, *Bibl.* 106, comprend de même un des successeurs d'Origène au Didascalée d'Alexandrie, Théognoste, affirmant que le Fils est κτίσμα. Sur l'interprétation du fragment de Justinien, on peut lire encore A. Orbe, *Hacia la primera...*, p. 681 s. et J. Rius-Camps, *El dinamismo...*, p. 88 s.

Plus sûrement à sa place se trouve ici (« *sed et... non fuerit* », 20-29) un fragment conservé par Athanase, *De decr. Nic. syn.* 27, 1-2. Il est précédé d'une introduction intéressante que nous reproduisons seulement en français : « L'affirmation que le Logos est éternellement avec le Père et qu'il n'appartient pas à une autre essence (οὐσία) ou hypostase, mais qu'il est de celle du Père, comme l'ont dit les membres du concile, qu'il vous soit possible de l'entendre de nouveau, même du laborieux Origène. Ce qu'il écrivit à titre de questions et d'exercice, il faut le recevoir non comme sa propre pensée, mais comme celle de ceux qui aiment se quereller dans leurs recherches ; mais ce qu'il (ἀδεῶς corrigé en ἃ δὲ ὡς selon H. Karpp dans *Vigiliae Christianae* 28, 1974, p. 141-143 : correction déjà proposée par J. H. Newman dans *Select Treatises of Athanasius* I (1842), p. 48 note n) affirme en le définissant, telle est la pensée de cet homme laborieux. Après donc ce qu'il a dit à titre d'exercice aux hérétiques il ajoute lui-même ses propres pensées en ces termes. » Athanase ne dit pas que le passage qu'il va citer est du *PArch.*, mais sa correspondance avec le texte rufinien de *PArch.* IV, 4, 1 le montre.

Voici la citation : « Εἰ ἔστιν εἰκὼν τοῦ θεοῦ τοῦ ἀοράτου (*Col.* 1, 15), ἀόρατος εἰκών · ἐγὼ δὲ τολμήσας προσθείην ἂν ὅτι καὶ ὁμοιότης τυγχάνων τοῦ πατρὸς οὐκ ἔστιν ὅτε οὐκ ἦν. Πότε γὰρ ὁ θεὸς ὁ κατὰ τὸν Ἰωάννην φῶς λεγόμενος — ὁ θεὸς γὰρ φῶς ἐστιν (*I Jn* 1, 5) — ἀπαύγασμα οὐκ εἶχε τῆς ἰδίας δόξης (*Hébr.* 1, 3), ἵνα τολμήσας τις ἀρχὴν δῷ εἶναι υἱοῦ πρότερον οὐκ ὄντος ; πότε δὲ ἡ τῆς ἀρρήτου καὶ ἀκατονομάστου καὶ ἀφθέγκτου ὑποστάσεως τοῦ πατρὸς εἰκών, ὁ χαρακτήρ, λόγος ὁ γινώσκων τὸν πατέρα οὐκ ἦν ; κατανοείτω γὰρ ὁ τολμῶν καὶ λέγων · ἦν ποτε ὅτε οὐκ ἦν ὁ υἱός, ὅτι ἐρεῖ καὶ τό · Σοφία ποτὲ οὐκ ἦν καὶ λόγος οὐκ ἦν καὶ ζωὴ οὐκ ἦν. — S'il est l'image du Dieu invisible, c'est une image invisible[1] ; j'oserai ajouter qu'en

1. Pour l'invisibilité de l'image de Dieu et sa coéternité avec le Père : *PArch.* I, 2, 2 ; I, 2, 6 ; I, 2, 9 ; I, 2, 11. Quant à l'image de la lumière et de son rayonnement : *PArch.* I, 2, 11 et *FragmHébr.* (*PG* 14, 1307 d'après l'*Apologie* de Pamphile) où elle sert à démontrer la coéternité du Fils avec le Père. Mais à la limite elle pouvait représenter le Fils comme privé de subsistance propre : Justin, *DialTryph.* 128, est conscient du danger. Voir H. A. Wolfson, *The Philosophy of the Church Fathers*, p. 300 s.

tant que ressemblance du Père il n'y a pas de moment où il n'était pas[1]. En effet, quand est-ce que Dieu, dit par Jean Lumière — car Dieu est Lumière —, n'a pas eu de rayonnement de sa propre gloire, pour que quelqu'un ait l'audace d'assigner un début[2] au Fils comme s'il n'était pas auparavant ? Quand est-ce que l'image de l'hypostase ineffable, innommable et inexprimable[3] du Père, son empreinte, le Logos, celui qui connaît le Père, n'était pas ? Que celui qui ose dire : Il y eut un moment où le Fils n'était pas, réfléchisse qu'il dit équivalemment : Il n'y avait pas alors de Sagesse, il n'y avait pas alors de Logos (= de Raison), il n'y avait pas alors de Vie[4]. »

Ce fragment correspond à Rufin à partir de « πότε γὰρ ὁ θεὸς ». Il est cité par Athanase dans un sens favorable à Origène comme conforme à la foi de Nicée : la présentation du fragment le montre.

10. « Il n'y a pas de moment où il n'était pas » : Première formulation d'une expression qui sera utilisée dans la controverse arienne pour repousser l'idée que le Fils n'est pas coéternel au Père. On l'a déjà trouvée dans *PArch.* I, 2, 9 (et note correspondante 55) et elle se trouve aussi

1. Voir *infra* note 10.
2. Il s'agit ici d'ἀρχή dans un sens temporel, non dans le sens ontologique de principe, car dans cette dernière signification le Père est bien l'ἀρχή du Fils : *PArch.* I, 2 ; *ComJn* I, 17, 101-102.
3. Sur l'incognoscibilité de la nature divine et la connaissance limitée qu'on peut avoir de Dieu à partir de ses créatures : *CCels.* VI, 62 ; *PArch.* I, 1, 5 et notes correspondantes. Le concept d'innommable, ἀκατονόμαστος, vient de PLATON, *Timée* 28 c, sans le mot, il est utilisé par le moyen-platonisme (Celse dans *CCels.* VI, 42-43), par PHILON (*Somn.* I, 67 ; *Legat.* 353), par les gnostiques (IRÉNÉE, *Adv. Haer.* I, 1, 1 ; *Élenchos* V, 9, 1). Pour l'idée sans le terme : JUSTIN, *I Apol.* 63 ; II *Apol.* 6 ; CLÉMENT, *Strom.* V, 12, 81 s. Pour la liaison ἄρρητος καί ἀκατονόμαστος : *CCels.* VII, 43 ; PHILON, *Somn.* I, 67 ; *Élenchos* V, 9, 1.
4. Voir *infra* note 11.

dans *ComRom.* I, 5. Le texte d'Athanase montre bien que cette expression est d'Origène et n'a pas été ajoutée par Rufin, comme l'imaginait Huet, contredit par Delarue dans une note de son édition à cet endroit (*PG* 11, 401, note 44).

11. Voir *SchApoc.* 7 (*TU* 38/3, p. 23 s.) : la vie du Christ est opposée au devenir des créatures.

12. Sur l'unité de l'ὑπόστασις du Christ dans la diversité de ses *épinoiai*, des aspects sous lesquels il se révèle : *PArch.* I, 2, 1 et notes correspondantes.

13. Un second fragment cité par Athanase à la suite du précédent (*De decr. Nic. syn.* 27, 3) est inséré par Koetschau après « *deitatis* » (33). Athanase n'a pas dit du premier qu'il provient du *PArch.*, mais sa correspondance avec Rufin le montre. De celui-ci Athanase dit seulement : « καὶ πάλιν ἐν ἑτέροις οὕτω λέγει. — Et de nouveau à un autre endroit il parle ainsi ». Rien ne lui correspond chez Rufin et son insertion ici ne peut être que conjecturale et même n'a guère de chance d'être vraie. Si Rufin avait supprimé ce texte, ce ne saurait être pour des raisons doctrinales, car il n'est pas suspect à Athanase, ce pourrait être pour abréger. Les idées concordent avec notre passage selon Rufin et se retrouvent aussi en *PArch.* I, 4, 4. Voici le texte : « Ἀλλ' οὐ θέμις ἐστὶν οὐδὲ ἀκίνδυνον διὰ τὴν ἀσθένειαν ἡμῶν τὸ ὅσον ἐφ' ἡμῖν ἀποστερεῖσθαι τὸν θεὸν τοῦ ἀεὶ συνόντος αὐτῷ λόγου μονογενοῦς, σοφίας ὄντος, ᾗ προσέχαιρεν (*Prov.* 8, 30) · οὕτω γὰρ οὐδὲ ἀεὶ χαίρων νοηθήσεται. — Il n'est pas admissible ni sans danger à cause de notre faiblesse de priver, en ce qui nous concerne, Dieu du Logos Fils Unique qui est toujours avec lui et qui est la Sagesse pour laquelle il s'est réjoui : car ainsi on pensera qu'il ne se réjouit pas toujours. »

14. Toute détermination temporelle est incompatible

avec la nature de la divinité, dont on peut seulement affirmer l'éternité : PLATON, *Timée* 37 e. Cela sera repris au IVe siècle dans un sens antiarien : *Lettre d'Alexandre d'Alexandrie à Alexandre de Thessalonique* (324), 48 s. (éd. H. G. Opitz, *Athanasius Werke* III/1, p. 27) ; HILAIRE, *De Trin.* XII, 26-27. Voir *PArch.* I, 3, 4.

15. *tempus* doit correspondre à χρόνος et *aeternitas* à αἰών, mot qui chez Origène est difficile à expliquer avec précision : voir note 71 de *PArch.* I, 2.

16. Le temps commence avec la création et le devenir. Cette précision d'Origène montrait qu'était insoutenable la conception qu'on trouve chez les Apologistes, distinguant une époque où le Logos existe dans le Père d'une manière impersonnelle et un moment où il est engendré comme être personnel.

17. Le Logos divin est omniprésent et on ne peut le circonscrire : *CCels.* IV, 5 ; V, 12 ; *ComJn* XX, 18 (16), 152-159 ; *PEuch.* XXIII, 2 ; CLÉMENT, *Strom.* VII, 2, 5.

18. Sur les diverses manières dont les êtres raisonnables participent à la Raison, Sagesse et Justice divine : *PArch.* I, 3, 6 s. Sur l'omniprésence du Fils en tant que Parole, Sagesse, Justice, Vérité : *SérMatth.* 65 ; *ComRom.* VIII, 2.

19. On ne peut circonscrire le Logos et il peut donc faire participer à lui tous les êtres sans en être diminué ; de même pour l'Esprit Saint en *CCels.* VI, 70. Voir CLÉMENT, *Strom.* III, 10, 69 ; IRÉNÉE, *Démonstr.* 34.

20. Chacun participe plus ou moins au Christ selon ses mérites : *PArch.* I, 3, 6 ; II, 6, 3 et notes correspondantes. Cela est vrai aussi pour les *épinoiai*, les différents aspects sous lesquels le Fils se manifeste. Entre le Logos et chaque créature s'établit un rapport individuel selon le mérite de chacun et toujours susceptible de changement, car inclinations et mérites sont dans un état instable. Le Fils se communique donc à chaque créature à chaque instant d'une façon différente : *CCels.* II, 64-65.67 ; IV, 16 ; VI, 77 ; *SérMatth.* 100 ; *HomNombr.* IX, 9 ; *HomJér.* VIII, 2 ; *ComJn* I, 20 (22), 119-124. On peut faire une comparaison mais assez lointaine, avec les gnostiques : *Acta Johannis* 93 (M. BONNET, *Acta Apostolorum Apocrypha*, II/1, Leipzig 1898, p. 196).

21. Leurs corps ressuscités seront semblables aux corps des anges : *ComMatth.* XVII, 30.

22. *PArch.* I, 2, 10 ; I, 7, 1 ; II, 6, 1 ; II, 9, 4 ; etc.

23. Pour cette interprétation trinitaire du *Ps.* 32, 6, voir *PArch.* I, 3, 7 et note correspondante 43.

24. La divinité du Christ n'est pas circonscrite par son incarnation dans un corps humain : *CCels.* VII, 17.

25. Le problème se pose à nouveau : comment Origène a-t-il exprimé ce qui est traduit par Rufin en *paterna substantia*? Le texte parlait peut-être, seulement pour l'exclure, de séparation du Fils d'avec le Père comme en *ComJn* XX, 18 (16), 152-159 : dans l'Incarnation le Verbe est à la fois dans le sein du Père et sur terre avec son âme humaine.

26. Cette exégèse est basée sur le strict littéralisme habituel à Origène. Quand le Baptiste prononçait ces paroles, Jésus ne se trouvait pas parmi ses auditeurs, il n'était pas présent corporellement. Il s'agit donc de sa présence au monde comme Logos et aussi, dans bien des textes où Origène reproduit cette exégèse, de sa présence dans le cœur (intelligence ou *hégémonikon*) : *ComJn* II, 35 (29), 215 ; VI, 30 (15), 154 ; VI, 38 (22), 189 ; VI, 49 (30), 257 ; *HomNombr.* III, 2.

27. *PArch.* IV, 4, 2-3.

28. *PArch.* II, 6 ; II, 8, 2-4. Y avait-il, à l'époque

d'Origène, des précurseurs d'Apollinaire et de l'apollinarisme pour qui le Verbe avait assumé un corps humain et non une âme? Diffuse à la fin du IIIe siècle, cette doctrine n'attirera l'attention qu'au temps de la querelle arienne, où elle sera affirmée par des hérétiques et combattue, sporadiquement au début, par des orthodoxes, Eustathe d'Antioche ou Hilaire. Nous ne connaissons pas avant Origène de dispute à ce sujet, bien qu'on parlât fréquemment, d'après *Jn* 1, 14, de la chair assumée par le Christ : voir A. GRILLMEIER, *Das Konzil von Chalkedon* I, p. 30 s. Pour l'affirmation de l'humanité complète du Christ dans un contexte polémique, voir IRÉNÉE, *Adv. Haer.* V, 1, 1 ; TERTULLIEN, *De carne Christi* 10, 1. Il est possible que « *ut quidam putant* » (122-123) ait été ajouté par Rufin dans une intention antiapollinariste.

29. *dispensatio* (125) est la traduction normale du grec οἰκονομία désignant le plan de Dieu sur sa création.

30. A cet endroit, Koetschau suppose une lacune sans motif sérieux (jugement de G. BARDY, p. 61) et y insère un passage de la *Lettre à Ménas* de JUSTINIEN (*PG* 86/1, 963 C ou Mansi IX, 506), non d'un fragment du florilège qui la suit : « Puisque Origène après ses autres blasphèmes a dit ceci, que l'âme du Seigneur préexistait et que le Dieu Logos s'était uni à elle avant son Incarnation à partir de la Vierge. » Rien ne montre qu'il s'agisse d'une citation et non d'une présentation de la pensée d'Origène telle que l'auteur de la lettre la comprend. Il s'agit de la préexistence de l'âme du Christ unie au Verbe avant l'Incarnation. Mais le sujet est traité très largement en *PArch.* II, 6 et ici : il n'est pas nécessaire d'y voir un passage omis. Koetschau rapporte aussi à ce passage du *PArch.* un texte d'ATHANASE dans sa *Lettre à Épictète* cité comme visant Origène dans la *Lettre à Ménas* de Justinien : mais Athanase ne dit pas qu'il vise Origène. « Vraisemblablement se condamneront tous ceux qui pensent que la chair venant de Marie a existé avant elle, et qu'avant celle-ci (= la chair) le Logos-Dieu a eu une âme humaine, et qu'en elle (= l'âme) il a toujours été avant l'Incarnation. » Il est impossible d'attribuer à Origène l'idée que non seulement l'âme, mais encore la chair du Christ ait préexisté à l'Incarnation et celle que l'âme du Christ ait existé de toute éternité comme le Verbe. Et il est peu vraisemblable qu'Athanase, qui connaissait bien Origène et lui était sympathique, l'ait visé dans ce texte.

31. « *Neque enim... meam* » (132-134) : ici se situe un fragment cité par THÉOPHILE D'ALEXANDRIE dans la *Lettre Pascale de 402*, conservée tout entière par une traduction latine de Jérôme qui est la *Lettre* 98 de la correspondance de ce dernier. Mais le § 16 de cette lettre, où se trouvent le fragment que nous citons ici et celui qui sera cité plus bas dans la note 34, est conservé en entier en grec par THÉODORET DE CYR, *Eranistès*, dans le florilège II qui suit le dialogue II, § 58 (éd. G. H. ETTLINGER, Oxford 1975, p. 171-172). Nous résumerons le raisonnement de Théophile à propos du fragment suivant qu'il cite le premier. Celui que nous reproduisons maintenant est censé le contredire : « Οὐ δή που γὰρ ἡ τεταραγμένη καὶ περίλυπος οὖσα ψυχὴ (*Matth.* 26, 38) ὁ μονογενὴς καὶ πρωτότοκος πάσης κτίσεως (*Col.* 1, 15) ἐτύγχανεν οὖσα οὐδὲ (*sic corr. Koetschau a Rufino et Hieronymo* ; Ὁ γὰρ *codd.*, *Ettlinger)* θεὸς λόγος, ὃς κρείττων τῆς ψυχῆς τυγχάνων, αὐτὸς ὁ υἱός, φησίν, ἐξουσίαν ἔχω θεῖναι αὐτήν, καὶ ἐξουσίαν ἔχω λαβεῖν αὐτήν (*Jn* 10, 18). — En effet l'âme qui était dans le trouble et dans la peine n'était pas le Fils Unique et le Premier-Né de toute production, ni le Logos-Dieu qui est supérieur à l'âme : le Fils lui-même dit : J'ai le pouvoir de la déposer et le pouvoir de la reprendre. » Jérôme traduit : « *Anima quae turbata est et tristis effecta, non erat ipsa unigenitus et primogenitus omnis creaturae, nec Verbum Dei, quod condicionem animae superans, et uere Filius Dei in euangelio* *loquebatur: Potestatem habeo ponendi eam et potestatem habeo sumendi illam.* — L'âme qui est troublée et devenue triste n'était pas elle-même le Fils Unique et le Premier-Né de toute créature, ni la Parole de Dieu qui, dépassant la condition de l'âme et vraiment Fils de Dieu, disait dans l'Évangile : J'ai le pouvoir de la déposer et le pouvoir de la reprendre. » Rufin a un peu simplifié et adouci, voulant éviter de mettre une trop grande distance entre l'âme du Christ et le Verbe : voir *PArch.* II, 6, 6 et notes correspondantes. Pour la citation de *Matth.* 26, 38 et de *Jn* 10, 18 : *PArch.* II, 8, 4. Pour l'affirmation que l'assomption d'un corps mortel n'a fait subir aucun changement à la divinité : *CCels.* IV, 14-19.

32. Il y a là une allusion à *II Cor.* 13, 3, souvent cité pour signifier la présence du Christ dans les saints : *HomGen.* I, 13 ; *ComJn* VI, 6 (3), 42 ; XXVIII, 7 (6), 54.

33. Tout homme est pécheur sauf le Christ : *ComJn* XX, 36 (29), 335 ; *HomNombr.* III, 2 ; *ComRom.* V, 4 ; *HomLc* XIX, 1. Il y a cependant pour Origène une différence entre péché et souillure exposée à propos de *Job* 14, 4. La condition charnelle constitue une souillure, non un péché, une souillure parce que le sensible met l'âme en état de tentation : c'est la tentation de s'attacher à lui, alors qu'il n'est qu'image, au lieu de le dépasser pour aller à son modèle divin. Si Jésus est sans péché (*PArch.* II, 6, 6), il a lui aussi, comme Marie — qui n'est pas sans péché (*HomLc* XVII, 6) —, la souillure de la condition charnelle, bien qu'elle ne puisse être pour lui source de tentation (*HomLc* XIV, 3-4). Cette souillure, il l'a assumée pour notre rédemption (*Ibid.* ; *HomLév.* IX, 5-6 ; *ComJn* II, 26 (21), 163-167). Une autre forme de souillure est celle qu'entraînent les relations conjugales (*ComMatth.* XVII, 35) et elle est elle aussi distinguée du péché (*Ibid.* ; *ComRom.* IX, 1 rapproché de *HomNombr.* XXIII, 3) : cette souillure est une forme plus aiguë de celle de la condition charnelle et lui est liée. Les saints sont souillés même par leurs victoires sur le péché et les démons et ont besoin pour cela de purifications : *HomNombr.* XXV, 6. Pour la citation d'*Is.* 7, 15 s. : *PArch.* II, 6, 4. Pour celle de *Ps.* 44, 8 : *PArch.* II, 6, 4 s.

34. « *ideoque... cum ipso est* » (146) : ici se place un autre fragment conservé par Théophile d'Alexandrie et cité par ce dernier avant celui dont il est question dans la note 31 ; pareillement dans la *Lettre Pascale de 402*, traduite par Jérôme dans sa *Lettre* 98 et dont le § 16 qui nous intéresse se trouve dans Théodoret de Cyr, *Eranistès*, dans le Florilège II qui suit le Dialogue II, § 58 (éd. Ettlinger, p. 171-172). Avant de citer le fragment, Théophile accuse Origène de blasphémer contre le Fils de Dieu puis reproduit ce qui suit : « Ὥσπερ ὁ υἱὸς καὶ ὁ πατὴρ ἕν εἰσιν, οὕτω καὶ ἣν εἴληφεν ὁ υἱὸς ψυχὴν καὶ αὐτὸς ἕν εἰσιν. — Comme le Père et le Fils sont un, de même l'âme qu'a assumée le Fils et le Fils lui-même sont un. » La traduction de Jérôme est pratiquement littérale : « *Sicut Pater et Filius unum sunt, ita et anima quam adsumpsit Filius et ipse Filius Dei unum sunt.* » Après avoir cité ce texte, Théophile réfute violemment la comparaison en la prenant strictement, comme si Origène avait voulu égaler complètement l'union du Père et du Fils avec l'union du Fils et de son âme. Il en tire toute sorte de conséquences absurdes et met Origène en contradiction avec lui-même en citant le fragment reproduit dans la note 31. Certes, la comparaison d'Origène est maladroite, surtout quand elle est considérée en dehors de tout contexte, comme une formule valable par elle seule. Mais puisque le fragment de la note 31 la précède de quelques lignes seulement, on voit bien que les déductions de Théophile sont sans objet. Rufin a perçu le danger : aussi affirme-t-il seulement l'union du Verbe avec son âme sans la comparer à celle du Père et du Fils, comparaison qui pourrait être mal comprise, comme le montre le scandale de Théophile. Le développement de la doctrine trinitaire à la suite de la controverse antiarienne rendait inadmissible l'à-peu-près que dénote la comparaison, surtout quand on néglige d'expliquer ce fragment par l'autre : l'unité du Fils et du Père est à exprimer en termes de nature, celle du Fils avec son âme en termes de personne. Mais ces définitions n'existaient pas sous cette forme précise au temps d'Origène, qui représentait l'union sous une forme dynamique de volonté et d'amour, voulant exprimer par là bien plus que ce que nous entendrions par une union purement morale : *CCels.* VIII, 12 ; *DialHér.* 2 s. ; *ComCant.* prol. (*GCS* VIII, p. 69). Le scandale de Théophile et de son traducteur Jérôme dénote une absence de sens historique, mais aussi celle d'une méthode d'interprétation élémentaire qui consiste à expliquer l'un par l'autre les divers éléments d'un passage, au lieu de les opposer comme si chacun était un absolu.

35. Sur *Col.* 3, 3-4 voir *PArch.* II, 6, 7 et notes correspondantes. L'âme du Christ est un modèle à imiter : *PArch.* II, 6, 3 et notes correspondantes. A propos de l'imitation du Christ : M. Harl, *Origène et la fonction révélatrice du Verbe incarné*, p. 288-296. Le Christ-homme désigne essentiellement son âme, car l'homme c'est avant tout l'âme, le corps ayant une fonction accessoire : *PArch.* IV, 2, 7.

36. *substantialiter* = οὐσιωδῶς par opposition à *accidentaliter* = κατὰ συμβεβηκὸς (*CCels.* VI, 44). Voir note 69 de *PArch.* I, 2.

37. En *PArch.* IV, 4, 2, il est dit que toute créature participe plus ou moins au Christ dans la mesure de ses mérites ; ici, que le Christ, pour favoriser au maximum le mouvement de l'âme vers lui, s'adapte à ses capacités, se présentant à elle sous la forme qui leur est la plus conforme. Cette seconde perspective apparaît dans le thème des nourritures spirituelles : le Christ se fait herbe pour l'âme encore animale, lait pour l'enfantine, légumes pour la malade, nourriture solide pour qui est fort, afin de mettre à la portée de chacun « l'unique aliment de toute la création, la nature de Dieu » (*HomIs.* III, 3). Voir *PArch.* III, 1, note 77 ; H. Crouzel, *Connaissance*, p. 166-184 ; C. Blanc, « Les nourritures spirituelles d'après Origène », *Didaskalia* 6, 1976, p. 3-19. Sur des thèmes semblables : *ComJn* I, 20 (22), 119-124. En élargissant cette perspective sur le plan cosmique, Origène dit que le Logos s'est fait homme pour les hommes et ange pour les anges : *ComJn* I, 31 (34), 217-218 ; *HomGen.* VIII, 8 ; *SelGen.* 32, 24 (*PG* 12, 128). Sur le contexte des théophanies où cela se situe, voir la note 2 de *PArch.* III, 2 et la note 80 de IV, 3. Origène applique souvent cela à l'Incarnation : *ComJn* I, 18 (20), 107-108 ; *ComCant.* I (*GCS* III, p. 108). Voir Ps.-Barnabé 5, 10 ; Irénée, *Adv. Haer.* III, 20, 2 ; Clément, *Strom.* VII, 2, 8. C'est pour cela que les Corinthiens, figures des « plus simples », peuvent comprendre seulement le Christ crucifié et non le Logos accessible seulement aux parfaits : *PArch.* III, 2, 4 ; IV, 1, 7 et notes correspondantes. L'idée du Christ se faisant chérubin pour les chérubins, séraphin pour les séraphins, ange pour les anges, selon ce qu'attribue à Origène l'anathématisme 4 de 543 et aux origénistes l'anathématisme 7 de 553, est bien antérieure à lui et nous n'avons pas de preuve qu'il l'ait exploitée en dehors du contexte restreint des théophanies. G. Bardy, p. 62, cite le *Testament en Galilée de notre Seigneur Jésus-Christ* 24-25 (*Patrologia Orientalis* IX/3) ; l'*Epistula Apostolorum* 13-14 (*Texte und Untersuchungen* 43/1), les gnostiques selon Irénée (*Adv. Haer.* I, 23, 3 et I, 30, 12), la *Pistis Sophia* (Schmidt-Till, *GCS* 45), l'*Ascensio Isaiae* (Tisserand), etc.

38. A propos de « *quidam autem... reuocaret* » (176-183), Koetschau veut que Rufin ait abrégé et altéré : il y aurait eu là des idées exprimées par l'anathématisme VII de 553, l'*Apol. adv. Libr. Ruf.* II, 12 de Jérôme et la *Lettre Synodale* de Théophile d'Alexandrie, 92, 4 de la correspondance de Jérôme. Or : 1) Les anathématismes de 553 ne concernent pas Origène mais les origénistes palestiniens du VIe siècle, les isochristes, et les idées contenues dans l'anathématisme VII sont largement attestées dans le milieu paléo-chrétien et chez les gnostiques : voir la note 37. Rien ne nous dit qu'Origène les exprimait ici. 2) Jérôme et Théophile ne font que paraphraser ce que l'on trouve chez Rufin : il n'y a pas de raison pour supposer une lacune. On a pensé (W. VÖLKER, *Das Vollkommenheitsideal des Origenes*, p. 113) que Rufin aurait cherché à atténuer le danger que pouvait présenter ce passage entendant de l'âme la kénose en le référant à « *quidam autem uolunt* » (176) pour l'éloigner d'Origène. Mais Origène fait parler de même un ἄλλος en IV, 4, 8 d'après Justinien : ce passage ne rend pas invraisemblable qu'Origène ait posé la question sous forme problématique. Attribuer la kénose à l'âme du Christ et non au Verbe est une des accusations soulevées par THÉOPHILE : *Lettre synodale* ou *Lettre* 92 de Jérôme, § 4 ; *Lettre pascale de 402* ou *Lettre* 98 de Jérôme, § 14. D'après J. L. PAPAGNO, « Flp 2, 6-11 en la cristología y soteriología de Origenes », *Burgense* 17, 1976, p. 395-429, Origène indique comme sujet de la kénose et de la glorification tantôt le Verbe dans sa divinité (ainsi *PArch.* I, 2, 8 ; II, 6, 1 ; III, 5, 6 ; IV, 2, 7), tantôt l'âme préexistante (*PArch.* IV, 4, 5 ; *CCels.* IV, 18). Il justifie cela par la communication des idiomes, car l'âme participe de la forme de Dieu avant l'Incarnation. Origène met l'accent tantôt sur la dualité, tantôt sur l'unité dans le Christ. Personnellement nous pensons que, si on ne fait pas grief à Origène de l'hypothèse de la préexistence, ce passage est parfaitement admissible. Ainsi *ComJn* XX, 19 (17), 162 : « Peut-être que l'âme de Jésus dans sa perfection était en Dieu et dans la plénitude : elle sortit de là, envoyée par le Père, et prit corps dans le sein de Marie. » Ce passage parle comme le texte présent de *PArch.* IV, 4, 5. Par son union au Verbe, l'âme du Christ est « en Dieu », puisque le Verbe est dans le sein du Père, « son lieu » (*ComJn* XX, 18 (16), 153) ou, ce qui est équivalent, « sous la forme de Dieu » (*ibid.*). L'âme aussi s'y trouve. Pour Origène, μορφή indique quelque chose de plus extérieur qu'εἰκών qui atteint le cœur de l'être : si le Verbe est εἰκών, l'âme est εἰκών εἰκόνος, mais tous les deux sont ensemble ἐν μορφῇ θεοῦ. D'ailleurs on peut dire, dans la perspective d'Origène, que le sujet premier de l'Incarnation et de la Rédemption est davantage l'âme que le Verbe. Le Verbe reste dans le sein du Père, dans l'immutabilité divine, tout en étant sur terre avec son âme. Seule l'âme peut laisser au sens strict la « forme de Dieu » pour prendre la « forme de l'esclave ». C'est l'Homme-Dieu qui laisse son Père et sa Mère, la Jérusalem céleste, pour rejoindre son Épouse tombée (*ComMatth.* XIV, 17) : c'est en effet l'âme du Christ, et indirectement à travers elle le Verbe, qui est l'Époux de l'Église de la préexistence tombée par sa faute. C'est l'âme du Christ qui est la victime de la Rédemption : elle souffre, elle est livrée en rançon au diable, elle descend dans l'Hadès, elle monte au ciel dans son Ascension. Cela ne mérite pas le scandale, car Origène insiste constamment sur l'union inséparable du Verbe et de l'âme. Voir J. Chênevert, p. 55-58 ; M. Simonetti, « La morte di Gesù in Origene », *Rivista di Storia e Letteratura religiosa* 8, 1972, p. 19-22.

39. Cette « forme de l'esclave » que le Christ va restaurer en « forme de Dieu », c'est aussi celle qu'ont revêtue les intelligences préexistantes quand elles ont péché et ont été mises dans des corps terrestres : l'âme du Christ revêt la « forme de l'esclave » pour les rejoindre dans leur état. Dans la béatitude, les âmes des sauvés seront sous la « forme de Dieu », comme Origène le montre par son explication du *Ps.* 81 (82), à la suite de *Jn* 10, 35-36 :

ComJn I, 31 (34), 212-233 ; II, 2-3, 17-20 ; *HomEx.* VI, 5 ; VIII, 2 ; *ComCant.* prol. (*GCS* VIII, p. 71) ; *HomÉz.* I, 9 ; etc.

40. Comme le Fils de Dieu se manifeste sous des aspects divers, on peut participer à lui sous des formes diverses, mais à la base il s'agit toujours de participer à la même réalité, au Père. Sur les hommes, fils adoptifs de Dieu par leur participation au Fils par nature : *FragmIs.* (*PG* 13, 217) ; *FragmJn* 109 (*GCS* IV, p. 563) ; *PEuch.* XXII, 4. Pour la participation à la Sagesse : *PArch.* I, 2, 4 ; I, 3, 8. Et la participation au Saint Esprit : *PArch.* I, 1, 3 ; I, 3, 8 ; II, 7, 2 s.

41. L'expression *natura Trinitatis* n'est guère origénienne, mais est clairement origénienne l'unité fondamentale des divers aspects sous lesquels l'homme peut participer à la nature divine. La pensée qui s'exprime dans ce passage est donc substantiellement authentique et l'intervention de Rufin reste marginale. Sur le mot Trinité, voir *PArch.* I, 3, 2 et note correspondante 10.

42. La différence entre hommes et anges est pour Origène accidentelle : ils appartiennent tous à la création raisonnable comme à une unique espèce.

43. *PArch.* II, 1-3 : à cet endroit commence le second sujet du chapitre, le monde.

44. Origène définit donc en passant son public et le but qu'il se propose en rédigeant le *PArch.* : l'approfondissement de la foi par les chrétiens désireux de le faire et l'affrontement de la propagande hérétique par la discussion et réfutation de leurs doctrines ; voir l'introduction aux livres I-II (VI, 1°).

45. Il s'agit des gnostiques faisant dériver la matière d'une dégradation d'un principe divin et la considérant comme mauvaise en elle-même et principe du mal. La conception stoïcienne de la matière comme un substrat amorphe servait à Origène d'explication à la continuité du corps humain à travers ses transformations successives ; elle lui permettait aussi de repousser la conception d'une matière intrinsèquement mauvaise, comme en *CCels.* IV, 66 : voir *PArch.* II, 1, 4 et notes correspondantes.

46. Le terme *(in scripturis) canonicis* (204) est de Rufin, non d'Origène : on ne voit pas Origène appliquer le mot κανών au canon des Écritures ; sur ce mot : *PArch.* IV, 2, 2 et note correspondante 11.

47. Dans *Is.* 10, 17, ὕλη signifie bois ou forêt. L'interprétation d'Origène est conditionnée par *I Cor.* 3, 12 où le bois (là ξύλον), le foin, la paille représentent les péchés : voir *PArch.* II, 10, 4 et notes correspondantes.

48. La *Sagesse* de Salomon est citée par Origène comme inspirée en *CCels.* III, 72, mais il reconnaît ici que ce livre est un *antilegomenon*, que sa canonicité est contestée. La conception de la matière que se fait l'auteur alexandrin de ce livre est la même que celle d'Origène.

49. Tel est en effet le texte de la Septante : ἀόρατος καὶ ἀκατασκεύαστος. Pareillement chez les gnostiques (*Élenchos* VI, 30, 8-9 ; Irénée, *Adv. Haer.* I, 2, 3) ; les platoniciens : Albinos, *Épitomé* 8, 2 (Louis, 1945), Calcidius, *In Timaeum* 278 (Waszinck 7, p, 282).

50. Si la matière est conçue comme le substrat amorphe des choses, prêt à toute transformation selon les qualités qui le déterminent, on ne peut admettre d'autres principes corporels qui resteraient immuables à travers tous les changements, que ce soit les atomes ou les quatre éléments traditionnels. La matière est alors un principe antérieur aux quatre éléments : ils ne sont autres que la matière déterminée par des qualités (le chaud, le froid, le sec, l'humide) et ils sont susceptibles de changements, puisque feu, air, eau et terre peuvent se changer l'un en l'autre

(*SVF* II, p. 136). Chez Origène cette doctrine est exigée par sa cosmologie, puisque la substance matérielle s'adapte à toutes les formes et modifications que lui impose la substance spirituelle. Admettre comme fondements de la matière des principes immuables serait limiter ses possibilités de transformation. Cela l'aurait gêné pour affirmer que les corps dont sont douées les créatures raisonnables se transforment d'après les diverses conditions où elles viennent à se trouver par suite des mouvements de leur libre arbitre : *PArch.* II, 1-3. Les stoïciens, tout en considérant la matière amorphe comme le principe originaire des choses, posaient effectivement à la base de leur processus de formation les quatre éléments (στοιχεῖα) traditionnels, premiers dérivés de la matière amorphe, matière revêtue de qualités et déjà formée (*SVF* II, p. 111, 112, 136 s.).

51. Les particules indivisibles sont les atomes (Leucippe, Démocrite, Épicure), et les divisibles en parties égales les homéoméries d'Anaxagore. Schnitzer pense que le texte parlait seulement des atomes et que ces précisions sont l'œuvre de Rufin ; mais il s'agit d'expressions trop techniques pour qu'on les lui attribue. L'anathématisme VI de 553 (Mansi IX, 397 ; A. Guillaumont, p. 145) prête aux isochristes qu'il vise la préexistence des éléments au monde, ainsi que celle de la forme selon laquelle le monde serait fait : la première affirmation n'a pas de soutien chez Origène.

52. Ainsi Thalès l'eau, Anaximandre un élément plus subtil que l'eau, plus épais que l'air, Anaximène l'air.

53. *PArch.* II, 1, 4.

54. Il n'est pas question de ces qualités en *PArch.* II, 1, 4, mais seulement des quatre suivantes.

55. La conception selon laquelle la matière n'est pas autre chose qu'un ensemble de qualités sans substrat est ici utilisée pour éliminer l'opposition entre la foi chrétienne en une matière créée par Dieu et la philosophie grecque qui la considérait comme incréée. Si la matière était incréée et avait été ensuite façonnée et ordonnée par Dieu pour former l'univers, cela revenait à dire en termes stoïciens que la matière amorphe était incréée alors que les qualités avaient été créées par Dieu. Mais, une fois admis que la matière n'était pas autre chose qu'un ensemble de qualités, on n'avait plus à admettre un substrat amorphe incréé et l'on pouvait conclure que la matière, réduite à un ensemble de qualités, avait été créée par Dieu. Voir PLUTARQUE, *De communibus notitiis* 50 (cf. M. POHLENZ, *Die Stoa* II, p. 39-41) ; DIOGÈNE LAËRCE, *Vitae* (Zénon), VII, 137 ; MARIUS VICTORINUS, *Ad Candidum* 10 (*SC* 68). Le fragment du *ComGen.* cité par EUSÈBE, *Prépar. Évang.* VII (cf. *SC* 215, p. 270 s.), constitue, selon J. DENIS qui le traduit p. 148-150, « le premier essai... de démonstration de la non-éternité de la matière ». On y retrouve les idées ici développées.

56. Il n'y a qu'une analogie entre l'exemple adopté et le problème traité : elle veut montrer comment l'intelligence peut par abstraction concevoir théoriquement une matière sans qualité. Mais dans la réalité, la matière se présente aux sens informée par des qualités : *PArch.* II, 1, 4 ; PLOTIN, *Ennéades*, III, 6, 15.

57. « *simulata quodammodo cogitatione* » (277) correspond chez ALBINOS, *Épitomé* VIII, 2 (Louis) à νόθῳ λογισμῷ, « un raisonnement bâtard », expression qui vient de PLATON, *Timée* 52 b. Sur la matière chez Albinos, voir H. KOCH, p. 253-254. Sur ce passage d'Origène : H. CORNÉLIS.

58. L'*imperfectum* de Rufin traduit τὸ ἀκατέργαστον des Septante. HILAIRE (*Tractatus in Ps. 138*, 32, inspiré d'Origène) rend ce terme à la fois par *imperfectum* et par *inoperatum*. Origène entend par l'incomplétude de Dieu celle de sa création et lui donne une interprétation très personnelle. La création imparfaite est la matière amorphe, destinée à former avec addition des qualités l'univers dans sa variété. Tout cela est en accord avec *Gen.* 1, 1 entendu de la création de la matière amorphe. Voir aussi *PArch.* II, 2, 5. L'idée de cette interprétation vient peut-être de la seconde citation d'*Énoch* rapportée plus bas et rapprochée de la première (matière = imperfection).

59. Sur l'attitude d'Origène envers cet apocryphe : *PArch.* I, 3, 3 et note correspondante. Le texte grec de la seconde citation est dans CLÉMENT, *Eclogae propheticae* 2 : son interprétation est toute proche de celle d'Origène. D'après *CCels.* V, 54, ce livre n'est pas habituellement reçu dans l'Église comme inspiré.

60. *PArch.* I, 3, 3 ; I, 4, 3-4 ; I, 7, 1. Sur la sollicitude de Dieu pour le bien des créatures : *CCels.* IV, 6 ; VIII, 62.

61. Voir *PArch.* IV, 4, 5 et note 40 ; de même *HomLév.* XI, 3 ; *FragmÉz.* 18, 14 dans *PG* 13, 817. Sur ce texte et la conception, chrétienne parce que personnaliste, et non seulement platonicienne, qu'Origène se fait de Dieu : H. DE LUBAC, *Histoire et Esprit*, p. 227-245.

62. Pour le concept de mesure et d'ordre : *ComJn* VI, 57 (37), 295 ; XXXII, 16 (9), 183-184. Sur le sujet ici repris : *PArch.* II, 9, 1 ; III, 5, 2.

63. Après « *mensura est* » (307) Koetschau insère le fragment suivant de JUSTINIEN (Mansi IX, 525), correspondant à une problématique lacune de Rufin. Le fragment est introduit : « Τοῦ αὐτοῦ ἐκ τοῦ τετάρτου λόγου τοῦ αὐτοῦ βιβλίου. — Du même sujet, du quatrième tome du même livre. » Ce titre renvoie au sujet du fragment précédent logé en II, 9, 1 (voir note 2 correspondante), dont le sujet est d'après son introduction : « Que la puissance de Dieu le Père est limitée ». Voici le texte : « Μηδεὶς δὲ προσκοπτέτω τῷ λόγῳ, εἰ μέτρα ἐπιτίθεμεν καὶ τῇ τοῦ θεοῦ δυνάμει. Ἄπειρα γὰρ περιλαβεῖν τῇ φύσει ἀδύνατον τυγχάνει. Ἅπαξ δὲ πεπερασμένων ὄντων, ὧν περιδράττεται αὐτὸς ὁ θεός, ἀνάγκη ὅρον εἶναι μέχρι πόσων πεπερασμένων διαρκεῖ. — Que personne ne se scandalise de cette parole, si nous mettons des limites même à la puissance de Dieu. Car concevoir l'illimité est impossible par nature. Une fois admis que sont limités les êtres que Dieu lui-même embrasse, il faut qu'il y ait une limite à la quantité d'êtres finis auxquels il pourvoit. » Ce fragment attribué au livre IV a été mis ici par Koetschau comme développant ce que dit Rufin du nombre et de la mesure. G. Bardy, p. 150, l'approuve. Pour l'idée développée se reporter à II, 9, 1 et à la note 2 correspondante. Idée semblable chez Augustin, *De div. quaest. 83*, XV, *CChrSL* 44 A, p. 21.

64. « *Virtute enim sua... alta dei* » (307-311). A ce passage correspond un fragment de Jérôme et un fragment de Justinien. Le premier, *Lettre* 124, 13, est ainsi introduit : « *Rursumque blasphemans de Filio sic locutus est.* — Blasphémant de nouveau il a ainsi parlé du Fils. » Suit la première partie du passage cité : « *Si enim patrem cognoscit filius, uidetur in eo quod nouit patrem, posse eum conprehendere, ut si dicamus artificis animum artis scire mensuram. Nec dubium quin, si pater in filio, et conprehendatur ab eo, in quo est. Sin autem conprehensionem eam dicimus, ut non solum sensu quis et sapientia* (sensum... sapientiam *codd.*) *conprehendat, sed uirtute et potentia cuncta teneat quae* (qui *codd.*) *cognouit, non possumus dicere quod conprehendat filius patrem. Pater uero omnia conprehendit : inter omnia autem et filius est, ergo et filium conprehendit.* — En effet si le Fils connaît le Père, il semble que par le fait de connaître le Père, il peut le comprendre : c'est comme si nous disions que l'intelligence de l'artisan connaît sa technique dans toute sa mesure. Il n'y a pas de doute que si le Père est dans le Fils, il est compris par celui en qui il est. Mais si nous disons par le mot de compréhension, non seulement comprendre par la pensée et la sagesse, mais tenir par sa force et sa puissance tout ce qu'on comprend, nous ne pouvons dire que le Fils comprend le Père. Mais le Père comprend tout : dans ce tout il y a le Fils ; donc il comprend le Fils. »

La dernière phrase du fragment précédent et tout le fragment suivant correspondent à celui de Justinien qui va être étudié. La seconde partie du fragment hiéronymien est ainsi introduite : « *Et ut sciremus causas, quibus pater conprehendat filium et filius patrem non queat conprehendere, haec uerba subnectit.* — Et pour que nous sachions les motifs pour lesquels le Père comprend le Fils sans que le Fils puisse comprendre le Père, il ajoute ces paroles. » La citation que nous allons reproduire suit immédiatement la précédente comme le montre le texte de Justinien : « *Curiosus lector inquirat utrum ita a semetipso cognoscatur pater quomodo cognoscitur a filio, sciens illud quod scriptum est : Pater qui me misit maior* <*me*> *est* (*Jn* 14, 28), *in omnibus uerum esse contendet, ut dicat et in cognitione filio* (filii *codd.*) *patrem esse maiorem, dum perfectius et purius a semetipso cognoscitur quam a filio.* — Que le lecteur curieux recherche si le Père est connu par lui-même de la même façon qu'il est connu par le Fils : sachant que ce qui est écrit : Le Père qui m'a envoyé est plus grand que moi, est vrai en toutes choses, il tendra à dire que dans cette connaissance le Père est plus grand que le Fils, car il est connu plus parfaitement et purement par lui-même que par le Fils. »

Le fragment de Justinien (Mansi IX, 525) commence donc chez Jérôme à « *Pater uero...* », à la fin du premier texte, et finit avec le second. Il est ainsi introduit : « Ὅτι καὶ περιέχεται μετὰ τῶν ἄλλων κτισμάτων ὁ υἱὸς ἀπὸ τοῦ πατρός · καὶ κατὰ ταῦτα μείζων ἐστὶν ὁ πατὴρ τοῦ υἱοῦ, καὶ ἀόρατος αὐτῷ τυγχάνει, ἐκ τοῦ αὐτοῦ περὶ ἀρχῶν δ' λόγου. — Le Fils est contenu par le Père avec les autres créatures : en toutes choses le Père est plus grand que le Fils et lui est invisible, du même tome quatrième sur les principes. » Nous trouvons dans cet argument deux éléments que ne suggère pas le texte qui suit. D'abord le Fils est une créature comme les autres : voir le fragment de Justinien cité note 9 et les explications qui y sont données. Ensuite le Père est invisible au Fils : voir l'Introduction aux livres I-II (V, 2°) ; pareillement *PArch.* I, 1, 8 et note correspondante 36. Le texte est le suivant : « Εἰ δὲ ὁ πατὴρ ἐμπεριέχει τὰ πάντα, τῶν δὲ πάντων ἐστὶν ὁ υἱός, δῆλον ὅτι καὶ τὸν υἱόν. Ἄλλος δέ τις ζητήσει εἰ ἀληθὲς τὸ ὁμοίως τὸν θεὸν ὑφ' ἑαυτοῦ γινώσκεσθαι τῷ γινώσκεσθαι αὐτὸν ὑπὸ τοῦ μονογενοῦς, καὶ ἀποφανεῖται ὅτι τὸ εἰρημένον · ὁ πατήρ μου ὁ πέμψας με μείζων μου ἐστὶν (*Jn* 14, 28) ἐν πᾶσιν ἀληθές · ὥστε καὶ ἐν τῷ νοεῖν ὁ πατὴρ † μειζόνως καὶ τρανοτέρως καὶ τελειοτέρως νοεῖται ὑφ' ἑαυτοῦ ἢ ὑπὸ τοῦ υἱοῦ. — Si le Père contient tout et que dans ce tout est le Fils, il est clair que le Père contient le Fils. Un autre se demandera s'il est vrai que Dieu est connu par lui-même de la même façon qu'il est connu par le Fils unique, et il répondra que la parole : Mon Père qui m'a envoyé est plus grand que moi, est vraie en toutes choses ; de sorte que, en ce qui concerne la compréhension, le Père est compris par lui-même d'une manière plus grande, plus claire et plus parfaite que par le Fils. »

Ce passage que Rufin a supprimé est un court excursus. Origène a souligné que la création est nécessairement limitée pour qu'elle puisse être comprise : ce sujet amène celui de la compréhension réciproque du Fils et du Père. Le texte de Jérôme comprend une première partie : « *Si enim patrem... filium patrem* » et une seconde qui correspond étroitement à Justinien : « *Pater uero... quam a filio* ». Koetschau a pensé que dans Rufin, « *Illa enim natura... alta dei* » (309-311) a été écrit par ce dernier pour remplacer ce qu'il omettait et que « *Virtute... conprehensus est* » (307-308) correspond à la première partie de Jérôme. Mais cette phrase peut aussi être authentique et précéder le fragment de Jérôme.

Pour comprendre ces passages il faut d'abord les insérer dans leur contexte. Dieu a créé l'univers et le comprend, mais n'est compris par personne. En ce qui concerne le Fils tout tourne autour des verbes ἐμπεριέχειν/*conprehendere* et γινώσκειν/*cognoscere*. Le Père selon Jean est connu du Fils : si par *conprehendere* on entend *cognoscere*, alors le Père est compris par le Fils ; mais si *conprehendere* signifie posséder, tenir en son pouvoir, le Père n'est pas compris du Fils, alors qu'il comprend le Fils dont il est le principe, l'ἀρχή. La note subordinatienne découle d'un subordinatianisme d'origine — le Père est l'origine du Fils. Le second passage veut expliquer l'expression : le Fils connaît le Père. Il le connaît, certes, mais étant inférieur au Père, il ne le connaît pas avec la même perfection selon laquelle le Père se connaît.

Avant d'attribuer à Origène une telle réponse comme une certitude ferme, il faut faire deux considérations. 1) Tant chez Jérôme que chez Justinien, cette thèse est attribuée à un autre, ἄλλος δέ τις/*Curiosus lector*, et n'est pas présentée par l'auteur comme lui étant propre. Ce procédé traduit au moins son incertitude : il ne la prend pas à son compte et reste hésitant sur sa vérité. 2) Nous trouvons sur ce point chez Origène des affirmations contradictoires. En *ComJn* I, 27 (25) 187, livre contemporain du *PArch.*, répondant à une question semblable et introduite comme ici par « « 'Εὰν δέ τις ζητῇ — Si quelqu'un se demande », Origène refuse d'accepter, puisque le Fils est la Vérité, qu'il ignore quoi que ce soit du Père ; prise par un autre biais, la question amène une réponse opposée. En *ComJn* XXXII, 28 (18), 350, à propos de la gloire que la connaissance que le Fils a de lui apporte au Père, il pose à nouveau la même question, sans lui apporter de solution claire. Origène sent une opposition entre les données de la foi chrétienne et celles de la tradition philosophique qui sera illustrée bientôt par la connaissance que, selon Plotin, *Ennéades* V, 1, 7, l'Intelligence a de l'Un.

65. Le rapport de la nature raisonnable et de la nature matérielle est présenté comme nécessaire et permanent, car celle-ci est pour ainsi dire l'expression extérieure de la mutabilité de celle-là : seule la Trinité est immuable dans le bien et seule elle est incorporelle (*PArch.* I, 6, 4 ; II, 2, 2). Sur le caractère accidentel de la possession du bien chez les créatures : *PArch.* I, 5, 3 et 5 ; I, 6, 2 ; I, 8, 3 et notes correspondantes. Sur le rapport de la nature raisonnable et de la nature matérielle : *PArch.* I, 7, 1 ; II, 2, 2 ; III, 6, 6-7 ; IV, 3, 15 et notes correspondantes. L'idée de la mutabilité des créatures tient au fait qu'elles ont commencé à être et sont dépendantes de Dieu dans leur existence : elle est très origénienne et ce n'est pas Rufin qui l'a inventée. Elle s'oppose directement à l'opinion qui voit dans la création *ab aeterno*, celle des créatures raisonnables et non seulement celle du monde intelligible des idées selon *PArch.* I, 4, 3-5.

66. A « *nisi si... ostendimus* » (331-335) correspond la première partie d'un fragment de Jérôme, dont la seconde partie (la séparation sera marquée ici par //) est en rapport avec un fragment de Justinien et n'a pas de correspondant chez Rufin. Le texte de Jérôme, *Lettre* 124, 14, est ainsi introduit : « Μετεμψύχωσιν *quoque et abolitionem corporum* <*per*> *haec rursum sentire conuincitur.* — Il est convaincu de nouveau par ce qui suit de penser encore à la métempsychose et à l'abolition des corps. » Remarquons que μετεμψύχωσις n'appartient pas au vocabulaire d'Origène qui dit μετενσωμάτωσις. Le *quoque* et le *rursum* renvoient d'abord au passage où Jérôme accuse Origène de prêcher hypocritement la métempsychose, cité et étudié dans la note 28 de *PArch.* I, 8, 4, ensuite aux trois discussions sur le problème de la corporéité ou de l'incorporéité finale, *PArch.* I, 6, 4 ; II, 1-3 ; III, 6. De l'accusation de professer ici la métempsychose, G. Bardy écrit (p. 150) : « Il s'agit ici, d'après saint Jérôme, de la métempsychose, ce qui est sûrement une calomnie. » En effet tel n'est pas le sens du passage tel que Jérôme le cite.

Le texte de Jérôme est le suivant : « *Si quis autem potuerit ostendere incorporalem rationabilemque naturam, cum expoliauerit se corpore, uiuere per semetipsam et in peiori condicione esse quando corporibus uestiebatur, in meliori quando illa deponit : // nulli dubium est corpora non principaliter subsistere, sed per interualla ob uarios motus rationabilium creaturarum nunc fieri, ut qui his indigent uestiantur, et rursum cum illa deprauatione lapsuum se ad meliora correxerint, dissolui in nihil et haec semper successione uariari.* — Si l'on peut montrer qu'une nature incorporelle et raisonnable, quand elle se sera dépouillée du corps, vive par elle-même, et qu'elle était dans une condition pire quand elle était vêtue de corps et meilleure quand elle les dépose, // il n'y a pas de doute que les corps ne subsistent pas comme substances principales, mais qu'ils sont faits maintenant par intervalles à cause des mouvements divers des créatures raisonnables : de telle sorte que ceux qui en ont besoin en soient vêtus, et de nouveau, lorqu'ils se sont corrigés de la dépravation de la chute pour passer au meilleur, les corps se dissolvent dans le néant et ils se trouvent donc dans des états successifs et variables. »

Le fragment correspondant de JUSTINIEN (Mansi IX, 532) est seulement introduit par : « Ἐκ τοῦ τετάρτου λόγου — Du livre quatrième ». Le voici : « Ἀνάγκη μὴ προηγουμένην τυγχάνειν τὴν τῶν σωμάτων φύσιν, ἀλλὰ ἐκ διαλεμμάτων ὑφίστασθαι διά τινα συμπτώματα γινόμενα περὶ τὰ λογικά, δεόμενα σωμάτων, καὶ πάλιν τῆς ἐπανορθώσεως τελείως γινομένης εἰς τὸ μὴ εἶναι ἀναλύεσθαι ταῦτα, ὥστε τοῦτο ἀεὶ γίνεσθαι. — Il est nécessaire que la nature des corps ne soit pas la principale, mais qu'elle subsiste par intervalles à cause de certains accidents survenus au sujet des êtres raisonnables, qui ont alors besoin de corps, et que de nouveau, lorsque le redressement s'est produit de façon parfaite, ces corps soient dissous dans le néant, de sorte que cela se produise toujours. »

La première partie du fragment de Jérôme : « *Si quis autem... illa deponit* » correspond à la première phrase de Rufin : « *nisi si... degere* » (331-333) ; mais chez Rufin elle correspond à un refus de poser à nouveau la question, ce qu'accentue la phrase qui suit et qui ne se trouve que chez Rufin : « *Quod quam... ostendimus* » (333-335). La seconde partie du fragment de Jérôme, « *nulli dubium... successione uariari* » correspond au morceau de Justinien, dont Jérôme rend bien le sens sans en pouvoir traduire avec assez de précision le vocabulaire technique.

Une quatrième fois donc, Origène pose la question de la corporéité ou de l'incorporéité finale. Les deux solutions possibles du rapport des créatures raisonnables avec le corps sont envisagées : ou un rapport permanent est nécessaire ; ou un rapport accidentel et momentané. Et la question est encore laissée ouverte. On constate la partialité, soit de Rufin, qui élimine la seconde hypothèse tout en la mentionnant — il l'avait déjà réduite en *PArch.* III, 6, voir note correspondante 19 —, soit de Jérôme et de Justinien. En effet Jérôme, par son introduction, en fait une position fermement tenue par Origène et lui ajoute même comme conséquence la métempsychose ; cependant il maintient dans le fragment la proposition conditionnelle par laquelle il débute et par là laisse percevoir la valeur hypothétique de l'incorporéité. Mais Justinien, ne reproduisant pas cette proposition conditionnelle, fait de ce qu'il cite une affirmation sans réserve. Peut-on faire le même reproche à Rufin pour avoir présenté auparavant de la même façon la thèse de la corporéité ? Peut-être, mais elle est parfaitement liée au développement sur la nature matérielle et sur ses rapports avec la nature raisonnable.

Dans les membres de phrase qui terminent les deux fragments, on a voulu voir une allusion à la doctrine de l'éternel retour, mais les deux expressions « ὥστε τοῦτο ἀεὶ γίνεσθαι » et « *haec semper successione uariari* » peuvent être entendues plus simplement, en ce sens que la disparition de la matière se répète chaque fois que les créatures raisonnables, de nouveau purifiées, n'ont plus besoin d'elle. Voir l'étude de ces passages dans P. Nemeshegyi, p. 221-222, et J. Rius Camps, « La suerte final... ».

67. Rufin emploie le verbe *repetere*, mais Origène n'a pas encore traité *ex professo* cette question. L'immortalité de l'âme est impliquée soit à propos de l'âme (II, 8, 1-3), soit à propos du corps ressuscité (II, 3, 2 ; III, 6, 4).

68. Le premier des deux arguments démontrant l'immortalité de l'âme est basé sur le principe traditionnel : seul le semblable connaît le semblable. Seules peuvent entrer en relation des réalités de même nature. Aussi bien les intelligences humaines que les puissances angéliques participent à la lumière intellectuelle : elles sont donc d'une même nature. Or les puissances célestes sont immortelles : l'intelligence humaine doit donc l'être aussi. Ce premier argument, ainsi que le second, montre le caractère existentiel de la participation chez Origène comme dans toute la lignée du platonisme chrétien : voir A. Lieske, *Die Theologie der Logos-Mystik bei Origenes*, p. 54. Sur tout le passage « *Omnis qui participat... diuersitas* » (338-372), M. Martinez-Pastor, p. 64 s.

69. Il s'agit donc ici d'une participation de nature qui n'est pas cependant tout à fait indépendante des mérites, comme le prétendaient les gnostiques, de telle sorte qu'il y a du plus ou du moins dans cette participation : cf. *PArch.* IV, 2, 2 s. C'est ainsi que la participation à l'image de Dieu reçue par l'homme à sa création, dans sa nature — il ne s'agit pas ici de nature par opposition à surnaturel, car une telle distinction n'est pas utilisée par Origène — a besoin de la pratique des vertus, qui conforme de plus en plus au Fils et à son Père, pour s'acheminer vers la « ressemblance » de la béatitude finale.

70. A ce passage de Rufin, « *Omnis mens... consequuntur* » (350-368), correspond le dernier fragment de Jérôme, *Lettre* 124, 14. Il commence par une longue introduction, qui en donne le sens selon ce que Jérôme comprend : « *Et ne parum putaremus impietatem esse eorum quae praemiserat, in eiusdem uoluminis fine coniungit : omnes rationabiles naturas, id est patrem et filium et spiritum sanctum, angelos, potestates, dominationes, ceterasque uirtutes, ipsum quoque hominem secundum animae dignitatem, unius esse substantiae.* — Pour que nous ne sous-estimions pas l'impiété de ce qui précède, il ajoute à la fin du même volume : toutes les natures raisonnables, c'est-à-dire le Père, le Fils et le Saint Esprit, les anges, les puissances, les dominations, toutes les autres vertus, l'homme lui-même selon la dignité de son âme, sont d'une seule substance. »

Ce qui suit est présenté comme citation : « *Intellectualem, inquit, rationabilemque naturam sentit deus et unigenitus filius eius et spiritus sanctus, sentiunt angeli et potestates ceteraeque uirtutes, sentit interior homo qui ad imaginem et similitudinem Dei conditus est* (*Rom.* 7, 22 ; *Gen.* 1, 26). *Ex quo concluditur deum et haec quodammodo unius esse substantiae.* — Dieu, dit-il, son Fils Unique et l'Esprit Saint pensent la nature intellectuelle et raisonnable ; de même les anges, les puissances et toutes les autres vertus ; de même l'homme intérieur créé à l'image et à la ressemblance de Dieu. De là il est conclu que Dieu et ces êtres sont d'une certaine façon d'une unique substance. »

La citation est ensuite commentée : « *Vnum addit uerbum, quodammodo, ut tanti sacrilegii crimen effugeret, et qui in alio loco filium et spiritum sanctum non uult de patris esse substantia, ne diuinitatem in partes secare uideatur, naturam omnipotentis dei angelis hominibusque largitur.* — Il ajoute ces mots : « d'une certaine façon », pour échapper à l'accusation d'un si grand sacrilège, et lui qui en un autre endroit ne veut pas que le Fils et l'Esprit Saint soient de la substance du Père, pour ne pas paraître couper la divinité en morceaux, il accorde la nature du Dieu tout-puissant aux anges et aux hommes. »

Koetschau met à cette place ce passage de Jérôme : il y correspond, certes, en gros, mais cette collocation présente des difficultés, même en admettant que Rufin ait remanié le morceau correspondant. La liaison que fait Jérôme entre *Rom.* 7, 22 et *Gen.* 1, 26 apparaît à la fin de *PArch.* IV, 4, 9, et l'affirmation d'une certaine communauté de nature entre Dieu et les créatures raisonnables peut être lue chez Rufin en IV, 4, 10. Si on mettait ici le morceau de Jérôme à la place de Rufin, on détruirait le fil de l'argumentation avec ses deux preuves, la première basée sur le rapport de l'âme humaine avec les autres créatures raisonnables, et la seconde qui met seule en cause la Trinité, mais d'une manière moins forte que ne le fait Jérôme au sein même de la première argumentation. Il est difficile de penser que la citation faite par Jérôme soit littérale : il peut avoir pris des phrases çà et là et composé un centon en réunissant des expressions mises par Origène dans un contexte plus large. Il nous paraît vraisemblable que Jérôme a résumé de lui-même en quelques lignes l'essentiel du raisonnement d'Origène, beaucoup plus développé, et a centré son résumé sur l'aspect qui le scandalisait.

Jérôme se scandalise de ce qu'Origène ait parlé de participation des êtres raisonnables à la nature de Dieu, alors qu'il n'admettrait pas ailleurs la consubstantialité du Fils et de l'Esprit avec le Père. Il y a bien cependant un *quodammodo* par lequel Origène essaierait d'éviter d'être accusé d'une si grande impiété. Dans sa fureur accusatrice, Jérôme se choque de ce qu'Origène ne professe pas dans ses termes propres la formule de Nicée — il manque d'esprit historique —, d'autre part il ne tient aucun compte des différences très marquées que met

Origène dans la notion de participation quand il s'agit des personnes divines et quand il s'agit des êtres raisonnables. Jérôme sort cette affirmation du contexte que fournissent les autres affirmations d'Origène, même dans le *PArch.*

Voici les principales différences entre la participation du Fils et celle des créatures à la divinité du Père. Celle du Fils est complète, même si on suppose une certaine inégalité du Père et du Fils : ce dernier est en effet le rayonnement de toute la gloire du Père, dont les autres créatures ne reçoivent que des reflets partiels (*ComJn* XXXII, 28 (18), 353) ; sa puissance s'étend partout où s'étend celle du Père (*PArch.* I, 2, 10 ; II, 8, 5) ; il accomplit toute la volonté du Père, ce qu'aucune créature n'est capable de faire (*ComJn* XIII, 36, 231). D'autre part il possède la divinité et les autres vertus de façon substantielle, sans possibilité de diminution, alors que les créatures sont toujours dans un état accidentel, susceptible de montées ou de descentes (*PArch.* I, 2, 10 ; I, 2, 13 ; IV, 4, 8 ; *ComJn* VI, 38 (22), 188-190 ; *CCels.* IV, 5 : voir note 69 du *PArch.* I, 2). Pareillement *PArch.* II, 6, 6 souligne que l'âme humaine du Christ contient parfaitement le Verbe, dont les autres saints n'ont qu'une participation partielle. Enfin c'est à travers la médiation du Verbe que les créatures raisonnables participent à Dieu : entre autres textes nombreux, *ComJn* II, 2, 17. Nulle part qu'ici n'apparaît mieux dans la *Lettre à Avitus* l'inintelligence théologique de son auteur et le contresens méthodologique qui consiste à prendre chaque texte séparément de tout l'ensemble.

71. Le second argument sur l'immortalité de l'âme est fondé aussi sur le concept de participation, mais il met l'âme humaine directement en contact avec la divinité sans passer par l'intermédiaire des puissances angéliques. L'âme humaine participe à la divinité : or celle-ci est incorruptible ; donc l'âme humaine est incorruptible et immortelle, et elle peut ainsi bénéficier toujours de la bienfaisance divine. La participation de l'âme à Dieu ne peut être perdue, car elle résulte du fait de sa création selon l'image et la ressemblance de Dieu.

72. *PArch.* I, 3, 6 ; II, 6, 3 ; IV, 4, 2 et notes correspondantes.

73. *PArch.* I, 3, 8 ; I, 4, 1 ; III, 3, 6.

74. Bien qu'Origène semble dire quelquefois que le péché fait perdre à l'homme le caractère qu'a mis en lui sa création selon l'image de Dieu (*ComRom.* I, 17 ; *HomLév.* II, 2), sa conception dominante est que ce caractère peut être recouvert et obscurci par le péché, mais non éliminé : *HomGen.* XIII, 4 ; *CCels.* II, 11 ; IV, 25 ; IV, 83. Sur cet argument surtout repose la conviction qu'il a de l'immortalité de l'âme. Pour les anciens à partir de Platon, le concept d'image — Platon lui-même ne parle que de parenté — n'indiquait pas seulement une ressemblance générique et extérieure avec le modèle, mais une véritable participation à sa réalité, bien qu'à un niveau inférieur. Pour le lien entre *Rom.* 7, 22 et *Gen.* 1, 26 : *DialHér.* 12 ; *HomGen.* I, 13.

75. Même preuve de l'immortalité par la parenté avec Dieu chez le mésoplatonicien Albinos, *Épitomé* XIV, XVII et XXV (éd. Louis) : voir H. Koch, p. 264.

76. Sur le Fils Image de Dieu d'après *Col.* 1, 15 : *PArch.* I, 2, 6. En *HomGen.* I, 13, le Fils est cette image de Dieu selon laquelle l'homme a été créé : c'est pourquoi seul le Fils dans sa divinité est appelé par Origène Image de Dieu, l'homme, y compris l'âme humaine du Christ, est « selon l'image » ou « image de l'image ». C'est là un des quelques points de terminologie à propos desquels Origène jamais ne varie.

77. Origène, à la suite de Clément (*Protr.* 10, 98 ; *Strom.* V, 14, 94), met l'image divine dans la partie raisonnable de l'homme et combat ceux qui la voient dans le corps : *CCels.* VI, 63 ; *DialHér.* 12. En *SelGen.* 1, 26 (*PG* 12, 93 s.), il attaque à ce sujet l'anthropomorphisme de Méliton de Sardes : voir *PArch.* I, 1, 1 et notes correspondantes. Ici, toujours en accord avec cette conception, il présente de façon dynamique l'image de Dieu en l'homme : elle progresse par l'exercice des vertus qui font avancer l'homme par l'imitation de Dieu. Voir de même, dans la ligne de cette conception dynamique, ce qui est dit en *PArch.* III, 6, 1 du progrès de l'homme à partir de l'image jusqu'à la ressemblance. Sur le renforcement de l'image par l'exercice des vertus, ou au contraire son atténuation par le péché et la superposition des images diaboliques : *HomLc* VIII, 2-3 ; *CCels.* VII, 66.

78. *PArch.* III, 6, 1 et notes correspondantes. Pour la liaison entre image, imitation et exercice de la vertu : *Hom.IRois (I Sam.)* I, 4.

79. *PArch.* I, 5, 3 ; I, 5, 5 ; I, 6, 2 etc.

80. *consanguinitas* = συγγένεια, concept platonicien : *PArch.* III, 1, 13 et notes correspondantes. Sur ce mot : E. des Places, *Syngeneia: La parenté de l'homme avec Dieu d'Homère à la patristique*, Paris 1964 ; sur Origène, p. 191-192.

81. *ComJn* XIII, 42, 280-284.

82. *PArch.* II, 6, 1 ; *HomIs.* I, 2 ; IV, 1 ; *CCels.* VI, 17 ; *ComRom.* VIII, 13.

83. *ComCant.* III et IV (*GCS* VIII, p. 220 et 224) ; *HomPs. 38*, I, 11. Sur les modalités de cette progression : H. Crouzel, *Connaissance*, p. 460-474.

84. Ce passage de *Prov.* 2, 5 est la justification scripturaire de la doctrine des cinq sens spirituels (*PArch.* I, 1, 9 et notes correspondantes 38-40), car Origène, lisant dans la Septante αἴσθησιν et non ἐπίγνωσιν, en déduit l'existence d'une « sensibilité divine ». CLÉMENT a le même texte de *Prov.* 2, 5 : *Strom.* I, 4, 27. Mais puisque Dieu est incorporel, il s'agit d'une sensibilité incorporelle, apte à faire connaître les réalités incorporelles. Créé à l'image de Dieu, l'homme la possède : *CCels.* I, 48 ; VII, 34 ; *ComJn* XX, 43 (33), 401-412. Sur l'analogie entre les réalités sensibles et les spirituelles : *ComJn* I, 26 (24), 167. Pour le motif platonicien de la montée du sensible à l'intelligible : CLÉMENT, *Strom.* IV, 23, 148 ; VI, 8, 68.

85. Probablement ce qui est dit dans la préface du *PArch.*

Liste des fragments (ou résumés) du *Peri Archon* **cités dans le Commentaire**

ATHANASE, *De Decr. Nic. syn.*

27, 1-2 : IV, 4, note 9.
27, 3 : IV, 4, note 13.

JÉRÔME, *Lettre* 124.

§ 8 : III, 1, notes 119, 122, 127, 130; III, 3 notes 31, 33.
§ 9 : III, 5, notes 13, 24, 27, 30, 46; III, 6, note 12.
§ 10 : III, 6, notes 19, 57.
§ 11 : IV, 3, notes 55, 62 c, 73.
§ 12 : IV, 3, note 80.
§ 13 : IV, 4, note 64.
§ 14 : IV, 4, notes 66, 70.

JUSTINIEN (d'après Mansi IX).

525 : IV, 4, notes 9, 63, 64.
529 : III, 6, note 13.
532 : IV, 3, note 80; IV, 4, note 66.
533 : IV, 3, note 2.

MARCEL D'ANCYRE (*apud* Eusèbe, *Contra Marc.*)

IV, 4, note 1.

PAMPHILE (*Apologia*, trad. Rufin).

IV, 4, note 1.

THÉOPHILE D'ALEXANDRIE (*Lettre* 98 *apud* Jérôme et *apud* Théodoret, *Eranistes*)

IV, 4, notes 31, 34.

TABLE DES MATIÈRES

SOURCES CHRÉTIENNES

LISTE COMPLÈTE DE TOUS LES VOLUMES PARUS

N. B. — L'ordre suivant est celui de la date de parution (nº 1 en 1942) et il n'est pas tenu compte ici du classement en séries : grecque, latine, byzantine, orientale, textes monastiques d'Occident ; et série annexe : textes para-chrétiens.

Sauf indication contraire, chaque volume comporte le texte original, grec ou latin, souvent avec un apparat critique inédit.

La mention *bis* indique une seconde édition. Quand cette seconde édition ne diffère de la première que par de menues corrections et des *Addenda et Corrigenda* ajoutés en appendice, la date est accompagnée de la mention « réimpression avec supplément ».

1. Grégoire de Nysse : **Vie de Moïse.** J. Daniélou (3e édition) (1968).

2 bis. Clément d'Alexandrie : **Protreptique.** C. Mondésert, A. Plassart (réimpression de la 2e éd., 1976).

3 bis. Athénagore : **Supplique au sujet des chrétiens.** *En préparation.*

4 bis. Nicolas Cabasilas : **Explication de la divine Liturgie.** S. Salaville, R. Bornert, J. Gouillard, P. Périchon (1967).

5. Diadoque de Photicé : **Œuvres spirituelles.** É. des Places (réimpr. de la 2e éd., avec suppl., 1966).

6 bis. Grégoire de Nysse : **La création de l'homme.** *En préparation.*

7 bis. Origène : **Hom. sur la Genèse.** H. de Lubac, L. Doutreleau (1976).

8. Nicétas Stéthatos : **Le paradis spirituel.** *Remplacé par le nº 81.*

9 bis. Maxime le Confesseur : **Centuries sur la charité.** *En préparation.*

10. Ignace d'Antioche : **Lettres — Lettres et Martyre** de Polycarpe de Smyrne. P.-Th. Camelot (4e édition) (1969).

11 bis. Hippolyte de Rome : **La Tradition apostolique.** B. Botte (1968).

12 bis. Jean Moschus : **Le Pré spirituel.** *En préparation.*

13 bis. Jean Chrysostome : **Lettres à Olympia.** A.-M. Malingrey. Trad. seule (1947).

13 bis. 2e édition avec le texte grec et la **Vie anonyme d'Olympias** (1968).

14. Hippolyte de Rome : **Commentaire sur Daniel.** G. Bardy, M. Lefèvre. Trad. seule (1947).
2e édition avec le texte grec. *En préparation.*

15 bis. Athanase d'Alexandrie : **Lettres à Sérapion.** J. Lebon. *En prép.*

16 bis. Origène : **Hom. sur l'Exode.** H. de Lubac, J. Fortier. *En prép.*

17. Basile de Césarée : **Sur le Saint-Esprit.** B. Pruche. Trad. seule (1947).

17 bis. 2e édition avec le texte grec (1968).

18 bis. Athanase d'Alexandrie : **Discours contre les païens.** P. Th. Camelot (1977).

19 bis. Hilaire de Poitiers : **Traité des Mystères.** P. Brisson (réimpression, avec supplément, 1967).

20. Théophile d'Antioche : **Trois livres à Autolycus.** G. Bardy, J. Sender. Trad. seule (1948).
2e édition avec le texte grec. *En préparation.*

21. Éthérie : **Journal de voyage.** H. Pétré (réimpression, 1975).

22 bis. Léon le Grand : **Sermons,** t. I. J. Leclercq, R. Dolle (1964).

23. Clément d'Alexandrie : **Extraits de Théodote.** G. Quispel (réimp., 1970).

24 bis. Ptolémée : **Lettre à Flora.** G. Quispel (1966).

25 bis. Ambroise de Milan : **Des Sacrements. Des Mystères. Explication du Symbole.** B. Botte (1961).

26 bis. Basile de Césarée : **Homélies sur l'Hexaéméron.** S. Giet (réimpr. avec suppl., 1968).

27 bis. **Homélies Pascales,** t. I. P. Nautin. *En préparation.*

28 bis. Jean Chrysostome : **Sur l'incompréhensibilité de Dieu.** J. Daniélou, A.-M. Malingrey, R. Flacelière (1970).

29 bis. Origène : **Homélies sur les Nombres.** A. Méhat. *En préparation.*

30 bis. Clément d'Alexandrie : **Stromate I.** *En préparation.*

31. Eusèbe de Césarée : **Histoire ecclésiastique,** t. I. G. Bardy (réimpression, 1965).

32 bis. Grégoire le Grand : **Morales sur Job,** t. I. Livres I-II. R. Gillet, A. de Gaudemaris (1975).

33 bis. **A. Diognète.** H. I. Marrou (réimpr. avec suppl., 1965).

34. Irénée de Lyon : **Contre les hérésies,** livre III. F. Sagnard. *Remplacé par les nos 210 et 211.*

35 bis. Tertullien : **Traité du baptême.** F. Refoulé. *En préparation.*

36 bis. **Homélies Pascales,** t. II. P. Nautin. *En préparation.*

37 bis. Origène : **Homélies sur le Cantique.** O. Rousseau (1966).

38 bis. Clément d'Alexandrie : **Stromate II.** *En préparation.*

39 bis. Lactance : **De la mort des persécuteurs.** 2 vol. *En préparation.*

40. Théodoret de Cyr : **Correspondance,** t. I. Y. Azéma (1955).

41. Eusèbe de Césarée : **Histoire ecclésiastique,** t. II. G. Bardy (réimpression, 1965).

42. Jean Cassien : **Conférences,** t. I. E. Pichery (réimpression, 1966).

43. Jérôme : **Sur Jonas.** P. Antin (1956).

44. Philoxène de Mabboug : **Homélies.** E. Lemoine. Trad. seule (1956).

45. Ambroise de Milan : **Sur S. Luc,** t. I. G. Tissot (réimpr. avec suppl., 1971).

46. Tertullien : **De la prescription contre les hérétiques.** P. de Labriolle et F. Refoulé (1957).

47. Philon d'Alexandrie : **La migration d'Abraham.** R. Cadiou (1957).

48. **Homélies Pascales,** t. III. F. Floëri et P. Nautin (1957).

49 bis. Léon le Grand : **Sermons,** t. II. R. Dolle (1969).

50 bis. Jean Chrysostome : **Huit Catéchèses baptismales inédites.** A. Wenger (réimpr. avec suppl., 1970).

51 bis. Syméon le Nouveau Théologien : **Chapitres théologiques, gnostiques et pratiques.** J. Darrouzès. *En préparation.*

52 bis. Ambroise de Milan : **Sur S. Luc,** t. II. G. Tissot (réimpr. avec suppl., 1976).

53 bis. Hermas : **Le Pasteur.** R. Joly (réimpr. avec suppl., 1968).

54. Jean Cassien : **Conférences,** t. II. E. Pichery (réimpression, 1966).

55. Eusèbe de Césarée : **Histoire ecclésiastique,** t. III. G. Bardy (réimpression, 1967).

56. Athanase d'Alexandrie : **Deux apologies.** J. Szymusiak (1958).

57. Théodoret de Cyr : **Thérapeutique des maladies helléniques.** 2 volumes. P. Canivet (1958).

58 bis. Denys l'Aréopagite : **La hiérarchie céleste.** G. Heil, R. Roques, M. de Gandillac (réimpr. avec suppl., 1970).

59. **Trois antiques rituels du baptême.** A. Salles. Trad. seule. *Épuisé.*

60. Aelred de Rievaulx : **Quand Jésus eut douze ans.** A. Hoste, J. Dubois (1958).

61 bis. Guillaume de Saint-Thierry : **Traité de la contemplation de Dieu.** J. Hourlier (réimpression, 1977).

62. Irénée de Lyon : **Démonstration de la prédication apostolique.** L. Froidevaux. Nouvelle trad. sur l'arménien. Trad. seule (réimpr. 1971).

63. Richard de Saint-Victor : **La Trinité.** G. Salet (1959).

64. Jean Cassien : **Conférences,** t. III. E. Pichery (réimpr., 1971).

65. Gélase Ier : **Lettre contre les Lupercales et dix-huit messes du sacramentaire léonien.** G. Pomarès (1960).

66. Adam de Perseigne : **Lettres,** t. I. J. Bouvet (1960).

67. Origène : **Entretien avec Héraclide.** J. Scherer (1960).

68. Marius Victorinus : **Traités théologiques sur la Trinité.** P. Henry, P. Hadot. Tome I. Introd., texte critique, traduction (1960).

69. **Id.** — Tome II. Commentaire et tables (1960).

70. Clément d'Alexandrie : **Le Pédagogue,** t. I. H. I. Marrou, M. Harl (1960).

71. Origène : **Homélies sur Josué.** A. Jaubert (1960).

72. Amédée de Lausanne : **Huit homélies mariales.** G. Bavaud, J. Deshusses, A. Dumas (1960).

73 bis. Eusèbe de Césarée : **Histoire ecclésiastique,** t. IV. Introd. générale de G. Bardy et tables de P. Périchon (réimpr. avec suppl., 1971).

74 bis. Léon le Grand : **Sermons,** t. III. R. Dolle (1976).

75. S. Augustin : **Commentaire de la Ire Épître de S. Jean.** P. Agaësse (réimpression, 1966).

76. Aelred de Rievaulx : **La vie de recluse.** Ch. Dumont (1961).

77. Defensor de Ligugé : **Le livre d'étincelles,** t. I. H. Rochais (1961).

78. Grégoire de Narek : **Le livre de Prières.** I. Kéchichian. Trad. seule (1961).

79. Jean Chrysostome : **Sur la Providence de Dieu.** A.-M. Malingrey (1961).

80. Jean Damascène : **Homélies sur la Nativité et la Dormition.** P. Voulet (1961).

81. Nicétas Stéthatos : **Opuscules et lettres.** J. Darrouzès (1961).

82. Guillaume de Saint-Thierry : **Exposé sur le Cantique des Cantiques.** J.-M. Déchanet (1962).

83. Didyme l'Aveugle : **Sur Zacharie.** Texte inédit. L. Doutreleau. Tome I. Introduction et livre I (1962).

84. **Id.** — Tome II. Livres II et III (1962).

85. **Id.** — Tome III. Livres IV et V, Index (1962).

86. Defensor de Ligugé : **Le livre d'étincelles,** t. II. H. Rochais (1962).

87. Origène : **Homélies sur S. Luc.** H. Crouzel, F. Fournier, P. Périchon (1962).

88. **Lettres des premiers Chartreux,** tome I : S. Bruno, Guigues, S. Anthelme. Par un Chartreux (1962).

89. **Lettre d'Aristée à Philocrate.** A. Pelletier (1962).

90. **Vie de sainte Mélanie.** D. Gorce (1962).

91. Anselme de Cantorbéry : **Pourquoi Dieu s'est fait homme.** R. Roques (1963).

92. Dorothée de Gaza : **Œuvres spirituelles.** L. Regnault, J. de Préville (1963).

93. Baudouin de Ford : **Le sacrement de l'autel.** J. Morson, É. de Solms, J. Leclercq. Tome I (1963).

94. **Id.** — Tome II (1963).

95. Méthode d'Olympe : **Le banquet.** H. Musurillo, V.-H. Debidour (1963).

96. Syméon le Nouveau Théologien : **Catéchèses.** B. Krivochéine, J. Paramelle. Tome I. Introduction et Catéchèses 1-5 (1963).

97. Cyrille d'Alexandrie : **Deux dialogues christologiques.** G. M. de Durand (1964).

98. Théodoret de Cyr : **Correspondance,** t. II. Y. Azéma (1964).

99. Romanos le Mélode : **Hymnes.** J. Grosdidier de Matons. Tome I. Introduction et Hymnes I-VIII (1964).

100. Irénée de Lyon : **Contre les hérésies,** livre IV. A. Rousseau, B. Hemmerdinger, Ch. Mercier, L. Doutreleau. 2 vol. (1965).

101. Quodvultdeus : **Livre des promesses et des prédictions de Dieu.** R. Braun. Tome I (1964).

102. **Id.** — Tome II (1964).
103. JEAN CHRYSOSTOME : **Lettre d'exil.** A.-M. Malingrey (1964).
104. SYMÉON LE NOUVEAU THÉOLOGIEN : **Catéchèses.** B. Krivochéine, J. Paramelle. Tome II. Catéchèses 6-22 (1964).
105. **La Règle du Maître.** A. de Vogüé. Tome I. Introd. et chap. 1-10 (1964).
106. **Id.** — Tome II. Chap. 11-95 (1964).
107. **Id.** — Tome III. Concordance et Index orthographique. J.-M. Clément, J. Neufville, D. Demeslay (1965).
108. CLÉMENT D'ALEXANDRIE : **Le Pédagogue,** tome II. Cl. Mondésert, H. I. Marrou (1965).
109. JEAN CASSIEN : **Institutions cénobitiques.** J.-C. Guy (1965).
110. ROMANOS LE MÉLODE : **Hymnes.** J. Grosdidier de Matons. Tome II. Hymnes IX-XX (1965).
111. THÉODORET DE CYR : **Correspondance,** t. III. Y. Azéma (1965).
112. CONSTANCE DE LYON : **Vie de S. Germain d'Auxerre.** R. Borius (1965).
113. SYMÉON LE NOUVEAU THÉOLOGIEN : **Catéchèses.** B. Krivochéine. J. Paramelle. Tome III. Catéchèses 23-24, Actions de grâces 1-2 (1965).
114. ROMANOS LE MÉLODE : **Hymnes.** J. Grosdidier de Matons. Tome III. Hymnes XXI-XXXI (1965).
115. MANUEL II PALÉOLOGUE : **Entretien avec un musulman.** A. Th. Khoury (1966).
116. AUGUSTIN D'HIPPONE : **Sermons pour la Pâque.** S. Poque (1966).
117. JEAN CHRYSOSTOME : **A Théodore.** J. Dumortier (1966).
118. ANSELME DE HAVELBERG : **Dialogues,** livre I. G. Salet (1966).
119. GRÉGOIRE DE NYSSE : **Traité de la Virginité.** M. Aubineau (1966).
120. ORIGÈNE : **Commentaire sur S. Jean.** C. Blanc. Tome I. Livres I-V (1966).
121. ÉPHREM DE NISIBE : **Commentaire de l'Évangile concordant ou Diatessaron.** L. Leloir. Trad. seule (1966).
122. SYMÉON LE NOUVEAU THÉOLOGIEN : **Traités théologiques et éthiques.** J. Darrouzès. Tome I. Théol. 1-3, Éth. 1-3 (1966).
123. MÉLITON DE SARDES : **Sur la Pâque (et fragments).** O. Perler (1966).
124. **Expositio totius mundi et gentium.** J. Rougé (1966).
125. JEAN CHRYSOSTOME : **La Virginité.** H. Musurillo, B. Grillet (1966).
126. CYRILLE DE JÉRUSALEM : **Catéchèses mystagogiques.** A. Piédagnel, P. Paris (1966).
127. GERTRUDE D'HELFTA : **Œuvres spirituelles.** Tome I. **Les Exercices.** J. Hourlier, A. Schmitt (1967).
128. ROMANOS LE MÉLODE : **Hymnes.** J. Grosdidier de Matons. Tome IV. Hymnes XXXII-XLV (1967).
129. SYMÉON LE NOUVEAU THÉOLOGIEN : **Traités théologiques et éthiques.** J. Darrouzès. Tome II. Éth. 4-15 (1967).
130. ISAAC DE L'ÉTOILE : **Sermons.** A. Hoste, G. Salet. Tome I. Introduction et Sermons 1-17 (1967).
131. RUPERT DE DEUTZ : **Les œuvres du Saint-Esprit.** J. Gribomont, É. de Solms. Tome I. Livres I et II (1967).
132. ORIGÈNE : **Contre Celse.** M. Borret. Tome I. Livres I et II (1967).
133. SULPICE SÉVÈRE : **Vie de S. Martin.** J. Fontaine. Tome I. Introduction, texte et traduction (1967).
134. **Id.** — Tome II. Commentaire (1968).
135. **Id.** — Tome III. Commentaire (suite). Index (1969).
136. ORIGÈNE : **Contre Celse.** M. Borret. Tome II. Livres III et IV (1968).
137. ÉPHREM DE NISIBE : **Hymnes sur le Paradis.** F. Graffin, R. Lavenant. Trad. seule (1968).
138. JEAN CHRYSOSTOME : **A une jeune veuve. Sur le mariage unique.** B. Grillet, G. H. Ettlinger (1968).
139. GERTRUDE D'HELFTA : **Œuvres spirituelles.** Tome II. **Le Héraut.** Livres I et II. P. Doyère (1968).

140. Rufin d'Aquilée : **Les bénédictions des Patriarches.** M. Simonetti, H. Rochais, P. Antin (1968).

141. Cosmas Indicopleustès : **Topographie chrétienne.** Tome I. Introduction et livres I-IV. W. Wolska-Conus (1968).

142. **Vie des Pères du Jura.** F. Martine (1968).

143. Gertrude d'Helfta : **Œuvres spirituelles.** Tome III. **Le Héraut.** Livre III. P. Doyère (1968).

144. **Apocalypse syriaque de Baruch.** Tome I. Introduction et traduction. P. Bogaert (1969).

145. **Id.** — Tome II. Commentaire et tables (1969).

146. **Deux homélies anoméennes pour l'octave de Pâques.** J. Liébaert (1969).

147. Origène : **Contre Celse.** M. Borret. Tome III. Livres V et VI (1969).

148. Grégoire le Thaumaturge : **Remerciement à Origène. — La lettre d'Origène à Grégoire.** H. Crouzel (1969).

149. Grégoire de Nazianze : **La passion du Christ.** A. Tuilier (1969).

150. Origène : **Contre Celse.** M. Borret. Tome IV. Livres VII et VIII (1969).

151. Jean Scot : **Homélie sur le Prologue de Jean.** E. Jeauneau (1969).

152. Irénée de Lyon : **Contre les hérésies,** livre V. A. Rousseau, L. Doutreleau, C. Mercier. Tome I. Introduction, notes justificatives et tables (1969).

153. **Id.** — Tome II. Texte et traduction (1969).

154. Chromace d'Aquilée : **Sermons.** Tome I. Sermons 1-17. J. Lemarié (1969).

155. Hugues de Saint-Victor : **Six opuscules spirituels.** R. Baron (1969).

156. Syméon le Nouveau Théologien : **Hymnes.** J. Koder, J. Paramelle. Tome I. Hymnes I-XV (1969).

157. Origène : **Commentaire sur S. Jean.** C. Blanc. Tome II. Livres VI et X (1970).

158. Clément d'Alexandrie : **Le Pédagogue.** Livre III. Cl. Mondésert, H. I. Marrou et Ch. Matray (1970).

159. Cosmas Indicopleustès : **Topographie chrétienne.** Tome II. Livre V. W. Wolska-Conus (1970).

160. Basile de Césarée : **Sur l'origine de l'homme.** A. Smets et M. Van Esbroeck (1970).

161. **Quatorze homélies du IXe siècle d'un auteur inconnu de l'Italie du Nord.** P. Mercier (1970).

162. Origène : **Commentaire sur l'Évangile selon Matthieu.** Tome I. Livres X et XI. R. Girod (1970).

163. Guigues II le Chartreux : **Lettre sur la vie contemporaine** (ou **Échelle des Moines**). **Douze méditations.** E. Colledge, J. Walsh (1970).

164. Chromace d'Aquilée : **Sermons.** Tome II. S. 18-41. J. Lemarié (1971).

165. Rupert de Deutz : **Les œuvres du Saint-Esprit.** Tome II. Livres III et IV. J. Gribomont, É. de Solms (1970).

166. Guerric d'Igny : **Sermons.** Tome I. J. Morson, H. Costello, P. Deseille (1970).

167. Clément de Rome : **Épître aux Corinthiens.** A. Jaubert (1971).

168. Richard Rolle : **Le chant d'amour (Melos amoris).** F. Vandenbroucke et les Moniales de Wisques. Tome I (1971).

169. **Id.** — Tome II (1971).

170. Évagre le Pontique : **Traité pratique.** A. et C. Guillaumont. Tome I. Introduction (1971).

171. **Id.** — Tome II. Texte, traduction, commentaire et tables (1971).

172. **Épître de Barnabé.** R. A. Kraft, P. Prigent (1971).

173. Tertullien : **La toilette des femmes.** M. Turcan (1971).

174. Syméon le Nouveau Théologien : **Hymnes.** J. Koder, L. Neyrand. Tome II. Hymnes XVI-XL (1971).

175. Césaire d'Arles : **Sermons au peuple.** Tome I. Sermons 1-20. M.-J. Delage (1971).

176. Salvien de Marseille : **Œuvres.** Tome I. G. Lagarrigue (1971).
177. Callinicos : **Vie d'Hypatios.** G. J. M. Bartelink (1971).
178. Grégoire de Nysse : **Vie de sainte Macrine.** P. Maraval (1971).
179. Ambroise de Milan : **La pénitence.** R. Gryson (1971).
180. Jean Scot : **Commentaire sur l'évangile de Jean.** É. Jeauneau (1972).
181. **La Règle de S. Benoît.** Tome I. Introduction et Chapitres I-VII. A. de Vogüé et J. Neufville (1972).
182. **Id.** — Tome II. Chapitres VIII-LXXIII, Tables et concordance. A. de Vogüé et J. Neufville (1972).
183. **Id.** — Tome III. Étude de la tradition manuscrite. J. Neufville (1972).
184. **Id.** — Tome IV. Commentaire (I-III). A. de Vogüé (1971).
185. **Id.** — Tome V. Commentaire (IV-VI). A. de Vogüé (1971).
186. **Id.** — Tome VI. Commentaire (VII-IX), Index. A. de Vogüé (1971).
187. Hésychius de Jérusalem, Basile de Séleucie, Jean de Béryte, Pseudo-Chrysostome, Léonce de Constantinople : **Homélies pascales.** M. Aubineau (1972).
188. Jean Chrysostome : **Sur la vaine gloire et l'éducation des enfants.** A.-M. Malingrey (1972).
189. **La chaîne palestinienne sur le psaume 118.** Tome I. Introduction, texte critique et traduction. M. Harl (1972).
190. **Id.** — Tome II. Catalogue des fragments, Notes et Index. M. Harl (1972).
191. Pierre Damien : **Lettre sur la toute-puissance divine.** A. Cantin (1972).
192. Julien de Vézelay : **Sermons.** Tome I. Introduction et Sermons 1-16. D. Vorreux (1972).
193. **Id.** — Tome II. Sermons 17-27, Index. D. Vorreux (1972).
194. **Actes de la Conférence de Carthage en 411.** Tome I. Introduction. S. Lancel (1972).
195. **Id.** — Tome II. Texte et traduction de la Capitulation et des Actes de la première séance. S. Lancel (1972).
196. Syméon le Nouveau Théologien : **Hymnes.** J. Koder, J. Paramelle, L. Neyrand. Tome III. Hymnes XLI-LVIII, Index (1973).
197. Cosmas Indicopleustès : **Topographie chrétienne,** t. III. Livres VI-XII, Index. W. Wolska-Conus (1973).
198. **Livre** (cathare) **des deux principes.** Ch. Thouzellier (1973).
199. Athanase d'Alexandrie : **Sur l'incarnation du Verbe.** C. Kannengiesser (1973).
200. Léon le Grand : **Sermons,** tome IV. Sermons 65-98, Éloge de S. Léon, Index. R. Dolle (1973).
201. **Évangile de Pierre.** M.-G. Mara (1973).
202. Guerric d'Igny : **Sermons.** Tome II. J. Morson, H. Costello, P. Deseille (1973).
203. Nersès Šnorhali : **Jésus, Fils unique du Père.** I. Kéchichian. Trad. seule (1973).
204. Lactance : **Institutions divines,** livre V. Tome I. Introd., texte et trad. P. Monat (1973).
205. **Id.** — Tome II. Commentaire et index. P. Monat (1973).
206. Eusèbe de Césarée : **Préparation évangélique,** livre I. J. Sirinelli, É. des Places (1974).
207. Isaac de l'Étoile : **Sermons.** A. Hoste, G. Salet, G. Raciti. Tome II. Sermons 18-39 (1974).
208. Grégoire de Nazianze : **Lettres théologiques.** P. Gallay (1974).
209. Paulin de Pella : **Poème d'action de grâces et Prière.** C. Moussy (1974).
210. Irénée de Lyon : **Contre les hérésies,** livre III. A. Rousseau, L. Doutreleau. Tome I. Introduction, notes justificatives et tables (1974).
211. **Id.** — Tome II. Texte et traduction (1974).
212. Grégoire le Grand : **Morales sur Job.** L. XI-XIV. A. Bocognano (1974).
213. Lactance : **L'ouvrage du Dieu créateur.** Tome I. Introduction, texte critique et traduction. M. Perrin (1974).
214. **Id.** — Tome II. Commentaire et index. M. Perrin (1974).

215. Eusèbe de Césarée : **Préparation évangélique,** livre VII. G. Schroeder, É. des Places (1975).

216. Tertullien : **La chair du Christ.** Tome I. Introduction, texte critique et traduction. J. P. Mahé (1975).

217. **Id.** — Tome II. Commentaire et Index. J. P. Mahé (1975).

218. Hydace : **Chronique.** Tome I. Introduction, texte critique et traduction. A. Tranoy (1975).

219. **Id.** — Tome II. Commentaire et index. A. Tranoy (1975).

220. Salvien de Marseille : **Œuvres,** t. II. G. Lagarrigue (1975).

221. Grégoire le Grand : **Morales sur Job.** L. XV-XVI. A. Bocognano (1975).

222. Origène : **Commentaire sur S. Jean.** Tome III. L. XIII. C. Blanc (1975).

223. Guillaume de Saint-Thierry : **Lettre aux Frères du Mont-Dieu (Lettre d'or).** J. Déchanet (1975).

224. **Actes de la Conférence de Carthage en 411.** Tome III. Texte et traduction des Actes de la 2e et de la 3e séance. S. Lancel (1975).

225. Dhuoda : **Manuel pour mon fils.** P. Riché, B. de Vregille et C. Mondésert (1975).

226. Origène : **Philocalie 21-27 (Sur le libre arbitre).** E. Junod (1976).

227. Origène : **Contre Celse.** M. Borret. Tome V. Introduction et index (1976).

228. Eusèbe de Césarée : **Préparation évangélique.** L. II-III. É. des Places (1976).

229. Pseudo-Philon : **Les Antiquités Bibliques.** D. J. Harrington, C. Perrot, P. Bogaert, J. Cazeaux. Tome I. Introduction critique, texte et traduction (1976).

230. **Id.** — Tome II. Introduction littéraire, commentaire et index (1976).

231. Cyrille d'Alexandrie : **Dialogues sur la Trinité.** Tome I. Dial. I et II. G. M. de Durand (1976).

232. Origène : **Homélies sur Jérémie.** P. Nautin et P. Husson. Tome I. Introduction et homélies I-XI (1976).

233. Didyme l'Aveugle : **Sur la Genèse.** Tome I (Sur Genèse I-IV). P. Nautin et L. Doutreleau (1976).

234. Théodoret de Cyr : **Histoire des moines de Syrie.** Tome I. Introduction et **Histoire Philothée** I-XIII. P. Canivet et A. Leroy-Molinghen (1977).

235. Hilaire d'Arles : **Vie de S. Honorat.** M. D. Valentin (1977).

236. **Rituel cathare.** Ch. Thouzellier (1977).

237. Cyrille d'Alexandrie : **Dialogues sur la Trinité.** Tome II. Dial. III-V. G. M. de Durand (1977).

238. Origène : **Homélies sur Jérémie.** Tome II. Homélies XII-XX et homélies latines, index. P. Nautin et P. Husson (1977).

239. Ambroise de Milan : **Apologie de David.** P. Hadot et M. Cordier (1977).

240. Pierre de Celle : **L'école du cloître.** G. de Martel (1977).

241. **Conciles gaulois du IVe siècle.** J. Gaudemet (1977).

242. S. Jérôme : **Commentaire sur S. Matthieu.** Tome I. Livres I et II. É. Bonnard (1978).

243. Césaire d'Arles : **Sermons au peuple.** Tome II. Sermons 21-55. M.-J. Delage (1978).

244. Didyme l'Aveugle : **Sur la Genèse.** Tome II (Sur Genèse V-XVII). Index. P. Nautin et L. Doutreleau (1978).

245. **Targum du Pentateuque.** Tome I : **Genèse.** R. Le Déaut et J. Robert. Trad. seule (1978).

246. Cyrille d'Alexandrie : **Dialogues sur la Trinité.** Tome III. Dial. VI-VII, index. G. M. de Durand (1978).

247. Grégoire de Nazianze : **Discours** 1-3. J. Bernardi (1978).

248. **La doctrine des douze apôtres.** W. Rordorf et A. Tuilier (1978).

249. S. Patrick : **Confession et Lettre à Coroticus.** R.P.C. Hanson et C. Blanc (1978).

250. Grégoire de Nazianze : **Discours** 27-31 (Discours théologiques). P. Gallay (1978).

251. Grégoire le Grand : **Dialogues.** Tome I. Introduction, bibliographie et cartes. A. de Vogüé (1978).
252. Origène : **Traité des principes.** Tome I. Livres I et II : Introduction, texte critique et traduction. H. Crouzel et M. Simonetti (1978).
253. **Id.** — Tome II. Livres I et II : Commentaire et fragments. H. Crouzel et M. Simonetti (1978).
254. Hilaire de Poitiers : **Sur Matthieu.** Tome I. Introduction et chap. 1-13. J. Doignon (1978).
255. Gertrude d'Helfta : **Œuvres spirituelles.** Tome IV. **Le Héraut.** Livre IV. J.-M. Clément, B. de Vregille et les Moniales de Wisques (1978).
256. **Targum du Pentateuque.** Tome II. **Exode et Lévitique.** R. Le Déaut et J. Robert. Trad. seule (1979).
257. Théodoret de Cyr : **Histoire des moines de Syrie.** Tome II. **Histoire Philotée** (XIV-XXX), **Traité sur la Charité** (XXXI) et Index. P. Canivet et A. Leroy-Molinghen (1979).
258. Hilaire de Poitiers : **Sur Matthieu.** Tome II. Chap. 14-33, appendice et index. J. Doignon (1979).
259. S. Jérôme : **Commentaire sur S. Matthieu.** Tome II. Livres III et IV, index. É. Bonnard (1979).
260. Grégoire le Grand : **Dialogues.** Tome II. Livres I-III. A. de Vogüé et P. Antin (1979).
261. **Targum du Pentateuque.** Tome III. **Nombres.** R. Le Déaut et J. Robert. Trad. seule (1979).
262. Eusèbe de Césarée : **Préparation évangélique,** livres IV, 1 - V, 17. O. Zink et É. des Places (1979).
263. Irénée de Lyon : **Contre les hérésies,** livre I. A. Rousseau, L. Doutreleau. Tome I. Introduction, notes justificatives et tables (1979).
264. **Id.** — Tome II. Texte et traduction (1979).
265. Grégoire le Grand : **Dialogues.** Tome III. Livre IV, tables et index. A. de Vogüé et P. Antin (1980).
266. Eusèbe de Césarée : **Préparation évangélique,** livres V, 18 - VI. É. des Places (1980).
267. **Scolies ariennes sur le concile d'Aquilée.** R. Gryson (1980).
268. Origène : **Traité des principes.** Tome III. Livres III et IV : Texte critique et traduction. H. Crouzel et M. Simonetti (1980).
269. **Id.** — Tome IV. Livres III et IV : commentaire et fragments. H. Crouzel et M. Simonetti (1980).

Hors série :

Directives pour la préparation des manuscrits (de « Sources Chrétiennes »). A demander au Secrétariat de « Sources Chrétiennes », 29, rue du Plat, 69002 Lyon.

La Règle de S. Benoît. VII. Commentaire doctrinal et spirituel. A. de Vogüé (1977).

SOUS PRESSE

Jean Chrysostome : **Le Sacerdoce.** A.-M. Malingrey.
Pseudo-Macaire : **Œuvres spirituelles,** t. IV. Desprez.
Grégoire de Nazianze : **Discours** 20-23. J. Mossay.
Lettres des premiers Chartreux, tome II : les Chartreux de Portes. Par un Chartreux.
Tertullien : **A son épouse.** C. Munier.
Tertullien : **Contre les Valentiniens.** J.-C. Fredouille (2 volumes).
Targum du Pentateuque. Tome IV. **Deutéronome.** R. Le Déaut.
Clément d'Alexandrie : **Stromate** V. A. Le Boulluec.
Jean Chrysostome : **Homélies sur Ozias.** J. Dumortier.

PROCHAINES PUBLICATIONS

Irénée de Lyon : **Contre les hérésies,** livre II. A. Rousseau et L. Doutreleau.
Théodoret de Cyr : **Commentaire sur Isaïe.** J.-N. Guinot.
Romanos le Mélode : **Hymnes,** t. V. J. Grosdidier de Matons.

SOURCES CHRÉTIENNES

(1-269)

Également aux Éditions du Cerf :

LES ŒUVRES DE PHILON D'ALEXANDRIE

publiées sous la direction de

R. Arnaldez, C. Mondésert, J. Pouilloux.

Texte grec et traduction française.

1. **Introduction générale. De opificio mundi.** R. Arnaldez (1961).
2. **Legum allegoriae.** C. Mondésert (1962).
3. **De cherubim.** J. Gorez (1963).
4. **De sacrificiis Abelis et Caini.** A. Méasson (1966).
5. **Quod deterius potiori insidiari soleat.** I. Feuer (1965).
6. **De posteritate Caini.** R. Arnaldez (1972).

7-8. **De gigantibus. Quod Deus sit immutabilis.** A. Mosès (1963).

9. **De agricultura.** J. Pouilloux (1961).
10. **De plantatione.** J. Pouilloux (1963).

11-12. **De ebrietate. De sobrietate.** J. Gorez (1962).

13. **De confusione linguarum.** J.-G. Kahn (1963).
14. **De migratione Abrahami.** J. Cazeaux (1965).
15. **Quis rerum divinarum heres sit.** M. Harl (1966).
16. **De congressu eruditionis gratia.** M. Alexandre (1967).
17. **De fuga et inventione.** E. Starobinski-Safran (1970).
18. **De mutatione nominum.** R. Arnaldez (1964).
19. **De somniis.** P. Savinel (1962).
20. **De Abrahamo.** J. Gorez (1966).
21. **De Iosepho.** J. Laporte (1964).
22. **De vita Mosis.** R. Arnaldez, C. Mondésert, J. Pouilloux, P. Savinel (1967).
23. **De Decalogo.** V. Nikiprowetzky (1965).
24. **De specialibus legibus.** Livres I-II. S. Daniel (1975).
25. **De specialibus legibus.** Livres III-IV. A. Mosès (1970).
26. **De virtutibus.** R. Arnaldez, A.-M. Vérilhac, M.-R. Servel et P. Delobre (1962).
27. **De praemiis et poenis. De exsecrationibus.** A. Beckaert (1961).
28. **Quod omnis probus liber sit.** M. Petit (1974).
29. **De vita contemplativa.** F. Daumas et P. Miquel (1964).
30. **De aeternitate mundi.** R. Arnaldez et J. Pouilloux (1969).
31. **In Flaccum.** A. Pelletier (1967).
32. **Legatio ad Caium.** A. Pelletier (1972).
33. **Quaestiones in Genesim et in Exodum. Fragmenta graeca.** F. Petit (1978).

34 A. **Quaestiones in Genesim,** I-II (e vers. armen.) (1979).

34 B. **Quaestiones in Genesim,** III-IV (e vers. armen.) (en préparation).

34 C. **Quaestiones in Exodum,** I-II (e vers. armen.) (en prépar.).

35. **De Providentia,** I-II. M. Hadas-Lebel (1973).

ACHEVÉ D'IMPRIMER EN 1980

SUR LES PRESSES DE L'IMPRIMERIE A. BONTEMPS, LIMOGES (FRANCE)

DÉPÔT LÉGAL : 1er TRIMESTRE 1980

IMPRIMEUR N° 1567 ÉDITEUR N° 7181